数字信息问题研究

重庆邮电大学　编著

科 学 出 版 社

北 京

内容简介

随着信息技术的快速发展，数据成了驱动经济运行的关键性生产要素或资源，大数据成为一种有价值的资源，使数字经济市场组织结构和游戏规则等方面发生了根本性的变化，而中国在这些方面的基础设施和法律制度准备得还不充足。本书从网络交易的市场监管、互联网信息服务业市场行为演变与竞争秩序监管、新兴信息消费的环境评估与治理等方面论述了数字信息问题的实用技术及其治理体系等重大理论问题。

本书可供普通高校经济与管理学院、信息与通信学院的师生，以及信息行业、政府管理机构工作人员和科研院所使用，也可以作为普通大众的科普读物。

图书在版编目(CIP)数据

数字信息问题研究 / 重庆邮电大学编著. —北京：科学出版社，2022.6

ISBN 978-7-03-060394-4

Ⅰ. ①数… Ⅱ. ①重… Ⅲ. ①数字信息-研究 Ⅳ. ①G203

中国版本图书馆 CIP 数据核字（2020）第 186881 号

责任编辑：莫永国 陈丽华 / 责任校对：彭 映

责任印制：罗 科 / 封面设计：墨创文化

科学出版社 出版

北京东黄城根北街16号

邮政编码：100717

http://www.sciencep.com

成都锦瑞印刷有限责任公司 印刷

科学出版社发行 各地新华书店经销

*

2022年6月第 一 版 开本：787×1092 1/16

2022年6月第一次印刷 印张：13 1/2

字数：321 000

定价：139.00元

（如有印装质量问题，我社负责调换）

《数字信息问题研究》编委会

前　言

在新的经济形态下，数据成了驱动经济运行的关键性生产要素或资源，大数据成为一种有价值的资源，使数字经济市场组织结构和游戏规则等方面发生了根本性的变化。在这些方面中国的基础设施和法律制度准备还不充足，针对行业中出现的问题，本书从网络交易的市场监管、互联网信息服务业市场行为演变与竞争秩序监管、新兴信息消费的环境评估与治理等方面论述了数字信息问题的实用技术及其治理体系等重大理论问题。本书对进一步推进数字经济健康快速发展，实现国民经济持续健康发展有积极的指导意义。本书的核心部分包括以下内容。

一是网络交易的市场监管研究，提出网络交易“T=16 周期”最优循环监管模型。针对网络交易违法屡禁不止问题，为提升我国政府实施监管的专项整治行动效率，基于博弈论中混合策略重复博弈理论，设计一种由监管主体与网络经营者为主体的监管规则，进而根据收益矩阵中四个象限间的状态转换所具有的随机特征，构建马尔可夫转移矩阵，通过采用马尔可夫链方法模拟监管主体与网络经营者利益均衡的随机过程，仿真计算出状态均衡结果，从而论证了所设计的“T=16 周期”网络交易监管机制的科学性，进一步探讨网络交易监管的有效策略。

二是互联网信息服务业市场行为演变与竞争秩序监管研究，提出竞争秩序监管优化的制度设计。结合当前互联网信息服务业不正当竞争频发的现状和企业在跨领域竞争中采取的附随扩散的手段，从用户基数、技术因素、经济因素、法律与监管等方面分析了不正当竞争产生的动因，然后运用演化博弈理论，分析得出在附随扩散背景下不正当竞争产生的机理，构建合作兼容视角下的监管博弈与激励模型，提出竞争秩序监管优化的制度设计。

三是新兴信息消费的环境评估及治理研究，提出科学有效的新兴信息消费的环境评估体系和治理机制。针对目前各界对新兴信息消费的环境缺乏科学认识、有效评估机制欠缺、科学治理体系不健全等问题，深入探讨新兴信息消费的环境演变过程及现状，系统评估新兴信息消费的环境建设效果，针对重点环境治理领域开展科学、系统的研究。

本书由李林、高新波、符明秋担任主编。参编人员具体分工如下：第 1 篇，蹇洁；第 2 篇，卢安文；第 3 篇，万晓榆。在全体人员的共同努力下，本书按期圆满完成编写。这既是主动学习、思考，以改进研究工作的必要环节，又是与现实对话的过程。其间，我们收获颇丰。

本书的出版得益于“重庆邮电大学出版基金”的资助，在此特别感谢。在本书写作过程中，我们参考了国内外专家的研究成果，在此也表示衷心的感谢！本书还存在一些有待进一步完善的地方，欢迎各界专家批评指正。

目　　录

第一篇　网络交易监管研究

第二篇　互联网信息服务业市场行为演变与竞争秩序监管研究

第三篇 新兴信息消费的环境评估与治理研究

第一篇　网络交易监管研究

第1章　网络交易监管的理论基础

1.1　网络交易监管

1.1.1　网络交易

互联网技术的进步极大地促进了电子商务等网络交易的发展，从而引发了越来越多的网络交易监管问题。在探讨网络交易监管相关问题之前，有必要先对网络交易违法行为的概念及范畴进行界定，这样有助于提高问题研究的针对性。

1. 网络交易概念的界定

本书的研究对象限定于以网络交易行为为主要表现形式的网络交易活动，主要指发生在信息网络中企业之间(business to business，B2B)、企业和消费者之间(business to customer，B2C)以及个人与个人之间(consumer to consumer，C2C)通过网络通信手段缔结的交易。网络交易，其实就是电子商务(electronic commerce)，是利用计算机技术、网络技术和远程通信技术，实现整个商务过程电子化、数字化和网络化。人们不仅是面对面、看着实实在在的货物、靠纸介质单据(包括现金)进行买卖交易，而且通过网络上琳琅满目的商品信息、完善的物流配送系统和方便安全的资金结算系统进行交易。网络交易是网络经济的一种表现形式。网络经济一方面是一种高度信用化的经济贸易形态，它的实质就是信用经济网络世界的发展和强化[1]；另一方面是一种在物理层面高度虚拟的经济贸易形态，没有时间、空间、国界的限制，是全球化的经济贸易活动。此外，网络经济在物质上是虚拟的，即在互联网上的经济活动实际上只是一套符号体系，它是社会实物经济贸易在网络上的再现活动，必须与实际经济贸易相对应才能有其价值[2]。网络交易是一种高度个性化的经济贸易形态，其个性特征主要是个人化、客户化、个体化和特定化。在网络交易中，个人化代替效率；客户化代替客户支持；个体化代替大规模生产；特定化代替大规模销售。

2. 网络交易违法行为概念的界定

1)违法与犯罪

(1)违法的定义。

违法是指违反现行法律规定，给社会造成某种危害的行为，即国家机关、企业事业组织、社会团体或公民，因违反法律的规定，致使法律所保护的社会关系和社会秩序受到破坏，应依法承担法律责任的行为。也就是可以把违法理解为特定主体实施了与现行法律相冲突的行为，引起相应损害的事实，法律对之进行否定性评价的状态。违法有广义与狭义之分。在广义上，违法是指一切违反现行法律的行为。狭义的违法则指情节轻微，对社会造成的危害不大，触犯刑法以外的法律，受行政处罚或是承担民事责任(一般强制性)的一般违法行为。

违法的构成要素包括：①违法是一种危害社会的行为，单纯的思想意识活动不能构成违法；②违法必须有被侵害的客体，即侵犯了法律所保护的社会关系与社会秩序，对社会造成了一定的危害；③违法必须是行为者有故意或是过失的行为，即行为人有主观方面的过错行为；④违法的主体必须是达到法定责任年龄和具有责任能力的自然人和依法设置的法人。

(2)犯罪的定义。

一切危害国家主权、领土完整和安全，分裂国家、颠覆人民民主专政的政权和推翻社会主义制度，破坏社会秩序和经济秩序，侵犯国有财产或者劳动群众集体所有财产，侵犯公民私人所有财产，侵犯公民人身权利、民主权利和其他权利，以及其他危害社会的行为，依照法律应当受刑法处罚的，都是犯罪，但是情节轻微且危害不大的，不是犯罪[3]。

(3)违法与犯罪的对比。

①违法与犯罪的共同点。

违法与犯罪都是违法行为。违法与犯罪都是违反了国家的法律、法规，但是有轻重之分，一般情况下，没有违反《中华人民共和国刑法》(以下简称《刑法》)的行为，我们称之为一般违法行为。

违法与犯罪都具有社会危害性。任何违法行为，不管是一般违法行为还是犯罪行为，都具有社会危害性，都不同程度地损害国家和人民的利益，它们在本质上是一致的。

违法与犯罪都要承担法律责任。

②违法与犯罪的不同点。

违法与犯罪的社会危害性不同。情节轻微、危害不大的，不认为是犯罪行为；而犯罪行为是严重的违法行为。没有社会危害性，就没有犯罪，对社会的危害性没有达到相当的程度，也不构成犯罪。

违法与犯罪违反的法律不同。违法行为违反的是包括《刑法》在内的所有法律，而犯罪仅指违反《刑法》的行为。

违法与犯罪受到法律制裁的方式不同。违法受到的是一般法律的制裁，如违反行政法而给予的罚款处罚、违反民法给予的赔偿损失的处罚；犯罪受到刑法的处罚，一般较为严厉，不仅限制犯罪分子人身自由，还可以剥夺犯罪分子政治权利，甚至可以剥夺犯罪分子的生命权。

③违法与犯罪的比较。

本书中的“违法”是指一般违法行为，见表1.1。国家工商行政管理总局(现已整合组建国家市场监督管理总局)承担依法规范和维护各类市场经营秩序的责任，负责监督管理市场交易行为和网络商品交易及有关服务的行为。承担监督管理流通领域商品质量和流通环节食品安全的责任，组织开展有关服务领域的消费维权工作，按分工查处假冒伪劣等违法行为，指导消费者咨询、申诉、举报受理、处理和网络体系建设等工作，保护经营者、消费者合法权益。另外，公安部门承担预防、制止和侦查违法犯罪活动的工作。在具体网络交易监管中，网络交易违法行为主要由相应的工商行政管理等部门进行监督和管理，而网络交易犯罪行为则由相应公安机关负责监管和侦查。

表 1.1　违法与犯罪的比较

	分类	危害性	触犯法律	处罚方式
广义违法	一般违法(狭义违法)	情节轻微，对社会造成的危害不大	触犯《刑法》以外的法律	受行政处罚或是承担民事责任(一般强制性)
	犯罪(严重违法)	情节严重，对社会造成极大危害	触犯《刑法》	受刑事处罚(严厉强制性)

2) 网络交易违法行为的定义

通过对网络交易概念的界定、违法与犯罪概念的辨析，本书所研究的网络交易违法行为，主要指以工商行政管理为主的部门所监督管理的传统经济贸易行为在网络空间的延伸和扩展，主要包括三个基本特征。

(1) 客观上实施了扰乱公平竞争的社会主义网络市场经济秩序、损害其他经营者或消费者合法权益的，依据国家工商行政管理等部门的法律法规应受到行政处罚的行为。

(2) 违法主体是网络经营者，指从事网络商品经营或者网络营利性服务的法人，以及其他经济组织和个人。只要经营者在商品经营(包括生产、加工、销售或营利性服务)中，实施了违反国家工商行政管理等部门的法律法规所禁止的行为，不论其是否领取了营业执照，都是工商行政管理等部门管辖的经济违法行为的违法主体。

(3) 行为上的法律特征是应受到国家工商行政管理等部门的法律法规处罚的行为。

工商行政管理等部门管辖的网络交易违法行为主要有：①适用《中华人民共和国产品质量法》调整的危害人身健康和财产安全，侵害消费者合法权益的行为；②适用《中华人民共和国公司法》等企业登记管理法规调整的破坏网络公共交易安全的行为；③适用《中华人民共和国商标法》调整的假冒注册商标和商标侵权行为；④适用《中华人民共和国广告法》调整的广告违法行为；⑤适用《中华人民共和国反不正当竞争法》调整的不正当竞争行为；⑥适用《中华人民共和国食品安全法》调整的危害人身健康和安全的行为。

1.1.2　网络交易监管的内涵

随着网络的发展，网络交易问题层出不穷，成为制约网络功能，影响网络发展的网络生态危机。加强网络交易监管，构建和谐网络生态，不仅对网络交易自身的健康发展有重要意义，而且对国家与社会的发展也有重要促进作用[2]。根据前文对网络交易违法行为及政府监管等概念的界定介绍，本书认为网络交易监管是网络监管和传统经济贸易监管的一个融合，是指通过制定规章、设定许可、监督检查、行政处罚和行政裁决等行政处理行为对网络交易，特别是网络交易违法行为实施的直接控制。网络交易监管包含在市场交易监管范畴中，属于市场监管的一个监管内容，隶属于政府监管（经济性监管）的一种实现形式。

1. 监管目标

国家工商行政管理总局2014年3月15日起施行的《网络交易管理办法》第一条指出："为规范网络商品交易及有关服务，保护消费者和经营者的合法权益，促进网络经济持续健康发展"，制定本办法。《网络交易管理办法》第四条规定："从事网络商品交易及有关服务应当遵循自愿、公平、诚实信用的原则，遵守商业道德和公序良俗。"

工商行政部门在《网络交易管理办法》的指导目标下，要以信息技术为手段，以高科技的监管平台为依托，以建设高素质的监管队伍为关键，以高效能的监管机制为保障，通过各种行之有效的工作措施，建立健全动态完善的网络商品交易市场主体数据库，不断完善网络商品交易监管服务平台；积极推动网络交易平台服务商加强诚信建设，促进网络商品交易行业自律；分层有序开展网络商品交易及有关服务行为监管，逐步建立内外部工作协调机制，努力构建和谐高效的网络商品交易监管联动机制；积极探索网络商品交易市场信用监管机制，进一步推动网络商品交易市场健康、快速、有序发展。

2. 监管对象

国家工商行政管理总局2014年3月15日起施行的《网络交易管理办法》第二条规定："在中华人民共和国境内从事网络商品交易及有关服务，应当遵守中华人民共和国法律、法规和本办法的规定。"《网络交易管理办法》第三条规定："本办法所称网络商品交易，是指通过互联网（含移动互联网）销售商品或者提供服务的经营活动。"《网络商品交易及有关服务行为管理暂行办法》中所称的网络服务经营者，是指通过网络提供有关经营性服务的法人、其他经济组织或者自然人，以及提供网络交易平台服务的网站经营者。监管对象具体分为两类：

(1) 网络商品经营者：指通过网络销售商品的法人、其他经济组织或者自然人。

(2) 网络服务经营者：指通过网络提供有关经营性服务的法人、其他经济组织或者自然人，以及提供网络交易平台服务的网站经营者。

3. 监管内容

网络交易监管的内容主要包括以下两个方面。

(1) 规范网络经营主体市场准入，把利用互联网从事经营活动及相关服务的各类主体进行分类，并纳入登记管理。

(2) 规范网络经营行为，开展网上巡查和实地检查相结合的网络监管工作，维护网络公平竞争秩序。运用网上巡查与网下检查相结合的方法，依法查处各种网上违法经营行为[①]，包括：①网络交易中的不正当竞争行为；②销售不合格商品、违禁商品等的行为；③侵犯消费者合法权益的行为；④利用网络商品交易和服务合同进行的违法行为；⑤发布广告违法的行为；⑥侵犯他人注册商标专用权、企业名称权的行为；⑦其他违反工商法律法规规定的网络经营行为。

1.1.3　网络交易监管现状

1. 我国网络交易现状

据国家统计局数据显示，2021 年中国网络零售额达 13.1 万亿元，占社会消费品零售总额的 24.5%[②]。网络交易是依托虚拟的网络平台实现的一种真实的经济交易行为，网络交易行为基本上是通过经营性网站实现的，而这些经营性网站的开办者(企业或个体经营户)的真实信息并不一定如实在其网站上公布，有的甚至发布虚假信息，误导、欺骗网民。有的经营性网站开办者甚至没有到相关部门办理过任何手续，所以政府几乎无法对其经营行为实施监管。同时，跨地域、跨国界的经营贸易行为也对我国传统监管模式提出挑战。因此，网络商务的发展主要体现为“持续清理电子商务领域现有前置审批事项，严禁违法设定行政许可、增加行政许可条件和程序”和“推动跨部门、跨区域、跨国境的协同执法机制建设，坚持线上线下治理相结合，加大打击侵权假冒伪劣商品和侵犯知识产权行为的力度，深入开展电子商务领域各类知识产权执法专项行动”[③]等。

2021 年全国消协组织共受理消费者投诉 104.5 万件，同比增长 6.37%[④]，其中，直播带货、跨境电商、盲盒消费等网络交易新模式问题层出不穷，位居经营性互联网服务投诉第一位。消费者遭遇网上交易欺诈，主要集中在品牌电商、生鲜电商、社区团购、在线旅游、在线教育、在线餐饮、在线票务、跨境电商、B2B 电商、电商物流这 10 个领域[⑤]。

中国互联网络信息中心发布的第 49 次《中国互联网络发展状况统计报告》显示，2021 年，我国网民规模 10.32 亿人，互联网普及率 73.0%，网络购物用户规模达 8.42 亿，占网民整体的 81.6%，网络购物应用在人们生活中全面普及[⑥]。该报告显示，2021 年遭遇网络交易诈骗网民比例上升为 35.3%，较 2020 年提升 2.3 个百分点。2021 年网络交易投诉，主要来源数字零售、数字生活、跨境电商、产业电商、金融科技、物流企科技等互联网平台。数字零售类投诉占比 66.54%、金融科技为 7.8%、跨境电商 7.27%、数字生活 5.07%、

---

① 中华人民共和国中央人民政府. 网络商品交易及有关服务行为管理暂行办法(国家工商行政管理总局令第 49 号)[EB/OL]. [2010-5-31]. http://www.gov.cn/gongbao/content/2010/content_1724815.htm.

② 中华人民共和国中央人民政府. 2021 年全国网上零售额同比增长 14.1%[EB/OL]. [2022-3-22]. http://www.gov.cn/shuju/2022-03/22/content_5680356.htm.

③ 中华人民共和国中央人民政府. 三部门联合发布《电子商务“十三五”发展规划》[EB/OL]. [2016-12-30]. http://www.gov.cn/xinwen/2016-12/30/content_5154715.htm.

④ 中国消费者协会. 2021年全国消协组织受理投诉情况分析[EB/OL]. [2022-1-28]. https://cca.org.cn/tsdh/detail/30346.html.

⑤ 网经社. 2021 年度中国电子商务用户体验与投诉监测报告[EB/OL]. [2022-3-14]. http://www.100ec.cn/zt/2021zgdzswyhtyytsjcbg/.

⑥ 中国互联网络信息中心. 第 49 次《中国互联网络发展状况统计报告》[EB/OL]. [2022-2-25]. http://www.cnnic.net.cn/hlwfzyj/hlwxzbg/hlwtjbg/202202/t20220225_71727.htm.

电商物流 2.21%。数字零售类投诉比例最高，占投诉总量的一半以上，依旧是网络消费最热门投诉领域。同时，数字生活类占比 5.07%，较往年有所下降，但是在线旅游、在线教育以及在线外卖这三个行业乱象依然显著。跨境网购随着消费升级火热程度上升，数据表明消费投诉一定程度上与消费活跃度成正比。消费者投诉的问题主要包括退款问题、网络欺诈、商品质量、发货问题、售后服务、霸王条款、网络售假、虚假促销等方面 ，广东省、江苏省、浙江省、北京市、上海市为网络交易投诉热点地区；2 月、5 月、11 月等节假日较为集中的月份为全年电子商务投诉较为密集的月份①。

2. 我国网络交易监管现状

进入 21 世纪以来，网络交易不断发展，与网络交易相关的违法问题也不断涌现，各种网络交易违法案件层出不穷，如虚假广告、网络诈骗、域名争议等网络交易违法案件已经成为我国相关行政管理部门监管的重点和难点，不断增加的网络交易违法案件严重阻碍了网络交易的持续健康发展。

1）我国网络交易监管体系基本建成

国家市场监督管理总局是国务院直属机构，网络交易监督管理司是国家市场监督管理总局下设机关之一，其作用是拟订实施网络商品交易及有关服务监督管理的制度措施；组织指导协调网络市场行政执法工作；组织指导网络交易平台和网络经营主体规范管理工作；组织实施网络市场监测工作；指导消费环境建设等。在网络交易监督管理司的指导下，我国基本建立了健全的网络交易监管体系，监管主体为政府部门和行业协会。目前，我国已形成以国家市场监督管理总局网络交易监督管理司牵头，多部门联合监管的横向多头监管体系，以及各部门监管机构从中央到地方的纵向监管体系。中共中央政府负责监管电子商务相关业务的主要部门有 12 个，即国家市场监督管理总局、商务部、中共中央网络安全和信息化委员会、工业和信息化部、公安部、文化和旅游部、财政部、国家税务总局、海关总署、中共中央宣传部、中国人民银行、中国银行保险监督管理委员会[3]。

2）我国网络交易监管格局基本形成

目前，我国已经基本形成了以法律规范为基础，政府行政监管下市场机制调节和行业自律相结合的市场监管格局。其中，行政监管是我国网络交易监管的主要形式，主要是进行事前监管，对网络交易中交易主体市场准入、网络商品质量、网络广告、电子合同、支付手段等进行监管，力图在事前就对网络商品交易中的不规范行为进行有效控制。另外，阿里巴巴、当当、环球资源等一批公司的规范发展对企业自律起到了重要作用，形成了我国电子商务行业正常的竞争环境。企业通过市场竞争共同进步促进了行业的发展，消费者的维权行动和消费者保护组织发挥的作用也进一步规范了电子商务行业的发展。更为重要的是，在电子商务发展过程中，我国的相关法律制度不断完善，成为网络商品交易行业发展的重要基础[3]。

---

① 网经社. 2021 年度中国电子商务用户体验与投诉监督报告[EB/OL]. [2022-3-14]. http://www.100ec.cn/zt/2021zgdzswyhtyytsjcbg/.

3）我国网络交易监管法律体系逐步完善

自 1986 年以来，我国共出台了 40 多部法律法规、部门规章、地方性法规、条例、行业规范等用于规范互联网的大环境，为网络交易市场的有序发展创造了条件，促使网络交易的监管工作有章可循、有法可依。综观我国关于网络交易立法的发展进程，可以分为以下四个阶段。

第一阶段：2000 年前后，地方立法初始探索。这一阶段，我国关于防止网络交易欺诈行为的规定仅分散在各部门的法律中，如《合同法》中原则确认的电子合同，《中华人民共和国计算机信息系统安全保护条例》，国务院和有关部委、国际计算机信息网络安全保护和管理办公室制定的信息系统法规和《互联网信息服务管理办法》等。然而，上述法律法规并非针对网络交易欺诈所涉及的主要问题进行的立法，而是基于电子商务基础设施的法律建设，限于交易安全和管理，这些法律并不高阶且缺乏自律性。2004 年 8 月 28 日，第十届全国人民代表大会常务委员会第十一次会议通过了《中华人民共和国电子签名法》（简称《电子签名法》）。它被认为是中国第一个真正的信息法。同时，这一阶段地方开始进行网络商品交易立法探索，代表性规范是北京市工商局 2000 年发布的《北京市工商行政管理局关于规范网站销售信息发布行为的通告》，该通告规定："在因特网站上销售产品或提供服务的企业应当告知消费者企业的真实注册地点或交易地点，不得提供虚假地址"。可见，对于进行网络商品交易企业的规定与传统企业并无不同。

第二阶段：2005～2008 年，地方性探索立法增长，国家部委关注电子商务立法。这一阶段表现在进行针对网络交易问题立法的省市增多，立法内容涉及网络交易纠纷、经营主体网站备案、商标备案等多项内容，如《广东省电子交易条例》《北京市网络广告管理暂行办法》《浙江省网络广告登记管理暂行办法》《江西省互联网上经营主体登记后备案办法（试行）》等。同时国家部委关注电子商务方面的立法，2005 年，《国务院办公厅关于加快电子商务发展的若干意见》，对电子商务全面可持续发展提出若干意见。2008 年 4 月，商务部商业改革司颁布了《网络购物服务规范》。

第三阶段：2008～2013 年，国家层面立法增多。2009 年商务部正式出台《电子商务模式规范》和《网络交易服务规范》，2010 年，国家工商行政管理总局出台《网络商品交易及有关服务行为管理暂行办法》。2010 年 7 月起实施的《中华人民共和国侵权责任法》第一次在法律层面对网络侵权进行了规定，《中华人民共和国刑法修正案（七）》增加了"非法获取公民个人信息罪"，加强在网络环境下对公民个人信息的保护。2010 年 6 月，中国人民银行颁布了《非金融机构支付服务管理办法》。2011 年，商务部发布的《第三方电子商务交易平台服务规范》规定了第三方电子商务交易平台在网络交易过程中的义务与责任。2011 年 7 月，国家工商行政管理总局为切实履行市场监督管理和行政执法的重要职责，加强市场监督管理，加大打击假冒伪劣违法行为的力度，保护经营者、消费者的合法权益，维护市场经济秩序，促进经济健康发展，颁布了《关于进一步加强市场监督管理加大打击假冒伪劣违法行为的若干措施》。2011 年 12 月，工业和信息化部颁布了《移动互联网恶意程序监测与处置机制》。在电子商务和网络购物方面国家相关部门又相继出台了不少规章制度。例如，2012 年 3 月，商务部发布《关于利用电子商务平台开展对外贸易的若干意见》，国家工商行政管理总局发布《关于加强网络团购经营活动管理的意见》；2012 年 5 月，国家发展改革委办公厅发布《关于组织开展国家电子商务示范城市电子商务试点专项的通知》；2012 年 7 月，国家税务总局发布《网络发票管理办法(征求意见稿)》；2012 年 12 月，农业部发布《全国农村经营管理信息化发展规划(2013～2020 年)》。2013 年 1 月，国家税务总局审议通过《网络发票管理办法》；2013 年 1 月，工业和信息化部发布《关于推进物流信息化工作的指导意见》。

第四阶段：2014 年至今，出台电子商务专项立法。2014 年 3 月，新修订的《中华人民共和国消费者权益保护法》明确规定了电子商务中消费者个人信息的保护以及电子商务平台提供商的连带责任。2014 年 3 月，国家工商行政管理总局《网络交易管理办法》要求“网络商品经营者、有关服务经营者提供的商品或者服务信息应当真实准确”。2016 年 11 月，首次审议通过了国家网络安全工作的框架性、综合性法律——《中华人民共和国网络安全法》。2017 年 4 月，国家工商行政管理总局印发《工商总局关于推行企业登记全程电子化工作的意见》。2018 年 8 月 31 日，第十三届全国人大常委会第五次会议表决通过《中华人民共和国电子商务法》，2019 年 1 月 1 日起正式施行。该法共七章 89 条，主要对电子商务经营者、电子商务合同的订立与履行、电子商务争议解决、电子商务促进和法律责任五个方面做出规定，其中就包括电子商务经营者应当全面、真实、准确、及时地披露商品或者服务信息，保障消费者的知情权和选择权，电子商务经营者不得以虚构交易、编造用户评价等方式进行虚假或者引人误解的商业宣传，欺骗、误导消费者，电子商务经营者收集、使用其用户的个人信息，应当遵守法律、行政法规有关个人信息保护的规定，电子商务平台经营者应当采取技术措施和其他必要措施保证其网络安全、稳定运行，防范网络违法犯罪活动，有效应对网络安全事件，保障电子商务交易安全一系列网络交易欺诈防范条例。

4)我国网络交易消费者权益保护手段多样化

(1)法律手段。

《中华人民共和国消费者权益保护法》是网络交易中消费者进行权益保护的主要法律依据。该法律以专章规定消费者的权利，重视对消费者的群体性保护，构成面向网络交易的消费者权益保护的基础性法律体系。当网络交易消费者权益受到损害时，该法律将对不法行为进行全方位监督和规定。此外，根据网络商品交易的特点，国家工商行政管理总局于 2010 年 7 月 1 日实施《网络商品交易及有关服务行为管理暂行办法》，对保护消费者权益提供更有力的保障。其中细则包括，网络商品经营者和网络服务经营者不得以电子格式合同系统等方式做出对消费者不公平、不合理的规定，或者减轻、免除经营者义务、责任或排除、限制消费者的主要权利。

(2) 行政手段。

2019 年 8 月 31 日，整合了原工商、质检、食品药品、物价、知识产权的投诉举报热线电话，“五线合一”的全国 12315 平台正式上线运行。全国 12315 平台上线首日，访问量共达 430105 人次，接收公众各类投诉举报 4594 件。其中，涉及日常消费 3551 件，占比为 77.30%；产品质量 844 件，占比为 18.37%；药品 87 件，占比为 1.89%；价格监督 106 件，占比为 2.31%；知识产权 6 件，占比为 0.13%。主要问题集中在产品质量、违法广告、售后服务、侵害消费者权益、合同违约、不正当竞争、违规收费等方面①。

(3) 市场自律。

市场自律使得网络平台自我治理和网络购物交易平台消费者权益保护有了进一步保障。《中华人民共和国消费者权益保护法》更加有力地保障网络消费者权益，市场自律加强有保障措施上的创新，如延伸消费者的知情权和选择权，表明网络交易平台正在完善交易机制，合理调适网络经营者和消费者的利益分配格局，稳健发展电子商务产业。

(4) 社会机构。

消费者协会旨在对商品和服务进行社会监督，保护消费者的合法权益。维护网络消费者权益是消费者协会的职责之一，当网络消费者权益受到侵害时，可向消费者协会提出投诉及维权要求。消费者协会是保护网络消费者权益的重要组织机构。

“全国 12315 平台”是全国性消费者电商权益保护平台，要求网络消费者提供真实投诉信息，而后在平台向大众公布和向相关部门反映。同时，平台严格保护消费者信息，以维护消费者权益。

3. 国外网络交易监管现状

在网络交易欺诈的监管和立法方面，由于互联网经济在美国、欧盟等发达国家和地区的快速发展，当地通过的网络交易欺诈相关法律已经较为成熟，因此获得了一定的成果。

1) 美国——程序法与实体法相结合的法律规制模式

放眼全球，美国在互联网技术和电子商务领域的发展远远领先于其他国家，这离不开美国完善的电子商务立法体系。从 1995 年，犹他州 (state of Utah) 颁布了第一部《数字签名法》，伊利诺伊州 (Illinois) 的《金融机构数字签名法》，佛罗里达州 (Florida) 的《数字签名与电子公证法》等，美国各州有关电子商务的立法加起来有数百个；到 1997 年，克林顿政府发表了《全球电子商务政策框架》作为美国政府发展电子商务的战略性政策指导，要求政府要为电子商务的发展提供一个透明和谐的法制环境，这被认为是引领美国电子商务立法的原则性文件，而且世界各国商讨全球电子商务法规问题时也大都借鉴这个框架中的内容作为准则；再到 1999 年通过的《统一计算机信息交易法》，同时《统一电子交易法》作为互补，以及作为联邦法律使用的《国际与国内商务电子签章法》的制定，表明了美国在电子商务立法方面的发展趋势，在一定程度上对于遏制网络交易欺诈行为起到了积

① 中国日报中文网. 全国 12315 平台上线首日接收投诉举报 4594 件[EB/OL]. [2019-9-3]. https://cn.chinadaily.com.cn/a/201909/03/ws5d6e408da31099ab995ddc16.html.

极的作用。此外，美国于2015年审议通过了《网络安全法》，正在审议和已经通过的法律和实施细则包括网络隐私保护、数据泄漏与安全保护、反欺诈与误传法规等方面共计130多部(www.ISACA.org)。

在规制网络交易欺诈行为方面，美国联邦贸易委员会(Federal Trade Commission，FTC)接受和处理网络欺诈投诉，并对消费者实施救助，除此之外政府部门和企业提供了多种在线争端解决机制(online dispute resolution，ODR)供消费者自由选择，如ebay的SquareTrade。

行政方面美国联邦调查局成立了专门的网络欺诈投诉中心——互联网犯罪投诉中心(Internet Crime Complaint Center，IC3[①])，开展网络安全研究和教育并实施网络欺诈预警。特朗普政府于2017年5月发布了《加强联邦网络和关键基础设施的网络安全》的总统行政令。2019年，美国组建了国家网络安全与通信整合中心、网络威胁情报整合中心等机构，强化国家的网络监管职能。

2)欧盟——具有国际法性质的法律规制模式

作为世界第一的经济实体，欧盟的电子商务起步较晚，但由于其自身的经济实力特点，其发展速度非常快。欧盟跨越两大法系，其立法具有国际法的性质，对世界各国的相关立法具有一定的借鉴意义。

欧盟制定了防止网络交易欺诈和在电子商务时代改善消费者保护的综合立法，其中包括电子商务保护和预防领域的正式立法和一系列准法律和非法律措施。主要法律文件有《个人数据保护指令》《欧洲电子商务指令》《远程合同消费者保护指令》《关于内部市场中与电子商务有关的法律问题的指令》《内部市场电子商务信息社会服务法律意见指令》。

欧盟关于网络交易欺诈最具代表性的立法是《电子签名指令》和《电子商务指令》。《电子签名指令》的主要内容是电子签名技术及其在欧盟国家的法律认可。该指令最突出的特点是：它通过为电子签名服务提供商设置各种义务来保护消费者免于在线交易中使用电子签名所导致的损害。该指令可以防止在线交易中电子签名引起的欺诈行为。相比之下，《电子商务指令》的规定更为全面，涵盖了电子合同的效力、网络服务提供商的义务和责任界定、电子商务纠纷的解决机制等重大问题。《电子商务指令》明确规定了互联网服务提供商(internet service provider，ISP)的责任，明确要求ISP承担一定的监管义务，这是规范网络交易欺诈的一个重大进步。

3)新加坡——政府职能与立法相结合的法律规制模式

新加坡电子商务发展非常迅速，属于亚太地区中前几位发展电子商务的国家。新加坡高度重视政府在电子商务立法中的作用，认为政府有义务建立良好的法律环境，促进电子商务的发展。

新加坡最为成功的网络交易欺诈立法是《电子交易法》。《电子交易法》的主要内容包括电子记录和签名、网络服务提供商的责任、电子合同、电子记录和电子签名的安全、

---

① https://www.ic3.gov/。

数字签名的有效性和一般责任、认证机构的任务和分级人员的职责。

《电子交易法》对各国的相关立法有两个重要的意义。首先，在电子签名的技术问题上，采用技术中立与技术专业相结合的折中方法，明确了基于任何技术的电子签名都具有法律效力，并规定“安全电子签名”具有特殊的法律效力。具体而言，这种立法模式得到了美国、欧盟等国家和地区的肯定和借鉴。其次，《电子交易法》明确规定了 ISP 的责任及其免责条款。新加坡对 ISP 的责任界定与国际主流观点一致。

总的来说，新加坡领先的电子商务立法不仅为其电子商务环境创造了良好的氛围，而且对世界其他国家和地区的相关立法也具有一定的积极意义。

4) 澳大利亚——专家组跟立法相结合的法律规制模式

澳大利亚电子商务专家组在澳大利亚早期的电子商务立法中发挥了关键作用。专家组早就意识到电子商务会给人们的日常生活带来巨大的变化，这些变化无疑将会影响澳大利亚的相关立法和国际法。1998 年，专家组就处理了以下问题：司法部部长提交了一份题为“电子商务：建立法律框架”的报告，该报告主张立法减少电子商务的不确定性，并消除使用在线交易的障碍；报告中更引人注目的观点是：指出已经颁布的一些超出电子签名的功能且具有相同效果的电子签名法，认定签名立法应该只涉及电子签名的效力。

随后，澳大利亚通过了一些电子商务立法，如 1999 年的《电子签名法》《电子商务消费者政策保护框架》《电子交易法》，2001 年的《电子商务争端解决法》和 2003 年的《垃圾邮件法》，其中包括内容管理、网络信息提供者职责等。

这些法律中，《电子交易法》是对澳大利亚电子商务影响最大的法律。《电子交易法》规定了网络交易欺诈的内容。它承认了电子交易的法律效力，如没有差别地看待“书面形式”和“电子数据”，以电子数据形式提交的文件全部符合法律规定；在此基础上，该法律还规定任何人或机构不得以任何理由强制实施电子交易，如果网络运营商强迫消费者使用电子交易将构成不公平交易，这充分体现了对消费者的保护。

4. 国际合作监管案例

随着网络技术与社会经济的进一步发展，网络交易在全球范围内开展的现象也越来越多，独自单纯地对本地或本国的网络交易进行监管越来越起不到很好的监管效果，区域合作、国际合作对网络交易进行监管越来越引起人们的关注，目前已经有相关的举动和尝试。

1) 国际合作监管组织介绍

为应对跨国网络欺诈的挑战，致力于加强对消费者的保护和消费者对网络交易活动的信心，2001 年，美国、加拿大、埃及、芬兰等 13 个国家为了加强对网络交易的监管，共同努力合作建立国际网络交易监管的联合组织推出了名为 econsumer.gov 的网站，以便各合作参与国的监管机构收集和分享跨境网络交易投诉的案件。网络交易监管国际合作组织从建立之初发展到今天，规模已从 13 个国家参与扩展到 40 多个国家的消费者保护机构参与。

该组织项目由两部分组成：一个多语种的公共网站和每个国家的政府及其专有密码保护的网站。公共网站允许消费者向别国监管组织跨境投诉，并可以努力采用除国内正式的法律行动的手段之外的方式去解决他们的投诉。另外，使用消费者“哨兵网络”（由美国联邦贸易委员会运作的一个包含消费者投诉的数据及其他调查信息的数据库），通过该网站传入的投诉案件将由该组织的共同参与国的执法人员合作保护消费者权益。

2）最新统计数据

该国际合作组织每年通过统计 econsumer.gov 网站上消费者关于网络交易的投诉数据，经整理分析后发布数据年鉴。最新的统计数据是 2022 年 2 月公布的统计数据，其依据是收集到的 2021 年 1 月到 12 月该组织参与国家和地区消费者在相关跨国和跨地区网络交易活动中遭受欺诈等违法交易行为的投诉数据。具体统计数据如下：

（1）2021 年消费者投诉量最多和公司投诉量最多的国家和地区名单[①]。具体数据见表 1.2（分别取前 10 位）。

表 1.2 消费者投诉量最多和公司投诉量最多的国家和地区名单（取前 10 位）

消费者投诉		公司投诉	
国家名称	数量/份	国家名称	数量/份
美国	10755	美国	6290
法国	6524	中国	4511
土耳其	1430	英国	2989
智利	1265	法国	1345
波兰	1175	印度	774
印度	1069	西班牙	741
西班牙	1049	中国香港	585
墨西哥	983	土耳其	576
澳大利亚	953	加拿大	563
西班牙	810	德国	541

（2）消费者对网络交易产品或服务的投诉量百分比。对 2021 年 1 月 1 日到 12 月 31 日在 econsumer.gov 网站上 855987 个消费者投诉进行统计分析[②]，得到消费者网络交易产品或服务的投诉量百分比，如图 1.1 所示。

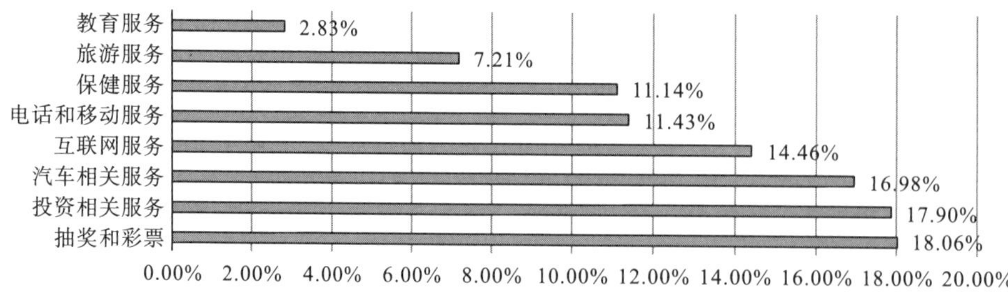

图 1.1 消费者对网络交易产品或服务的投诉量百分比

① 数据来源：https://www.econsumer.gov/en/News/ComplaintTrend/3#crnt.

② 数据来源：https://public.tableau.com/app/profile/federal.trade.commission/viz/TheBigViewAllSentinelReports/CategoriesRanked.

(3)跨国和跨地区网络交易违法行为百分比。根据 econsumer.gov 网站 2021 年 1 月 1 日到 12 月 31 日的数据统计情况(图 1.2)，消费者总共投诉有 2256815 个。此外，违法行为并不是消费者的投诉总数，因为一个投诉可能有多个违法行为，同时，一个违法行为也可能有多个投诉。

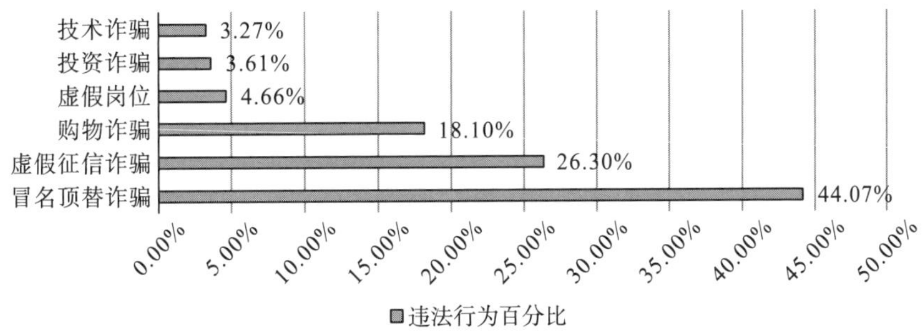

图 1.2　跨国和跨地区网络交易违法行为百分比

(4)跨国和跨地区网络交易消费者投诉案件中付款方式百分比。根据 econsumer.gov 网站 2021 年 1 月 1 日到 12 月 31 日的数据统计情况，对付款方式相关的 444922 个投诉案件进行统计分析①，得到跨国和跨地区网络交易消费者投诉案件中付款方式百分比，如图 1.3 所示。

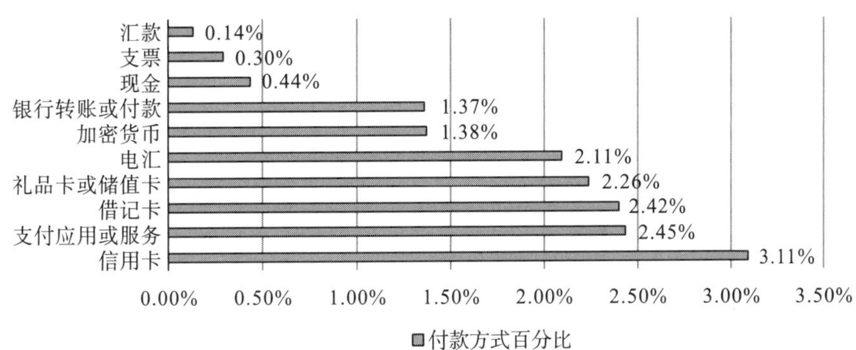

图 1.3　跨国和跨地区网络交易消费者投诉案件中付款方式百分比

3) 中外在网络交易监管方面的合作情况

中国与德国及欧盟在电子商务以及相关网络商品交易的发展方面几乎是同步的，在其监管体制和机制上虽差异较大但各有特色，彼此间存在诸多可借鉴之处。由中国国家工商行政管理总局、德国国际合作机构等联合制作的《中德网络商品交易监管比较研究》项目报告指出：2018 年，中国电子商务 B2C 交易额达 32.55 万亿元，德国达 7289 亿元。随着各国电子商务领域的年交易额不断增长，电子商务发展呈现跨越国界的趋势，迫切需要各国进行国际合作，探索新的监管方式，保护消费者在使用电子商务中的权益。

① 数据来源：https://public.tableau.com/app/profile/federal.trade.commission/viz/FraudReports/LossesContactMethods.

《中德网络商品交易监管比较研究》项目报告有中英文两个版本，由中国的3位专家和德国的4位专家组成跨国研究团队，历时6个月完成。报告采用比较研究的方法，重点从中德两国网络商品交易监管的体制机制、法律制度和消费者保护3个方面进行了系统深入和客观公正的比较，对两国的电子商务监管合作提出了建议。

5. 网络交易监管存在的问题

从我国网络交易监管现状来看，仅依赖于市场自身的调节机制和人民的道德自律是不能够有效推进网络交易健康发展的。

1) 监管主体多头监管，协调难度大，管理亟待理顺

根据我国相关规定，网络交易监管是由多部门联合执行，但正是由于我国负责网络交易监管的职能部门众多、分工复杂，如果不能很好地对各监管部门之间的权责关系进行合理有效的协调和划分，容易造成监管不及时、不准确、不到位的负面结果，甚至出现监管部门之间相互推诿的情况。根据相关规定，同时承担网络商品交易监管的政府部门很多，基于各种原因，监管部门之间存在职责划分不清，对一些网络交易违法行为难以进行有效的监管。在现行的监管体制机制下，网络交易监管存在的突出问题不仅包括部门之间管辖权划分不明确、重叠和疏漏并存，而且跨部门之间的合作监管机制运行不太通畅，部门之间协调难度较大。部门之间监管问题的存在，对具有广域性、时空分离性、虚拟性、瞬时性等特性的网络交易违法行为的监管更是难以发挥有效的监管作用。同时，少数政府监管部门因部门利益不作为、选择性作为或不当作为也对网络交易监管和网络交易本身的发展起到了负面作用。

2) 网络交易进入门槛低，参与者众多，监管难度大

网络交易进入门槛低，参与者众多，监管难度大，主要表现在以下3个方面。

(1) 网上经营者的身份急需核准。市场经济划分了交易各方的责、权、利后，才能进行交易，而划分责、权、利的前提就是确定交易双方身份。网络交易多是在交易双方事先不了解、交易过程不透明的过程中完成的，使得准确核实经营者的合法身份变得错综复杂。因此，对网上经营者的身份核准已成为网络交易监管的重要前提和亟待解决的重要问题。

(2) 部分经营行为的合法性难以认定。在向市场经济转轨的过程中，对企业的经营范围进行了相对严格的控制。然而，多数网上经营者在网络经营过程中或多或少地在规避这些规则，对此有关部门采取谨慎态度且相关法规滞后，导致网络经营行为的合法性难以界定。

(3) 网络交易的公平性难以保证。由于网络购物的复杂性，经营者身份的辨识、电子支付的健全机制和电子签名的有效性确认等过程在技术上存在受侵害的可能性，使消费者的权益受到很大威胁。另外，在网络购物过程中，经营者利用其优势地位，通过拟定有利于自身、不利于消费者的条款，使得消费者在网络虚拟的环境中对合同条款别无选择，加上格式合同的不能协商性在网络购物的条件下成倍放大，网络交易的公平性难以保证。

3) 网络交易平台缺乏监管，没有承担起应有责任

据中国消费者协会统计，近年来随着我国网络交易的高速发展，网络商品交易量和参与人数的不断增加，网络交易的投诉增长比较快，已经成为十大投诉之一，网络交易平台在相关网络交易违法案件投诉中越来越成为关键影响因素之一。网络交易容易引发争议的根源在于：一是时间差；二是匿名制。由于网络交易双方并不是实际接触，在交货和付款之间必然存在时间差，这个时间差存在网络欺诈的可能。网络欺诈主要的表现形式为货不对板、汇了款收不到货等。有些卖方所提供的是模糊的联系地址或是未经登记的移动电话号码，导致受害者难以举证，给保护消费者权益带来困难。网络交易平台对保障网络商品交易双方信息的真实性也负有重要责任，但是现在很难从网络交易平台的监管方面来做到这点。部分学者以网络平台提供商收取的费用只是卖方交易利润中的少部分作为理由，认为应对其免责。有些学者则认为应该同普通租赁平台一样，出租方与经营者一道对消费者承担连带责任，甚至先行赔付义务。国家工商行政管理总局于 2010 年 6 月 1 日正式颁布了《网络商品交易及有关服务行为管理暂行办法》，该办法认为网络交易平台是网络商品及有关服务集中交易的场所和空间，在维护网络交易平台秩序方面，网络交易平台的经营者是第一负责人，负有重要的管理责任。

4) 监管网初见成效，普及率低，技术监管有待改进

随着网络经济的发展，不断增加的网络交易违法案件严重阻碍了网络经济的持续健康发展。网络作为一种特定介质的经济交易平台，网络结构的复杂性和海量的网络信息加大了网络交易监管工作的难度。网络交易监控管理中对信息技术的应用要求显得越来越迫切。以电子数据搜索分析技术、电子数据取证鉴定技术和网络交易监管业务应用技术为主的网络交易“监管网”应运而生，对网络交易违法监管发挥了重要作用。但监管技术整体上还有待提高，目前“以网管网”在技术成熟度以及实践效果方面都还有很多不足，因此并没有在全国推广，仅在北京、浙江、重庆等个别电子商务较发达的省市进行试点和示范，还需要进一步进行技术探索和实践创新，不断提高监管技术来应对越来越多、越来越复杂的网络交易违法行为。

1.1.4　网络交易监管影响因素分析

什么因素影响和决定着网络交易的有效监管？本节结合我国网络交易监管现状和近十年中国知网(CNKI)的相关研究文献，系统深入地分析影响网络交易监管的要素，对影响要素的作用机理进行定量研究和数量刻画。

1. 研究方案与数据分析

网络交易是依托虚拟的网络平台实现的一种真实的经济交易行为，这种网络交易行为基本上是通过经营性网站实现的，具有虚拟化的交易环境、隐蔽化的交易主体、开放式的交易行为、多元化的营销方式，但究其实质，仍然是商业交易。因此，网络交易违法行为

的表现形式也类同于传统商业交易中的违法行为[4]。网络交易监管是在多种因素综合作用下进行的，而且各个因素之间存在复杂的作用关系，各个因素又与网络交易违法行为存在非线性、动态的因果关系。为了便于深层次剖析网络监管模型构成，本章将从技术研究、综合论述、应用 3 个大的领域对网络交易监管模型的构成模块进行研究。通过对文献研究内容的分析，充分了解网络交易监管模型的研究现状，进而探寻不同监管模型之间的共性，提取网络交易监管模型的框架。鉴于目前国内的研究还没有形成标准的网络交易监管模型，本书在借鉴前人研究的基础上，通过对检索到的论文进行内容分析，依据文章的题目、摘要、关键词、引言和结论来推断论文的主题，判断论文所属类目。

为了全面了解国内网络交易监管模型的研究现状，保证来源数据的科学性、代表性，选取 2000～2019 年中国知网(CNKI)上与网络交易监管模型或其应用直接相关的学术性论文和关于网络交易监管的研究报告。在 CNKI 数据库中对“篇名”“摘要”“关键词”或“主题”中包含“网络交易监管”“电子商务监管”“互联网监管”“网络监管”或“监管模型”的文章进行检索，共检索到相关文献 510 篇。通过对 510 篇相关文献的统计与分析，得出以下结论。

1)样本的时间分布

根据本书的研究目的，从中筛选出 510 篇文献作为分析样本，按年份检索期刊文章数目如图 1.4 所示。2000～2007 年平均每年发表关于网络交易监管模型的论文不超过 10 篇，可以看出 2008 年以前国内对网络交易监管模型的研究相对较少。但随着电子商务迅猛发展，网络交易违法行为日益严重，受国家政策对网络市场监管的要求和激励，特别是 2008 年国务院颁布的《国家工商行政管理总局主要职责内设机构和人员编制规定》中确立了国家工商行政管理总局“负责监督管理网络商品交易和有关服务的行为”的监管职能，推动了网络交易监管的步伐，同时也促进了网络交易监管模型的研究，从 2012 年开始国内对网络交易管理模型的研究迅速增加。2012～2019 年发表的论文数量年均 54.5 篇，约占 2000～2011 年发布论文总数的 73.6%。

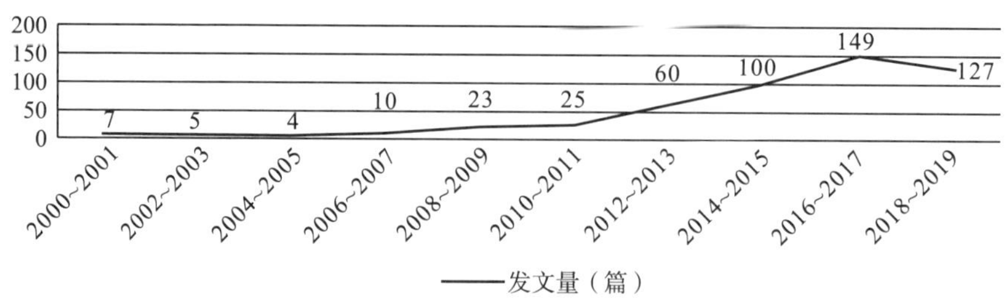

图 1.4　2000～2019 年各年度论文发表数量

2)研究领域分布

图 1.5 描述了网络交易监管模型各研究领域分布情况。由图 1.5 可知，国内网络交易监管模型研究的重点领域主要集中在开发研究领域(235 篇论文，占论文总数的 46%)，而

技术研究领域(19 篇论文，占论文总数的 3.7%)是目前网络交易监管模型研究中最为薄弱的环节。

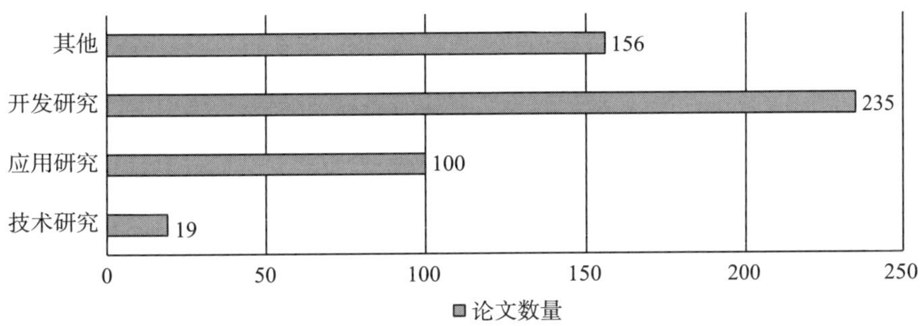

图 1.5　网络交易监管模型各研究领域分布情况

3) 主要要素分布

网络交易监管模型的建立必然少不了对模型主要要素的研究分析。网络交易监管模型主要要素(监管主体、监管客体、监管网、网络交易场所、其他)是网络监管过程中的主要作用对象。表 1.3 描述了各个研究领域中网络交易监管模型要素的分布情况。实际应用、综合论述和技术研究三大研究领域的文献中提及这 5 类要素的次数分别为 63、66 和 29，可见在实际应用和综合论述两个研究领域中对网络交易监管模型的要素提及较多，而在技术研究领域中较欠缺。实际应用领域的文献略少于综合论述领域的文献，这是由于在现实应用中各个地区的工商部门都处于对网络交易监管模型进行研究和摸索的过程中。在实际应用领域，除监管主体、监管客体、监管网和网络交易场所之外，其他要素不尽相同，故归为其他，约占该领域总数的 27%。对于监管网这一要素，技术研究领域的文献提及较多，可见技术研究领域研究在技术上的具体实现更多的是“以网管网”的监管行为。

表 1.3　各个研究领域中网络交易监管模型要素的分布情况

要素	研究领域		
	实际应用/(次/篇)	综合论述/(次/篇)	技术研究/(次/篇)
监管主体	11	19	5
监管客体	20	23	6
监管网	8	9	13
网络交易场所	7	6	2
其他	17	9	3
合计	63	66	29

2. 网络交易监管概念模型

结合网络交易监管模型构成要素研究分布情况(图 1.6)，可知国内网络交易监管模型研究涉及网络交易监管主客体的文献较多，而研究网络交易场所的文献相对较少。许多文章在研究网络交易监管时会涉及监管网等类似的监管网络，可见对于网络监管，众多学者都认同“以网管网”的监管模式。

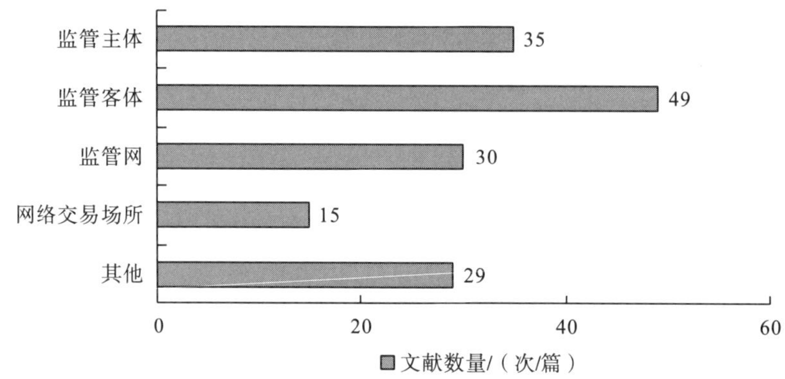

图 1.6　网络交易监管模型构成要素研究分布

通过对 2000～2019 年 CNKI 中国期刊全文数据库中搜索到的 510 篇网络违法监管模型学术论文进行研究，得出国内网络违法监管的要素如下。

(1) 监管主体。监管主体主要是指工商行政管理部门，其中包括工商部门下一级的网络交易监管机构、网络交易监管研究中心等功能科室。经过对所筛选的样本文献进行分析，有 76 篇文章在讨论网络监管模型建立时涉及工商部门、监管机构等，其中有 35 篇文章涉及监管主体，占比达 46.1%，说明网络交易监管主体在网络监管中占有举足轻重的地位，是保证网络交易健康平稳发展的重要因素，它的设置状况不仅直接关系到网络监管的实施效力和公民、法人或者其他组织的合法权益，而且也关系到网络监管的效率。2008 年 3 月，我国组建国家市场监督管理总局，其下设网络交易监督管理司，承担对网络交易违法行为进行监管的职能。

(2) 监管客体。监管客体主要指的是参与网络交易活动并受到监管的各个经营企业以及自然人。以这两类监管客体为中心，相关衍生的各类域名/网站(由各个经营企业或自然人建立)、商品及服务信息、网络交易平台等也属于监管客体的范畴。据统计，有 49 篇文章在网络监管模型研究中对其有涉及和研究。

(3) 监管网。监管网是指按照原国家工商行政管理总局发布的《网络商品交易及有关服务行为管理暂行办法》中提出的由工商行政管理部门对网络交易服务进行监管的要求，由工商行政管理部门针对开展网络搜查和监管工作而建立的一套“以网管网”的信息安全系统，其中包括网络交易监管网、网络监管指挥调度系统等。监管网是实施网络监管的重要手段，在所筛选的样本文章中有 30 篇文章涉及监管网。建立部门之间监管网络交易的信息共享和信息交换网络，是有效进行网络交易监管的重要技术支持。

(4) 网络交易场所。网络交易场所是指在网上以各种形式出现的提供商业交易服务以及信息发布的平台、网站、工具等。网络交易场所也是多数违法行为得以实施的地方，介于监管主体与监管客体之间，其安全性、诚信度等都受到高度重视。在样本文章中有 15

篇文章涉及网络交易场所，可见网络交易场所在网络监管中具有承上启下的作用。

(5)其他。有相关论文 29 篇，除以上四个要素之外，网络监管过程中还涉及消费者、网络服务提供者等其他要素，将它们统一归为其他类。在交易过程中，消费者相对于服务提供者处于弱势地位已经被公认。在网络环境下，服务提供者与消费者之间的这种不平等现象将进一步加深。维护消费者的合法权益，在网络交易活动的监管中仍然居于重要地位[5]。网络服务提供者有许多类别，主要包括网络基础设施经营者、接入服务提供者、网络内容服务商(Internet Content Provider，ICP)和论坛(BBS)经营者等。网络服务提供者是互联网中重要的信息传播媒介，支撑着网络上的信息通信，在网络监管中对网络服务提供者进行规范与管理是非常有必要的[6]。

取网络交易监管的 4 个主要影响要素：监管主体、监管客体、网络交易场所、监管网，构造其概念模型，如图 1.7 所示。

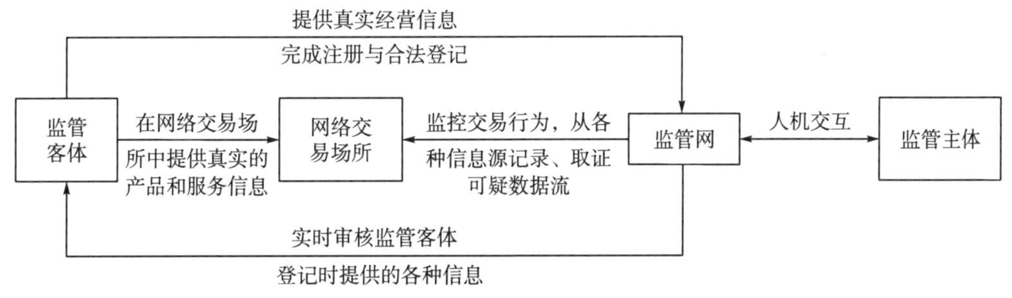

图 1.7　网络交易监管概念模型

该概念模型较好地描述了现今在网络交易监管领域中主客体通过网络进行的互动关系。一方面，首先，监管客体在开办经营活动之前，需要到工商行政管理部门按程序进行合法的注册登记，监管客体注册登记时所提供的各种真实信息将备案在监管网；其次，监管客体需要在网络交易场所中提供真实的产品和服务信息。另一方面，首先，工商行政管理部门工作人员通过监管网进行人机交互，完成客体经营企业或自然人的基本信息录入；其次，监管网将通过工作人员的操作对网络交易场所中的交易行为、信息发布、数据记录等方面进行监控，全方位地从各种信息源记录、固定、取证可疑的数据流，这一环节可视作网络巡查，重在开展及时发现、准确定位、实时截取、有效固定等数据工作；同时，监管网将实时审核监管客体注册登记的信息，如发现监管客体有私自更改基本信息的行为，则立即提交给工作人员进行后续处理。

1.2　网络交易监管机构

为了净化网络环境、维护公平公正的网络经济秩序，切实保障消费者的合法权益，从国家到地方各级网络交易监管部门在网络交易监管领域进行一系列积极的尝试，我国网络交易监管模式由政府强制性控制模式逐渐向以市场机制调控为基础的政府控制模式与行业自律模式的有机结合进化，促进网络经济产业自律和广大网民的自我管理与约束，从而降低监管成本，以提高政府监管效率。网络交易监管模式进化示意图如图 1.8 所示。在这个过程中不仅制定了一些相关的法律法规、规章制度使得电子商务监管工作有法可依、有章可循，极大地促进了我国电子商务立法进程，而且还建设了一批电子商务监管平台和系统，在理论和实践方面探索出适合我国电子商务监管的模式和思路，为保障网络经济的健康发展做出巨大贡献。

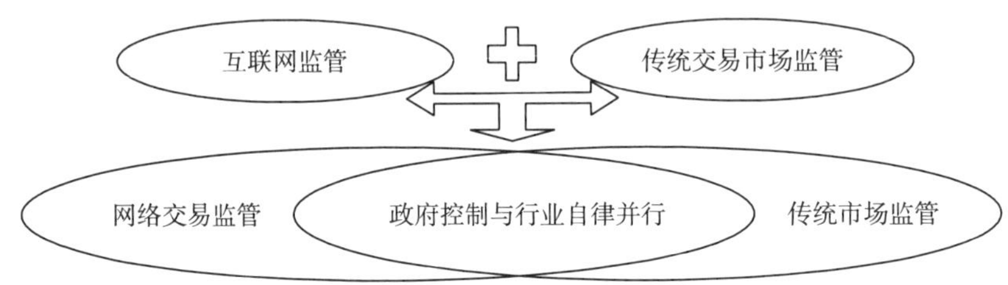

图 1.8 网络交易监管模式进化示意图

1.2.1 国家层面的监管模式

经过多年的不断研究探讨、经验积累，我国已经基本建立了较为完善的网络交易监管体制，监管主体由政府机构与社会组织组成。我国的政府监管体系相对比较完整，由不同的相关部门负责监管网络交易的不同环节，这些部门分别是国家市场监督管理总局、商务部、中共中央网络安全和信息化委员会、工业和信息化部、公安部、文化和旅游部、财政部、国家税务总局、海关总署、中共中央宣传部、中国人民银行、中国银行保险监督管理委员会等。

国家市场监督管理总局网络交易监督管理司拟订实施网络商品交易及有关服务监督管理的制度措施；组织指导协调网络市场行政执法工作；组织指导网络交易平台和网络经营主体规范管理工作；组织实施网络市场监测工作；依法组织实施合同、拍卖行为监督管理，管理动产抵押物登记；指导消费环境建设。目前主要工作包括：对网络虚假广告、网络诈骗、版权等方面的非法经营行为进行打击，对各类网络经营主体资格进行确认，以及对各种非法网络经营行为的网络经济监管进行初步尝试等。工业和信息化部主要负责对重点行业的重要信息系统、政府部门、基础信息网络的安全保障等工作进行监督、指导。商务部主要负责制订相关领域的规则、标准，组织以及参与相关标准和规则的对外磋商、谈判以及交流，并不断推动网络交易商务在实际生活中的运用。公安部将其维护社会治安的职责在网络经济中进行体现，主要负责查处网络交易中各种扰乱社会秩序以及危害网络安全的违法犯罪行为。中国人民银行对网络交易支付进行监管。从宏观角度来看，我国对网络交易的监管逐渐形成了分层多头监管模式，如图 1.9 所示。但是，这种多头管理、分散执法的模式，看似严密，却很难在监管工作中做到责、权、利的明确。

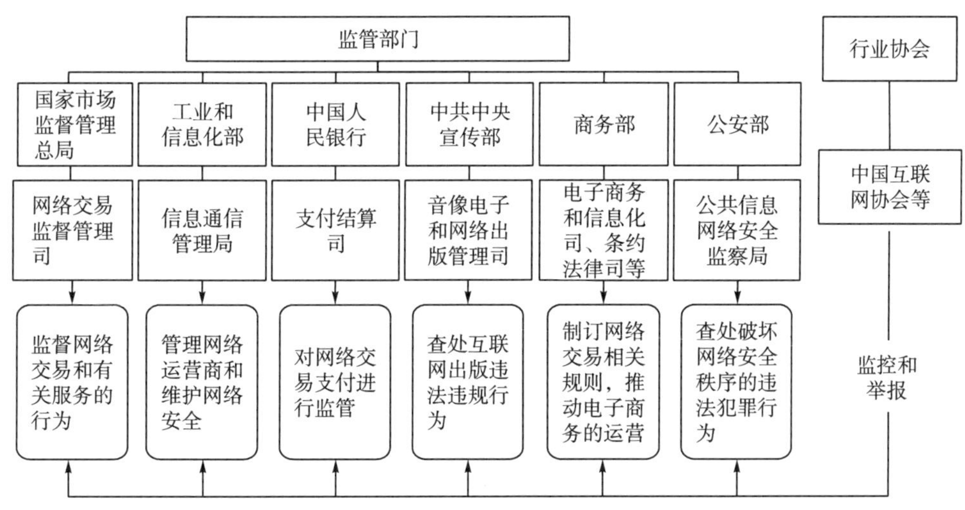

图 1.9　我国网络交易分层多头监管模式

1. 国家市场监督管理总局

2018 年 3 月，中共中央印发了《深化党和国家机构改革方案》，方案提到将国家工商行政管理总局的职责与其他总局职责进行整合，组建为国家市场监督管理总局，作为国务院直属机构，履行网络交易监督管理职责。

为了促进网络交易的健康发展，我国相续出台一系列法律法规。2019 年 1 月，《中华人民共和国电子商务法》正式施行。这填补了我国电子商务行业的法律空白，要求电商经营者应当办理市场主体登记、履行纳税义务，明确了电商平台对平台上经营的商品有审查的义务，电子商务从业者负有消费者购买商品质量安全的责任，规范了电子商业的格式条款、霸王条款、技术绑架等行为。2021 年 3 月，国家市场监督管理总局出台《网络交易监督管理办法》，这是贯彻落实《中华人民共和国电子商务法》的重要部门规章，制定了一系列规范交易行为、落实平台主体责任、保障消费者权益的具体制度规则，对完善网络交易监管制度体系、持续净化网络交易空间、维护公平竞争的网络交易秩序、营造安全放心的网络消费环境具有重要现实意义。2021 年 9 月，为加强知识产权保护、规范平台经济秩序、促进电子商务持续健康发展，国家市场监督管理总局发布《关于修改〈中华人民共和国电子商务法〉的决定(征求意见稿)》。

2. 商务部

商务部负责拟订国内外贸易和国际经济合作领域电子商务相关标准、规则，组织和参与电子商务规则和标准的对外谈判、磋商和交流，推动电子商务的运用等。2020 年 2 月，商务部发布《电子商务信息公示管理办法(征求意见稿)》向社会公开征求意见，该管理办法旨在促进公平竞争，维护市场秩序，保护电子商务各方主体的知情权等合法权益，提高交易透明度，规范电子商务信息公示活动。2021 年 11 月，商务部等发布《“十四五”电子商务发展规划》，提出了“十四五”时期电子商务的发展目标，确立了电子商务指标体系，明确了创新驱动、消费升级、商产融合、乡村振兴、开放共赢、效率变革和发展安全共七个方面的发展思路和重要举措，设置了23个重点专项工作等方面的内容。

3. 工业和信息化部

工业和信息化部负责指导和监督政府部门、重点行业的重要信息系统与基础信息网络的安全保障工作等。在网络交易监管方面，工业和信息化部主要负责从行政监管上加强网络安全管理。其监管职权具体包括：负责建设和管理网络与信息安全技术平台，做好经营性互联网网络安全的应急协调工作；对互联网接入服务商、互联网信息服务提供者和联网单位的联网备案、记录留存、有害信息报告和清除等安全管理制度的落实情况进行监管检查。工业和信息化部还根据国务院新闻办公室、公安部、国家安全部等中央授权部门的要求，利用网络与信息安全技术平台，对网上有害信息进行监控，对违规从事网上业务的境内网站，依法采取责令整顿、予以关闭等行政处罚措施[7]。

4. 公安部

公安部在网络交易中的职责是着重查处各种破坏网络安全和扰乱社会秩序的违法犯罪行为，这是公安部的社会治安职责在网络交易中的延伸。在网络交易监管方面，公安部负责互联网的安全监督。其主要职权包括：对网上反动、淫秽、赌博等有害信息进行监控，负责打击破坏网络和传播计算机病毒等违法犯罪活动的应急协调工作，依法处罚和打击网上违法犯罪行为；对互联网安全管理制度落实情况进行监督检查，对境外有害信息网站提出封堵意见，并通知行业主管部门实施。

为履行网络交易的监管职责，公安部在机构中设置公共信息网络安全监察局，该局建有网络违法案件的专门举报网站，并向社会公布举报受理范围：进行邪教组织活动、煽动危害国家安全；散播谣言、侮辱、捏造事实，扰乱社会秩序；传播淫秽色情信息，组织淫秽色情表演、赌博、诈骗、敲诈勒索；侵犯他人通信自由、通信秘密；网络入侵、攻击等破坏活动；擅自删除、修改、增加他人数据；其他网络违法犯罪活动。

5. 中共中央宣传部

2018年3月，中共中央印发《深化党和国家机构改革方案》，将新闻出版管理职责划入中共中央宣传部，中共中央宣传部对外加挂国家新闻出版署牌子。中共中央宣传部负责对互联网出版、数字出版活动进行监管，组织查处互联网出版的违法违规行为等。为了履行该职责，中共中央宣传部还设有音像电子和网络出版管理司，它的主要职责是参与起草互联网出版管理的法规、规章，制订有关政策和重要管理措施，并组织实施和监督检查；承办互联网出版机构设立、变更的审批工作；承办并对网络出版活动实施监督管理的工作；查处或组织查处互联网出版机构的违规行为和违禁互联网出版内容。

6. 中国人民银行

中国人民银行对电子商务交易支付进行监管。2010 年 6 月，中国人民银行正式对外公布《非金融机构支付服务管理办法》，对国内第三方支付行业实施正式的监管。根据相关规定，非金融机构提供支付服务需要按规定取得《支付业务许可证》，成为支付机构，而 2011 年 9 月 1 日是第三方支付机构获得许可证的最后期限，逾期未取得的企业将不得继续从事支付业务。2012 年 4 月，中国人民银行、中国银行业监督管理委员会、公安部和国家工商行政管理总局联合发布《关于加强银行卡安全管理预防和打击银行卡犯罪的通知》，这表示国家监管部门开始真正着手加强对第三方支付企业的监管力度。

7. 行业协会

我国网络交易社会监管机构包括行业协会和社会组织，如中国互联网协会、中国网商协会等通过制定行业自律公约，从行业自身的角度对网络交易活动进行监管[8]。

1.2.2　地方层面的监管模式

地方政府在应对网络交易监管上主要从技术创新方面进行了一系列的实践和创新，如浙江、重庆等地方工商行政管理部门从自身实际出发，对监测网络交易违法行为做出了积极的探索，并处于全国电子商务监管的先进行列。

1. 浙江——“一网三平台”监管模式

浙江是我国电子商务发展较为繁荣的省份之一，截至 2009 年，全国排名前 3000 家行业网站，浙江就占五分之一，如淘宝网、天猫网等全球知名企业均来自浙江。

对于电子商务的监管，浙江省工商行政管理局早在 2002 年就对网络经营活动建立了“准入”制度，建立了省市县三级信息管理办公室，研究网站管理的“备案制”，并草拟了相关监管办法。2006 年，浙江省陆续启用了“网络经济服务监管网”“网络经济监管职能搜索平台”“企业营业执照网上标识办理平台”以及“网络经济监管日常巡查平台”，通过“一网三平台”对网络交易进行监管，并统一建立了企业网站数据库，以解决网络经营主体身份不明问题，加强网络信用体系建设的重要手段。2008 年，为给网络经济发展营造宽松的环境，浙江省工商行政管理局出台了《关于大力推进网上市场快速健康发展的若干意见》，推出鼓励电子商务发展的 12 条新举措。2009 年，浙江省出台了网站信用的相应规范指引，并于同年建立了网站信用联盟。2010 年，浙江省建设了“一网三平台”，这对于完善网络工商平台有进一步的促进作用，它实现了上下联动、部门协同、指挥调度分流的功能，同时，电子商务取证中心也处于建设当中。2010 年 7 月以来，国家工商行政管理总局出台《网络商品交易行为及有关服务管理暂行办法》，对监管工作进一步完善和创新，建造了我国第一个“315”维护投诉平台；协助“淘宝网”建立亿元“消保基金”；助力“淘宝网”新网规出台；探索网络食品准入和监管制度的构建等。2017

年，国家食品药品监督管理总局发布《网络餐饮服务食品安全监督管理方法》；2019年，国家市场监督管理总局印发《假冒伪劣重点领域治理工作方案(2019～2021)》，严治网络交易售卖假冒伪劣产品行为。

2. 重庆——“一网两系统”监管模式

重庆对网络交易的监管起步相对较晚，于2009年成立重庆市工商行政管理局电子商务监管处，同时，重庆市自主研发建设的“电子商务监管服务平台”正式建成启用，这一平台的建成启用标志着重庆市在西部省市率先建成网络交易经营活动“一网两系统”的监管模式。

重庆市工商行政管理局为能够更好地履行网络经济监管职能和服务于重庆市电子商务产业的发展，以互联网的智能搜索引擎为技术支撑，有效整合工商业务管理系统、全国工商系统“金信工程”企业信息、企业联合征信系统等各种资源，构建了“电子商务监管服务平台”。该平台主要由“重庆市工商局电子商务监管服务网”(一网)、“电子商务经营主体监测及监管系统”和“网络广告监测系统”(两系统)构成[①]。工商行政管理人员可以运用两系统对重庆网络经营主体、网络广告进行定向化、智能化、自动化搜索监测，并对其进行在线排查、巡查。同时建立重庆市电子商务经营主体经济户口和信用档案，对重庆市电子商务经营主体实施信用分类监管与服务，查处电子商务违法经营活动，保护消费者合法权益。2011年，重庆市工商行政管理局建成电子商务搜索监测中心及电子证据实验室并投入使用。电子商务搜索监测中心和电子证据实验室是在有机整合原有信息化平台的基础上，通过配备先进的网络装备及相关应用软件，充分运用“三网”(内网、4G无线、互联网)融合技术，着力提高对电子商务经营主体及经营行为的精准化、智能化、隐蔽化的搜索、监控、取证能力，进一步增强对网络交易网站违法经营线索的侦测、排查、锁定以及对影响网络经营秩序重要环节的监控和预警水平，实现对电子商务经营主体及经营行为“搜得准、找得到、查得了”的目标，标志着重庆市工商行政管理局“以网管网”的电子商务监管模式进入全国先进行列。2019年，在市局和区委区政府的支持和领导下，渝中局采用五步法加强网络交易监管。一是摸，摸清市场现有的网站和电商平台的情况；二是看，对“618”网络集中促销活动进行监测，对监测中发现的问题及时与网站或平台进行沟通，提出行政建议；三是跟，对12315网络消费投诉进行线索跟踪，进而发现网络违法案源；四是谈，对不符合标准的企业进行约谈，要求其产品生产需符合标准；五是查，对网络市场违法行为进行严惩。

① 中华人民共和国中央人民政府. 重庆市建成电子商务监管服务平台[EB/OL]. [2009-4-10]. http://www.gov.cn/govweb/fwxxsh/2009-04/10/content_1282029.htm.

1.3　网络交易平台

众多学者对网络交易平台进行了研究，但是对于网络交易平台的定义仍没有达成统一。

1.3.1　网络交易平台的范畴

平台是一个新的产业经济学概念，最早的关于平台的描述是一种以促进双方或多方客户之间的交易为目的的现实或虚拟空间[9]。随着互联网的发展，凭借其巨大的资源空间和惊人的通信效率，各种互联网用户乐此不疲地将传统的信息交流、货币流通、物品运输等活动搬到了虚拟的网络上，逐渐形成了一种由一方或多方提供信息技术支撑的虚拟空间，以此汇聚了大量的买卖双方，并按照一定规则，促成各种产品或服务的买卖双方交易，完成交易后的资金流、物流等服务，逐渐形成了现在的网络交易平台。

对于网络交易平台，学者们有不同定义。Schimid (1997) 认为网络交易平台是交易双方的媒介，这种媒介的作用贯穿于企业经营活动的所有阶段，包括支持市场交易的信息阶段，是商品和信息市场进行交易的一种协调机制，反映了市场主体之间某一方面或是全部的交换协调机制[10]。Senn (2001) 认为网络交易平台是由交易处理者、买方和卖方构成的一个交互式运作与关系交接的虚拟市场，在这个市场内各个主体可以交换信息、服务、产品，甚至进行资金流动与相关的物流活动[11]。隋兵 (2010) 认为网络交易平台是专门提供网络服务，以方便双方进行交流、联系的机构，它是信息交流的支撑主体，在网络交易中只为交易双方提供一个交易平台，本身并不是网络交易的当事人[12]。电子商务协会制定的《网络交易平台服务自律规范》定义网络交易平台是以盈利为目的，从事网络交易平台运营和为网络交易主体提供交易服务的法人。2011 年，商务部颁布的《第三方电子商务交易平台服务规范》将第三方网络交易平台定义为“电子商务活动中为交易双方或多方提供交易撮合及相关服务的信息网络系统总和”①。王轶坚 (2011) 认为第三方网络交易平台提供商是为个人或商家提供，通过网络销售和购买商品的信息网络服务及相配套的其他服务的中介服务商，它不直接参与交易，网络交易的任何后果由交易方自行承担[13]。

通过对网络交易平台的定义的分析研究，可以发现网络交易平台与传统的交易场所有很大区别。网络交易平台的特点可以归纳为以下 3 点。

(1) 以信息技术作为支撑。网络交易平台上发生的交易活动(包括信息搜索、双方协议、协议签署甚至商品交割和售后服务) 都是依托计算机、网络技术和远程信息技术进行的，存在许多网络技术的设计、组织、实施和管理工作，是网络技术与传统交易活动的有机结合。

① 中华人民共和国商务部. 第三方电子商务交易平台服务规范[EB/OL]. [2013-9-16]. http://www.mofcom.gov.cn/article/bh/201309/20130900305716.shtml.

(2) 以交易活动为主要内容。在网络交易平台上的交易不仅仅局限于物与物的交易，而是双方利益上的变化，如买卖协议签署就意味着商品或是服务所有权的转移，此时双方彼此拥有了相应货币或商品的所有权，利益也发生了变化。同时，交易必须有交易的主客体和交易的内容。没有交易的主客体即没有交易的执行者。交易的内容不仅仅局限于传统的可以看得见的商品，还包括新兴的信息产品。

(3) 以虚拟的平台为场所。网络交易必须是以虚拟的交易平台为依托，交易场所建设在网络上，依附其虚拟的形态，提供相应的具体功能。人们更多看到的是由多方面因素综合呈现的可视化界面，而不是物理上的装修店面。

本章所提及的网络交易平台是指在网络交易过程中，为交易双方提供商品信息或服务交易的系统，该系统由计算机、互联网以及相关的硬件、软件组成，是一个虚拟的系统。

1.3.2 网络交易平台的分类

按照是否参与经营、控制主体、结构、价格形成机制等不同标准，可以将网络交易平台分为不同的类型。

1. 根据网络交易平台是否参与经营分类

(1) 网络交易复合平台。网络交易复合平台既是平台提供商又是网络交易经营者，在平台上主要有单一的供应商和众多的消费者两方。这种模式下，平台提供商扮演买方角色或卖方角色。目前已有众多企业建立了自己的 B2C 交易平台，如联想、戴尔、IBM 等 IT 企业。

(2) 网络交易单一平台。平台提供商为没有能力自建网络交易平台的企业或个人提供交易或发布信息的平台，按照买卖双方的协议向他们提供相应的信息与服务，而并不参与平台上买卖双方的实际交易。这种模式的平台有买卖双方和平台提供商 3 个主体。这类平台中较为著名的有淘宝网、当当网、eBay 等。

2. 根据网络交易平台的控制主体分类

根据网络交易平台控制主体的不同可以把网络交易平台分为买方主导的网络交易平台、卖方主导的网络交易平台、中立的网络交易平台。

(1) 买方主导的网络交易平台。买方主导的网络交易平台是由一个或多个购买方设立的，也称电子采购平台，该平台主要向买方倾斜，买方一般拥有更多的市场权利和价值。在这类市场中，一般都有相应的中介，也不排除少数买方单独创立平台，如政府采购平台等。一般情况下由多个购买方整合经营以增加这些购买方的集体购买力。

(2) 卖方主导的网络交易平台。这类平台一般都是由卖方建立的，通过该平台聚合消费者进行消费，平台的目的在于占据市场主动权以及创造保留商品价值。例如，Cisco 公司，不仅是全球领先的互联网解决方案供应商，也是成功应用电子商务的典范，公司 80%的订购通过其网站完成，在中国下定单 100%通过在线完成，电子下载和在线配置每年能为 Cisco 公司节约近 2 亿美元费用，订购周期缩短 70%。

(3) 中立的网络交易平台。该类交易平台一般由第三方中介创立，是一个中立的市场，它建立的目的是协调网络购买者以及网络销售者。Past Parts 就属于这一类型，它通过销售方获取相关商品的存货情况，然后利用自身建立的网络拍卖系统将交易者双方结合起来进行商品交易，从本质上说，它是一个经营电子部件存货的匿名现货市场。在交易的过程中，各方参与者都可获利，购买者能够拿到更便宜的商品，销售者也会因为少去部分经营成本而获得更高的利润。

3. 根据网络交易平台的结构分类

网络交易平台按照结构的不同可以划分为垂直型和水平型。垂直型网络交易平台是为某个特定的行业服务，目的是汇集行业内部的供给与需求，其优势在于产品的专业性和互补性；水平型网络交易平台是为不同行业和不同类型的企业进行产品或服务的交易服务，其优势在于产品的宽带[14]。

4. 根据网络交易平台的价格形成机制分类

经过概括总结，我们可以将网络交易平台的价格形成机制分为两类：拍卖模式和目录模式。

拍卖模式中，价格的决定是一个动态的竞价过程。以反向拍卖为例，当买方与卖方进行要约竞争时，这一过程通常会使得产品价格朝更低的方向发展。这一过程的效率更高，价格合理，并且能够节约交易双方复杂的交易谈判。

目录模式则和拍卖模式有一定的不同，目录模式也是现目前运用得最广泛、最简单的一种交易模式。该模式运用于各类型电子商务交易中，它能够通过自身的目录系统向消费者提供一站式服务。消费者能够运用网站的搜索栏进行产品搜索以及价格对比，进而清晰明了地获取商品以及服务的信息。但是，这种模式也有其局限性，那就是采购时间紧迫、价格相对稳定、搜索成本高。

综上所述，通过参照这些规定结合网络交易平台运行的实际情况，本书所研究的第三方网络交易平台是由网络技术做支撑，能够提供人与人、群体与群体之间的商品、信息等交易协议以及交易过程中满足彼此需要但不参与交易过程的功能软件、系统平台等，如淘宝网、有啊网、拍拍网等。

本章根据网络交易商品的不同将网络交易平台分为两类：网络商品销售平台和网络服务提供平台。网络商品销售平台是指经营者通过平台向用户直接销售商品，当前的淘宝网、京东就属于网络商品销售平台；网络服务提供平台则是指经营者通过平台向用户提供信息或者商品服务，当前的知乎、哔哩哔哩等就属于网络服务提供平台的范畴。

1.4 网络经营者

1.4.1 网络交易监管的对象

电子商务监管对象是各类网络交易市场、从事经营活动的各类网络交易市场参与主体及其市场行为与市场客体。顾名思义，电子商务监管的对象就是电子商务所依托的网络交易市场，从其构成要素来看，就是网络交易市场中的各类虚拟的交易场所、参与网络交易市场的各类市场经营主体及其市场进入、交易行为、竞争行为以及作为交易对象的交易客体。

根据国家工商行政管理总局颁布的《网络商品交易及有关服务行为管理暂行办法》第二条规定："网络商品经营者和网络服务经营者在中华人民共和国境内从事网络商品交易及有关服务行为，应当遵守中华人民共和国法律、法规和本办法的规定"。根据《网络商品交易及有关服务行为管理暂行办法》，监管对象为各个省市范围内从事网络商品交易及有关服务行为的经营主体。主要是指通过网络销售商品的网络商品经营者和通过网络提供相关经营性服务的网络服务经营者，如提供网络交易平台服务的平台服务商。

本书所提及的网络经营者是指在网络上以营利为目的而进行商品销售或者商业服务的法人、自然人以及其他组织[3]。

1.4.2 网络商店经营者的种类与责任

1. 网络商店经营者的主体资格和法律地位

当前，我国网络商店、网络商城总体来说可以分为两类：第一类主要提供商业和信息服务，它不提供任何商品，而是建立交易平台帮助买家与卖家进行交易，这一类网络商店的代表有淘宝网、易趣、新浪商城等；第二类则是直接销售商品，这一类商店通过搭建平台来销售自己的商品，这一类网络商店的代表有当当网、2688 网店、卓越网等。其中，第一类网络商店的法律地位可以判断为提供服务的中介者，而第二类则属于真正的商品销售者。

当前，我国的各条法律法规都没有对网络经营者给出比较权威的定义，结合《中华人民共和国消费者权益保护法》、《中华人民共和国产品质量法》以及《中华人民共和国反不正当竞争法》等法规，根据实际情况，我们认定经营者是指在网络上以营利为目的而进行商品销售或者商业服务的法人、自然人以及其他组织。从这个定义不难看出，在网络上开设网店的经营者也属于这个范畴。在地位上，网络经营者与消费者都属于市场的主体，都具有法律主体资格。

2. 网络商店经营者的责任

目前，我国的网络商店经营者主要承担了产品质量、售后服务等责任。《中华人民共和国消费者权益保护法》作为维护消费者权益的一部法规，它也相应地规定了经营者的义务。该法规指出，对于直接在线销售商品的商家来说，当产品质量出现问题时，经营者应该依法处理消费者的退货、换货等问题，并适当赔偿消费者所遭受的损失。如果网站仅仅是提供交易平台，不直接参与到交易活动中，则只需要对自己所发布的信息负责，而不用对商品出现的问题负责。

1.5　监管信息平台

随着互联网应用的普及，网络交易作为互联网产业中重要的组成部分，也在不断地完善与发展。基于互联网的网络交易在发展中也呈现出与传统经济不同的特性，如广域性、时空分离性、虚拟性、瞬时性、及时性、共享性、稳定性、开放性、安全性、交互性等。同时，网络交易的优势也一样显而易见，它不但便于操作，没有时间、空间的限制，而且交易活动方便、快速。但网络交易的这些特点也为不法分子所利用，使他们寻求到了新的作案途径与作案手段。网络交易违法行为普遍存在违法成本低、隐蔽性强、传播迅速、涉案地域广等特点，传统的监管手段很难对其进行有效的监管，如虚假广告、网络诈骗、域名争议等网络交易违法案件已经成为当下工商行政管理部门监管的重点和难点，不断增加的网络交易违法案件严重阻碍了网络交易的持续健康发展。

本章搭建了“一网四平台”电子商务监管系统模型。针对传统监管方式应对“互联网+”时代的挑战，基于网络交易监管链，搭建以征信系统为一张网，经营主体分类监管、电子证据采集分析、网络广告智能监测、大数据情报监测 4 个平台组成的网络经济市场监管架构(图1.10)，实现“以网管网”电子商务监管的应用示范。在整个技术监管模式中，首先通过建立网络广告智能搜索，实现特定企业网站内容的智能搜索，依据网页自动分析技术，分析并提取网页中的广告信息部分，包括文档、图片、视频、多媒体等各种表现形式的网络广告，并保存。其次，由网络广告智能监测平台和电子商务搜索平台监测所搜索出来的数据，都将经过电子商务经营主体监管平台，完成对数据的认领排查，对排查有效的网络经营主体进行建库建档，对建库建档的网络经营主体实施巡查监管，同时将网络广告智能监测平台和电子商务搜索平台均与数据库进行连接，不断地与数据库进行交互，实现数据的实时更新。

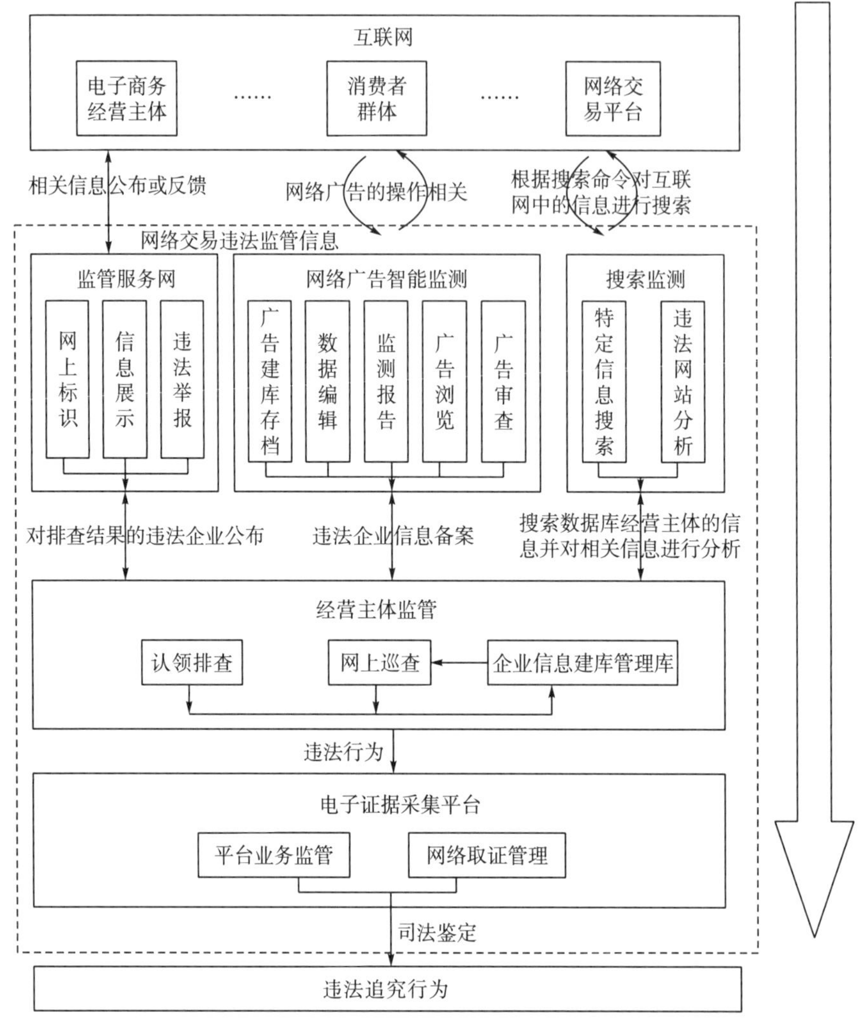

图 1.10　网络经济市场“一网四平台”监管运行架构图

1.6　本 章 小 结

本章在针对前期的理论分析和对相关文献及数据进行统计的基础之上，构建出网络经济市场监管的运行框架，并对其进行了详细的分析和阐述，根据网络经济市场监管运行框架的结构图，对其中的主要模块进行了介绍，主要对网络经济市场监管机构、网络交易平台、网络经营者和网络经济市场监管信息平台进行描述和概括。

第 2 章　网络交易监管主客体关系研究

第 1 章已经初步构建了一个网络交易的监管模型，本章研究内容为此模型中的两个重要因素：监管主体（监管机构）和监管客体（网络经营者），针对这两个要素具有有限理性和博弈次数无法计量的特点，运用进化博弈方法构建博弈矩阵和复制动态方程，并求解进化稳定策略，探索网络交易监管行之有效的方法及策略。

2.1　问题的提出

随着电子商务和互联网应用的快速发展，一部分违法行为迅速转移到互联网，网上欺诈、发布虚假广告、侵犯注册商标专用权以及无照经营等违法行为时有发生，极大地影响了网络交易秩序，降低了消费者对网络交易的信任度，一些严重的违法行为甚至成为社会不稳定因素[15]。互联网经济形势下凸显出的新问题，已引起政府职能部门和专家学者的深入思考。目前一些文献对网络交易中的不同利益主体进行了研究：杨国良(2008)采用博弈论方法对买卖双方进行了欺诈得益模拟，提出加大对网络交易中不诚实经营者的惩罚力度，加大网络实时监控的力度，增加对消费者损失的赔偿额等方法，可以提高网络交易中信息发布的可信度[16]。张志刚和严广乐(2002)在政府、ICP 和信息消费者之间建立两个完全信息静态博弈模型，指出提高处罚力度、加强控制和过滤互联网违法有害信息及加强群众监管参与度等方法对提高互联网监管有明显效果[17]。乔立新等(2006)提出的网络广告商行为的约束体系，在工商行政管理机关和网络广告商之间建立完全信息静态博弈模型，结果显示加大虚假广告的处罚力度，增强网络广告从业者的自律意识和行业内部管理，可以保障网络广告市场健康发展[18]。程广平(2006)研究了电子商务信用风险对消费者行为的影响，建立了完全信息静态和动态两个博弈模型[19]。王莹(2008)运用进化博弈理论探讨了第三方支付中介参与的买卖双方博弈模型，进一步引入无限次博弈方法对银行和第三方支付机构进行分析[20]。徐琼来(2008)在工商行政管理机关和网络广告商之间建立了一个完全信息静态博弈模型[21]，同时也对消费者和网络广告商之间采用了无限次博弈模型，求解出模型 T 阶段均衡收益，并根据模型结果提出相关监管建议。向楠(2008)采用完全信息静态博弈模型对信息安全投资进行了分析[22]。文献研究表明，在网络交易监管领域，学者采用较多的是完全信息静态博弈方法，基本上都以博弈方具有完全理性为基础。在现实中，对决策行为者来说，完全理性是很难满足的高要求，当社会经济环境和决策问题复杂时，人们的理性局限是非常明显的，也很难一次性找出最佳策略。只能在多次反复博弈过程中，通过不断的学习与模仿，对策略进行调整，最终达到一种动态平衡。同时，在网络交易监管体系中最重要的两个要素是监管主体(监管机构)和监管客体(网络经营者),如何针对这两个具有有限理性的要素在不同发展阶段政府的环境政策和信息技术水平变化时,提出相应的监管策略,目前鲜见文献发表。进化博弈论将博弈分析和进化动态相结合,视博弈方为有限理性,以群体为研究对象,并用系统论的观点看待群体行为的调整过程。进化博弈论的这些特点为各类社会经济现象研究提供了独特的视角,因此被广泛应用于生物、社会、经济等多个领域[2]。本书运用进化博弈论,建立政府与网络经营者的博弈模型,分析了进化博弈模型的稳定状态,以揭示博弈双方的行为特征对稳定状态的影响。根据进化稳定策略分析结果,提出建议,旨在为我国行政主管部门提供有意义的决策参考。

2.2 网络交易监管机构与网络经营者的进化博弈模型

本节结合我国当前网络交易监管开展的现实情况,引入有限理性理论,采用进化博弈方法模拟网络经营活动过程中政府与网络经营者的利益均衡,分析了博弈双方的稳定性条件,揭示双方的行为特征及其对稳定状态的影响。

2.2.1 网络交易监管机构与网络经营者之间的博弈关系

每一次开展监管工作就像一次博弈,监管机构可以选择监管、不监管,可以选择违法、不违法。当监管机构采取监管策略时,采取不违法策略时,可以避免监管部门的严厉查处及利益的损失,并且监管机构既不用投入大量的可变成本,也可以因为开展监管工作而得到一些社会效用,如政府形象提高等;当监管机构采取监管策略,而网络经营者采取违法策略时,监管机构面临监管成本、人力成本、资源耗费等多种利益的损失,同时网络经营者也将面临高额的罚金、停业经营、整改等多种利益的损失;当网络经营者采取违法策略,监管机构采取不监管策略时,网络经营者将从违法行为中获取非法利益;当监管机构采取不监管策略,网络经营者采取不违法策略时,监管机构无法得到更多的利益,网络经营者也将避免被查处后的惩罚。

2.2.2 网络交易监管机构和网络经营者博弈模型假设

现实生活中,在网络中开展交易活动的经营者很多,每个经营者有不同并且不完美的知识水平、能力结构,由此导致每个有限理性经营者参与博弈后产生的行为选择意向并非最优,有时候某些行为会给经营者带来收益,有时候又会让经营者受到违法处罚,所以有限理性的经营者会根据多次博弈经历,慢慢调整自己的行为策略让收益最大化。而监管机构虽然数目很少,但是同样也具有有限理性的特点,其行为顺序也是通过多次博弈经验来不断修正自己的决策,最终两个博弈方将会慢慢修正博弈行为,均衡并达到一个相对较稳定的状态。

1. 基本假设

本节认为，由于信息的不完全和博弈双方的有限理性，监管机构和网络经营者在做出各自的决策时很难确认他们的选择是否最大化各自的利益。因此，网络经营者可能选择采取违法经营行为的策略，如通过网络进行商品虚假广告宣传、故意侵权、销售假冒伪劣商品等；也可能选择采取不违法的策略。通过网络开展经营活动的经营者众多，监管机构对经营者行使监管的职责，也有两种策略可以选择，选择监管网络经营者，如定期进行网络违法经营行为的搜索、取证和查处，也可以选择不监管网络经营者。双方博弈的策略组合如图 2.1 所示。

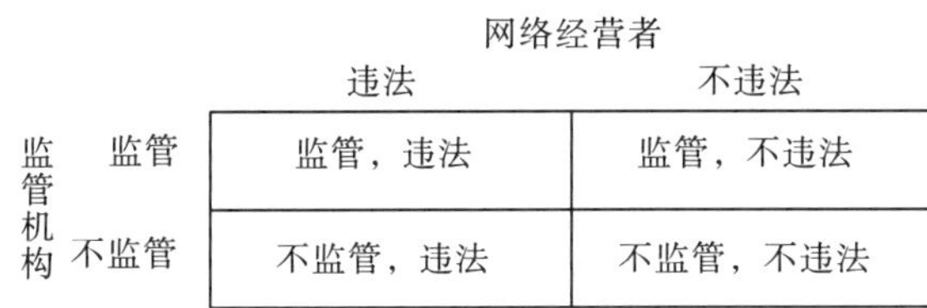

监管机构 \ 网络经营者	违法	不违法
监管	监管，违法	监管，不违法
不监管	不监管，违法	不监管，不违法

图 2.1　监管博弈策略组合

2. 网络经营者的收益函数假设

(1) 在一定时期内消费市场中某一正牌商品销量是稳定的，假设网络经营者守法经营所获得的收益为 P。

(2) 政府鼓励企业开展创新活动，以大量资金进行项目扶持和奖励，并为电子商务相关经营企业提供税收、场地、配套服务等大幅优惠。假设政府积极履行监管和服务职能，网络经营者守法经营将获得政府资助收益为 W。

(3) 由于同类假冒伪劣商品的销量受到正品产品市场供给需求函数的影响，在一定时期内其假冒伪劣商品的销量也为恒定，通过利用假冒产品的低成本特点赚取了额外利润，假设违法经营所获得的额外收益为 P^*。

(4)《网络商品交易及有关服务行为管理暂行办法》规定，网络交易及有关服务行为违反相关法律法规规定的监管内容，法律、法规有处罚规定的，依照法律法规的规定处罚。假设违法经营的收益损失为 M, $M=M(\varphi)$，信息操纵力度越大，收益损失越大，即 $\frac{\partial M(\varphi)}{\partial\varphi}>0$，主要指经营者违法经营被查处后所要受到的惩罚，包括罚金、信用度降低、社会形象受损、承担法律责任等。

由上述 (1)～(4) 假设，当在政府机构积极履行监管与服务职责，各部门联动肃清网络环境，鼓励企业电子商务活动时，网络经营者守法经营的收益函数为 $P+W$，即其除了获得正常的运营收益，还能获得税收等政策支持和政府的项目资助等收益；网络经营者违法经营并被查处的收益函数为 $P+P^*-M$，即其获得了额外收益，但同时还将承担受到法律法规处罚的收益损失。其中，M 表示获得对违法经营查处的罚金和政府形象提升、口碑提升等正收益。

由上述(1)～(4)假设，当在政府机构消极履行监管与服务职责，各部门相互推诿职责时，网络经营者守法经营的收益函数为 P，即其只能获得正常的运营收益；网络经营者违法经营并逃脱查处的收益函数为 $P+P^*$，即其能获得违法经营带来的丰厚的额外收益(图 2.2)。

监管机构 \ 网络经营者	违法	不违法
监管	$P+P^*-M$	$P+W$
不监管	$P+P^*$	$P+W$

图 2.2　博弈收益矩阵

3. 监管机构的收益函数假设

(1) 监管机构每次开展专项监管工作必须投入人力、物力等各种资源形成监管工作成本，我国网络交易监管实践通常采取阶段性专项整治行动，如 2019 年 3 月，国家市场监督管理总局部署深入开展互联网广告整治工作；2020 年 10 月，十四个部门联合开展 2020 网剑行动，集中整治网络市场突出问题等。因为网络交易违法行为普遍存在虚拟性、隐蔽性、成本低、传播迅速、范围广等特性，政府监管的收益主要受到技术手段、监管认识度、社会信用体系和工作人员努力程度的影响。在此，用 C 表示上述的人力、物力等建设成本。

(2) 当政府对网络经营的违法行为不进行积极监管，使消费者、社会等外部方面受到损失时，由此产生群众对政府的信任度下降、市场经济秩序混乱等一系列恶性反应，假设这些负效用为 S。

根据新古典经济学企业理论，一个理性的企业从事生产经营的唯一目标是利润最大化，由上述(1)～(2)假设，当网络经营者为追求高额经济利润而采取虚假广告、假冒产品等违法活动来降低经营成本时，政府积极履行监管职责的收益函数为 $-C+M$，即高新技术手段、社会信用度等都需要监管机构付出一定的建设成本，但同时将获得对违法经营查处的罚金和政府形象提升、口碑提升等正收益；政府未能尽责监管的收益函数为 $-S$，即违法经营行为扰乱网络社会经济秩序，导致公共利润受损。

由上述(1)～(2)假设，当网络经营者遵循社会公德，进行守法经营时，政府积极履行监管职责的收益函数为 $-C-M$，即监管部门一方面改进监管手段、营造公平公正的网络交易发展的社会氛围，另一方面网络商务已被列入国家战略性新兴产业的重要组成部分，大力引导电子商务相关企业发展；政府未能尽责监管的收益函数为 0，政府既不履行监管职能，也消极地为经营企业提供服务职能。

2.2.3　网络交易监管机构和网络经营者博弈模型建立

目前研究中已经得到了监管机构和网络经营者在博弈矩阵中的收益函数，通过整理后得到完全信息静态博弈矩阵[矩阵中第一行表示博弈方 2(网络经营者)的收益，第二行表示博弈方 1(监管机构)的收益]，如图 2.3 所示。

监管机构 \ 网络经营者	违法	不违法
监管	$-C+M$，$P+P^*-M$	$-C-W$，$P+W$
不监管	$-S$，$P+P^*$	0，P

图 2.3　完全信息静态博弈收益矩阵

目前，从图 2.3 中还暂时不能看出这样一个收益矩阵是否有纳什均衡解，所以下面将对此矩阵中的变量进行探讨，从而找出该矩阵的均衡解。

1. 矩阵均衡结果探讨

(1) 当 $-C+M>-S$，即博弈方 2(网络经营者)违法经营，博弈方 1(监管机构)采取监管所获得的收益大于不监管所获得的收益。经过整理后得出 $S+M>C$。

上式右边部分表示的是监管机构在采用监管策略下的成本，左边表示监管机构成功监管后所获得的政府形象、人民口碑等社会效用。

①当 $P+P^*-M>P+W$，即博弈方 1 选择监管时，博弈方 2 违法所获得的收益大于不违法所获得的收益。经过整理后得出 $P^*-M>W$。

上式表示违法企业被查处后，其违法收入与罚金之差大于政府提供的资助。在这样的情况下，博弈收益矩阵存在一个纯策略纳什均衡：{监管，违法}。这个均衡是比较罕见的，因为如果违法企业在被查处后，其得到的违法收入除开被罚没的罚金后仍大于不违法下政府的资助，任何一个企业都会选择违法。

②当 $P+P^*-M<P+W$，即违法企业被查处时，其违法收入与罚金之差小于政府提供的资助。在这种情况下，博弈收益矩阵不存在纯策略纳什均衡。

(2) 当 $-C+M<-S$，即博弈方 2 违法时，博弈方 1 采取监管所获得的收益小于不监管所获得的收益。经过整理后得出 $M+S<C$。

上式右边部分表示的是监管机构在采用监管策略下的成本，左边表示监管机构成功监管后所获得的政府形象、人民口碑等社会效用。在这种情况下，博弈收益矩阵存在一个纯策略纳什均衡：{不监管，违法}。这种均衡情况在现实中也是很罕见的，因为监管机构是集体理性的，不可能只考虑自己的利益得失而放任网络交易违法现象肆意蔓延。

2. 研究模型的选取

通过对网络交易监管博弈矩阵均衡结果的探讨，出现了 3 种结果：{不监管，违法}、

{监管，违法}和一个无纯策略纳什均衡。其中前两个结果缺乏实践支撑，属于较罕见的情况，没有研究价值可言；而最后一个结果在现实生活中则比比皆是，如果对这个均衡结果进行深入研究，则会得出具有可参照性、可操作性的成果。所以本书将可研究的模型定为无纯策略纳什均衡矩阵模型。

2.3 网络交易监管主客体进化博弈模型均衡求解与探讨

2.3.1 网络交易监管主客体进化博弈模型均衡求解与演进路径

本节采用矩阵无纯策略纳什均衡模型作为研究对象。从单次博弈来看，博弈双方的最优策略就是混合策略纳什均衡。但是考虑博弈双方的有限理性特点，在进化博弈的过程中，博弈双方都有可能会选择其他策略，导致偏离混合策略纳什均衡，所以博弈双方在反复多次博弈之后会慢慢学会选择最优策略，并最终达到一个均衡。这与我国网络交易监管实践相符。我国网络交易监管实践通常采取阶段性专项整治行动，呈现出政府专项整治期间，网络经营违法行为量下降，整治结束，网络经营违法行为大幅上升的现象。政府机构和网络经营者之间构成一个无限反复博弈的过程。

在政府机构和网络经营者博弈的初始阶段，假设政府机构选择监管的比例为 x，选择不监管的比例为 $1-x$；网络经营者选择违法的比例为 y，选择不违法的比例为 $1-y$。政府机构(博弈方 1)“监管”与“不监管”的期望收益及平均收益分别为 U_{1w}、U_{1s}和U_1。

1. 博弈方 1 的复制动态方程求解

选择监管的期望收益：$U_{1w}=y(-C+M)+(1-y)(-C-W)=yM+yW-C-W$。

选择不监管的期望收益：$U_{1s}=y(-S)+(1-y)\times 0=-yS$。

博弈方 1 的平均收益：$U_1=xU_{1w}+(1-x)U_{1s}$。

博弈方 1 的复制动态方程：$F(x)=\mathrm{d}x/\mathrm{d}t=x(U_{1w}-U_1)$。

将上述方程代入复制动态方程并整理得

$$F(x)=\frac{\mathrm{d}x}{\mathrm{d}t}=x(U_{1w}-U_1)=x(1-x)[y(M+W+S)-(C+W)] \tag{2.1}$$

对方程(2.1)求解，得

(1) 若 $y=(C+W)/(M+W+S)$，则 $F(x)\equiv 0$，意味着所有平衡点都是稳定状态。

(2) 若 $y\neq(C+W)/(M+W+S)$，令 $F(x)=0$，得 $x=0$ 和 $x=1$ 是 x 的两个稳定点。对于 $(C+W)/(M+W+S)$ 的不同情况进行分析。

①若 $(C+W)/(M+W+S)>1$，即 $(C+W)>(M+W+S)$，恒有 $\dfrac{\mathrm{d}F(x)}{\mathrm{d}x(x=0)}>0, \dfrac{\mathrm{d}F(x)}{\mathrm{d}x(x=1)}>0$，$x=0$ 是进化稳定策略。

②若 $1>(C+W)/(M+W+S)>0$，可分两种情况考虑：

当 $y>(C+W)/(M+W+S)$ 时，$\frac{\mathrm{d}F(x)}{\mathrm{d}x(x=0)}>0$，$\frac{\mathrm{d}F(x)}{\mathrm{d}x(x=1)}<0$，$x=1$ 是动态复制系统平衡点；

当 $y<(C+W)/(M+W+S)$ 时，$\frac{\mathrm{d}F(x)}{\mathrm{d}x(x=0)}<0$，$\frac{\mathrm{d}F(x)}{\mathrm{d}x(x=1)}>0$，$x=0$ 是动态复制系统平衡点。

政府机构在3种情况下的动态趋势及稳定性，如图2.4所示。

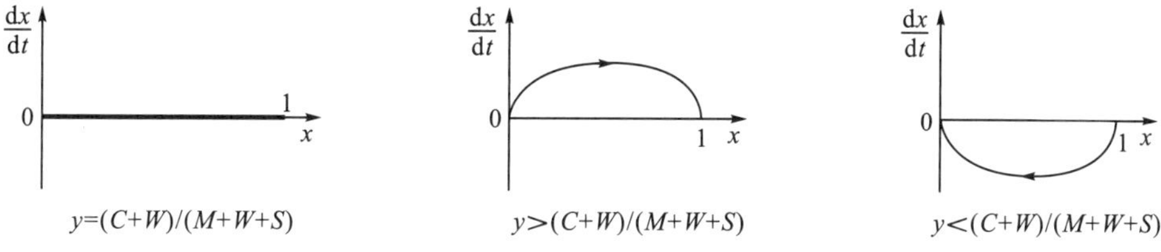

图2.4 政府机构复制动态位相图

2. 博弈方2的复制动态方程求解

网络经营者(博弈方2)违法与不违法的期望收益及平均收益分别为 U_{2c}、U_{2a} 和 U_2。

选择违法的期望收益：$U_{2c}=x(P+P^*-M)+(1-x)(P+P^*)=-Mx+(P+P^*)$。

选择不违法的期望收益：$U_{2a}=x(P+W)+(1-x)P=P+xW$。

博弈方2的平均收益：$U_2=yU_{2c}+(1-y)U_{2a}$。

博弈方2的动态复制方程：$F(y)=\mathrm{d}y/\mathrm{d}t=y(U_{2c}-U_2)$。

将上述方程代入并整理得

$$F(y)=\frac{\mathrm{d}y}{\mathrm{d}t}=y(U_{2c}-U_2)=y(1-y)[P^*-x(M+W)] \tag{2.2}$$

对方程(2.2)求解，得

(1)若 $x=P^*/(M+W)$，$F(x)\equiv 0$，意味着所有平衡点都是稳定状态。

(2)当 $x\neq P^*/(M+W)$，令 $F(x)=0$，得 $y=0$ 和 $y=1$ 是 y 的两个稳定点。对 $P^*/(M+W)$ 的不同情况进行分析。

①若 $P^*/(M+W)>1$，即 $P^*>(M+W)$，则恒有 $\frac{\mathrm{d}F(y)}{\mathrm{d}y(y=0)}>0$，$\frac{\mathrm{d}F(y)}{\mathrm{d}y(y=1)}>0$，$y=1$ 是进化稳定策略。

②若 $1>P^*/(M+W)>0$，则可分两种情况考虑：

当 $x>P^*/(M+W)$，$\frac{\mathrm{d}F(y)}{\mathrm{d}y(y=0)}<0$，$\frac{\mathrm{d}F(y)}{\mathrm{d}y(y=1)}>0$，$y=0$ 是动态复制系统平衡点；

当 $x<P^*/(M+W)$，$\frac{\mathrm{d}F(y)}{\mathrm{d}y(y=0)}>0$，$\frac{\mathrm{d}F(y)}{\mathrm{d}y(y=1)}<0$，$y=1$ 是动态复制系统平衡点。

网络经营者在3种情况下的动态趋势及稳定性，如图2.5所示。

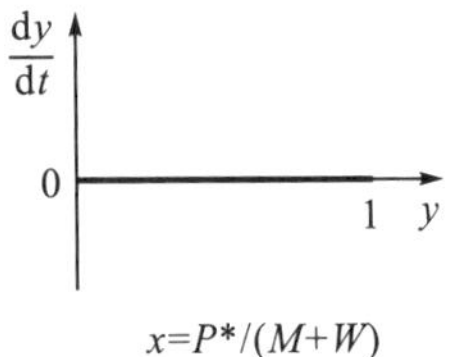

$x=P^*/(M+W)$

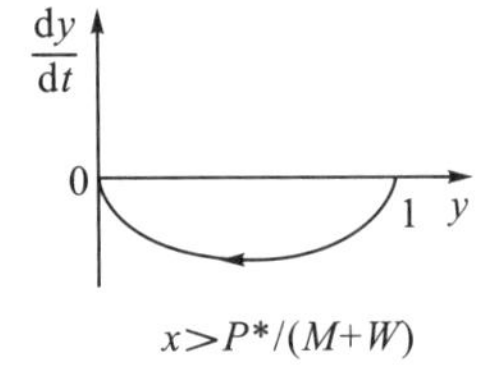

$x>P^*/(M+W)$

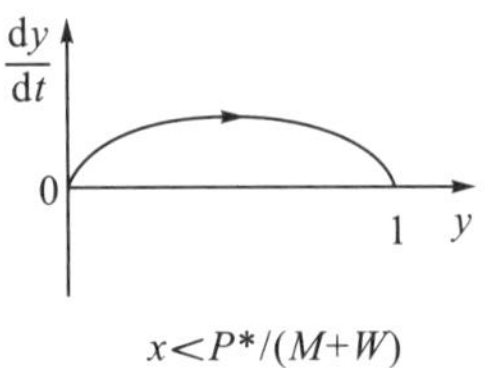

$x<P^*/(M+W)$

图 2.5　网络经营者复制动态位相图

在非对称复制动态进化博弈中，因博弈初始状态不同，非对称复制动态博弈可得到不同的均衡状态。群体进化博弈轨迹，如图 2.6 所示。

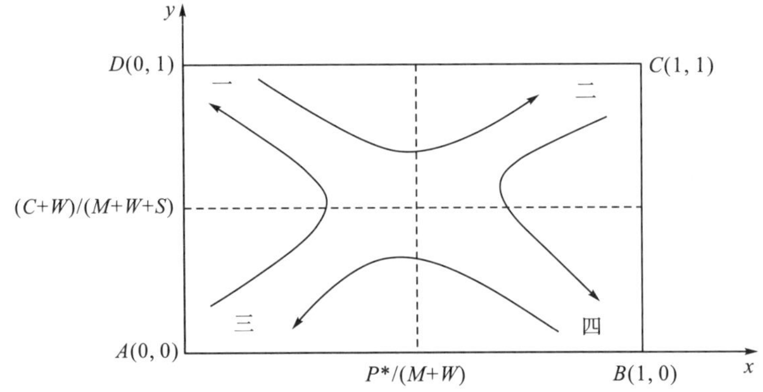

图 2.6　网络交易违法监管复制动态关系及稳定性

当初始状态落在第一象限时，$(x,y)\in|[0,(C+W)/(M+W+S)],\ [(P^*-W)/M,1]|$，该博弈收敛于平衡点$\{x=1,y=1\}$，即{监管，违法}是政府机构和网络经营者两个博弈群体中所有参与者的必然选择。

当初始状态落在第二象限时，$(x,y)\in|[(C+W)/(M+W+S),(P^*-W)/M],(1,1)|$，该博弈收敛于平衡点$\{x=1,y=0\}$，即{监管，不违法}是政府机构和网络经营者两个博弈群体中所有参与者的必然选择。

当初始状态落在第三象限时，$(x,y)\in|(0,0),[(C+W)/(M+W+S),(P^*-W)/M]|$，该博弈收敛于平衡点$\{x=0,y=1\}$，即{不监管，违法}是政府机构和网络经营者两个博弈群体中所有参与者的必然选择。

当初始状态落在第四象限时，$(x,y)\in|[(P^*-W)/M,0],[1,(C+W)/(M+W+S)]|$，该博弈收敛于平衡点$\{x=0,y=0\}$，即{不监管，不违法}是政府机构和网络经营者两个博弈群体中所有参与者的必然选择。

通过以上对网络交易监管过程中政府机构和网络经营者的进化博弈分析可知，在模型中选取不同参数范围，对政府机构和网络经营者具有不同的稳定性策略。

2.3.2　网络交易监管主客体进化博弈模型均衡解的探讨

在上一小节中已经对网络交易监管的博弈矩阵进行求解，并得到了复制动态的相位图和稳定性。从图2.6中可以看出，如果最初的博弈双方概率组合落在第一、三象限，经过长期演化后所得到的均衡策略都不是最优的，相比较而言如果最初的概率组合落在第二、四象限，长期演化后所得到的均衡策略是比较理想的。当概率组合落在第四象限，对于监管机构来说是达到了社会的帕累托最优，所以理性的监管机构会采取措施使得双方的概率组合落在第四象限内；而当概率组合落在第三象限时，对于违法企业来说是最理想的情况，所以理性的违法企业将会尽量采用各种手段使得双方的最初概率组合落在第三象限。在本小节中再假设博弈任何一方最初的概率选择在[0,1]上是均匀分布的，则双方的最初概率组合在平面[(0,0),(1,1)]上均匀分布。

(1) 当$(C+W)/(M+W+S)>1$，即$C>M+S$时，$x=0$是进化稳定策略。

该情形说明，如果政府的监管成本很高，大于网络经营者非法经营受到的罚款和政府不监管造成的社会经济损失、政府声誉损失的负效用之和，则最终政府会选择不监管。这不利于维护正常的社会主义网络金融秩序，对政府的执政能力也会产生不良影响。为了改变这种状态，国家可以从以下几个方面制定措施使得政府趋向选择监管策略：减少政府监管时获取违法经营信息的成本，或是国家给予相关监管机构专项补贴；增强违法经营行为对社会、政府负效应的影响程度，如开展网络交易违法行为对社会经济危害的宣传。

(2) 当$P^*/(M+W)>1$，即$P^*>(M+W)$时，$y=1$是进化稳定策略。

该情形说明，如果网络经营者违法经营所获得的额外收益大于合法经营所得的资助与罚金之和，则最终网络经营者会选择违法经营。为此，政府应该提高网络经营者违法经营的查处罚金，因为$\dfrac{\partial M(\varphi)}{\partial \varphi}>0$，可在违法经营行为危害程度较低时，就予以重罚，达到“杀一儆百”的威慑效果；同时，加大对守法企业的资金扶持和奖励力度。

(3) 当$(P^*-W)/M<0$，即$P^*<W$时，$y=0$是进化稳定策略。

该情形说明，如果网络经营者守法经营所获得的国家资金扶持和奖励大于其违法经营所获得的额外收益，则最终网络经营者会选择不违法策略。这是一种对政府和网络经营者都有好处的双赢进化稳定策略，有利于网络交易的健康持续发展。这也是对我国大力推行的国家项目资金大量向企业倾斜政策的肯定，在当前世界经济不景气的大背景下，国家应帮助中小企业熟悉国家资助项目资金申请途径，切实体现服务型政府的职能。同时，国家财力毕竟有限，监管机构应通过提高监管技术手段、民众对违法监管重要性认识度、社会信用体系和工作人员努力程度，以实现政府监管机构监管能力的提升，如开展“以网管网”“企业个人征信系统”等建设，开展监管工作人员技能和素质培训，鼓励民众举报网络违法经营行为等，增大违法经营行为的操作难度，从而实现违法经营收益降低。

(4) 当$(M+S)>C$，$M>(P^*-W)>0$时，没有稳定进化策略。

可以发现，当网络经营者违法经营受到的罚款和政府不监管造成的社会经济损失、政府声誉损失的负效用之和大于政府的专项监管成本，以及网络经营者违法经营获得的额外收益高于获得的国家资金扶持，网络经营者违法经营受到的罚款大于其违法收益与国家资金扶持之差时，没有策略点满足复制动态中的收敛性和抗干扰性，进化博弈中没有进化稳定的策略点。无论对监管机构的不作为还是对网络经营者违法经营的处罚比较重，都不能消除网络经营者的违法经营。当网络经营者违法概率大于$(P^*-W)/M$时，监管机构将采取监管策略，而一旦监管，采用违法策略的网络经营者比例就会减少，监管机构鉴于监管的高成本就会放弃监管策略，从而又使网络经营者违法概率上升，出现了一个“死循环”，结果导致{守法经营，监管}、{违法经营，不监管}两种策略组合交替出现，无法消除网络经营者的违法经营。

(5)对违法企业均衡解的分析。

现在的问题是，违法企业希望使得最初概率组合尽最大可能在第三象限，换句话就是违法企业希望第三象限的面积扩大，增加概率组合落在该象限内的可能性。所以违法企业就会通过各种手段将 A 点向上推移，将 B 点向右推移，即违法企业希望提高$(C+W)/(M+W+S)$的值和$P^*/(M+W)$的值。进一步分析违法企业将采用哪些手段达到这一目的。

①减小$M(\varphi)$的值，即查处罚金。虽然$M(\varphi)$是φ的增函数，违法企业违法付出的努力越大，罚金就越多。但是违法企业可以通过行政贿赂、混淆社会舆论视听等方法改变M的函数构成，使得M值在较大的φ值下变小，既减少了自己的利益损失，又能逼迫A点上移。

②减小S，即减小违法行为对社会、政府造成的负效用。例如，违法企业会掩盖不法事实，让监管机构难以察觉S的大小，从而掩盖违法行为的严重性，蒙蔽监管机构。

③增大C，即监管成本。违法企业会利用其作案隐蔽性、流动性等特点再加上各种手段为监管机构顺利开展工作造成困难，导致监管成本提升。

(6)对监管机构均衡解的分析。

监管机构希望使得最初概率组合尽最大可能在第四象限，换句话就是监管机构希望第四象限的面积扩大，增加概率组合落在该象限内的可能性。所以监管机构就会采用措施将B点向左推移，将A点向下推移，即监管机构希望降低$P^*/(M+W)$的值和$(C+W)/(M+W+S)$的值，经过分析监管机构可以通过以下途径达到目标。

①增大$M(\varphi)$的值，即查处罚金。虽然$M(\varphi)$是φ的增函数，违法企业违法付出的努力越大，罚金就越多，但是未必一定要等着违法企业付出较大φ值，才给予其较重的处罚，其实监管机构还可以通过改变M的函数构成，加大在同一φ值下的处罚力度。

②增大S值，即加大违法行为对社会、政府负效应的影响程度。由于客观上违法行为对社会、政府的负效应应当是一个外部变量，无法由监管机构内部控制，但是仍可以通过一些途径增强S的影响效果。

③因为$M(\varphi)$变量由φ这一参数影响，所以φ对于博弈双方利益均衡具有较大影响。从监管机构角度考虑，应采取措施减少违法主体对φ这一参数的投入，即减少违法人员的劳动力投入量，监管机构可以加大对违法企业的员工连带处罚力度，影响违法企业员工自身的φ投入量。

2.4　本 章 小 结

本章根据我国现阶段网络交易监管的工作实际，运用进化博弈理论建立了网络交易监管过程中监管机构和网络经营者的稳定策略分析模型，研究表明，网络交易监管的成效与政府监管成本、国家对企业的资金扶持和对违法经营的处罚力度，违法经营行为对社会、政府负效应的影响程度以及监管技术手段有着密切的关系。通过进化博弈分析，得出 3 个稳定策略，在此基础上提出：①国家给予相关监管机构专项补贴，增强违法经营行为对社会、政府负效应的影响程度；②增加网络经营者违法经营的查处罚金；③大力推行国家项目资金向企业倾斜，提高监管技术手段、提升民众对违法监管重要性认识度、健全社会信用体系和加强监管人员技能培训。

第3章　网络交易“T周期”循环监管模式研究

在上一章中采用博弈论进化博弈方法对监管机构与经营主体、企业之间的利益关系进行了博弈模型的设计和构建，并对模型进行求解，得到了博弈双方的进化博弈演进轨迹，确定了博弈双方最初策略选择概率组合的演进方向。在本章中，将针对博弈论中混合策略重复博弈的问题，设计一种监管规则，进而根据收益矩阵中4个象限之间状态转换所具有的随机特征，构建马尔可夫链转移矩阵，采用马尔可夫链方法对此随机过程进行模拟与预测，以预测状态均衡结果，从而论证所设计的“T周期”网络交易监管机制的科学性，进一步探讨网络交易监管有效策略。

3.1　问题的提出

在实际监管工作中，监管机构与经营主体、企业之间的利益矛盾并不是一个阶段性问题，此种矛盾将长期存在。这样就产生一个问题，上述两者之间长期存在的博弈关系导致他们双方的博弈不止一次地出现，因此本书认为考虑到实际情况，监管机构与经营主体、企业之间存在的是一个重复的博弈，博弈双方通过不停地摩擦，形成博弈关系，做出博弈策略，完成一次次的博弈，所以我们面对的是一个重复混合策略博弈问题。然而，混合策略博弈属于零和博弈的范畴，是一种具有非对称性的零和博弈，无论重复多少次博弈阶段都不可能产生新的利益，并且所得到的博弈均衡结果也得不到改进。此外，网络交易监管的确符合混合策略博弈的特征，在长期的监管工作中，此博弈也的确存在往复循环的情况。因此，把重复博弈套用在实际生活中的网络交易监管领域，首要的问题就是重复博弈结果无法得到新的创新成果，其次就是创造不出新的利益，这必然对重复监管博弈提出改进要求。

(1)混合策略 N 次重复博弈均衡解的低效率性。在上一章中，所选取的无纯策略纳什均衡的博弈模型是非对称零和博弈，如果采用重复博弈方法对混合策略博弈进行处理，则会掉入一个无限循环而又得不到改进的博弈模型中。混合策略博弈不会创造出新的利益，以混合策略博弈为原博弈的有限次重复博弈中，其重复博弈的均衡路径就是每一阶段混合策略博弈都采用混合策略纳什均衡。于是得出网络交易监管如果采用重复混合策略博弈，结果将会和单一阶段的混合策略博弈一模一样，没有利益的增加也没有结果的进步，所以混合策略 N 次重复博弈均衡解对网络交易监管及其策略的提出并没有多大的帮助，其效率不高。

(2)马尔可夫链对混合策略重复博弈的适用性。混合策略博弈的策略组合都存在一定的概率分布，并且由于混合策略重复博弈每一阶段都是相同的独立混合策略博弈，所以此重复博弈在每一个博弈阶段之间具有独立性，从而混合策略中概率组合的转移具有独立性，同时还具有马尔可夫链的特点：策略组合在时间、状态上具有离散性。针对上述特点，可以采用马尔可夫链方法，对混合策略博弈的策略组合求出一步状态转移概率，进而求出 N 步转移概率矩阵，达到预测 N 阶段博弈之后的策略组合概率分布的目的。一方面对多阶段重复混合策略博弈求解方法进行改进；另一方面预测未来网络交易监管策略组合的走向，对提出监管建议有积极作用。

3.2　网络交易“T 周期”循环监管模式

本节在上一节所提出问题的基础上，提出一种“T 周期”网络交易监管机制，由于马尔科夫链特有的离散性，根据收益矩阵中 4 个象限之间状态转换所具有的随机特征，构建马尔可夫链转移矩阵，采用马尔可夫链方法对此随机过程进行模拟与预测，以预测状态均衡结果，从而论证所设计的“T 周期”网络交易监管机制的科学性，进一步探讨网络交易监管有效策略。

3.2.1　网络交易“T 周期”监管规则设计

在网络交易监管的单次混合策略博弈中，监管机构可以选择监管或不监管，经营主体与企业可以选择违法与不违法。每一次博弈，双方都以一定的概率选择自己的策略，构成策略组合的概率分布。而在多次重复博弈中，如果双方仍然按照单次博弈的方法选择自己的策略，则重复博弈均衡路径得不到改善。在监管机构和经营主体与企业之间的长期多次博弈中，必须让监管规则得到改变，才能改进原有博弈的低效率问题。该设定的监管规则如图 3.1 所示。

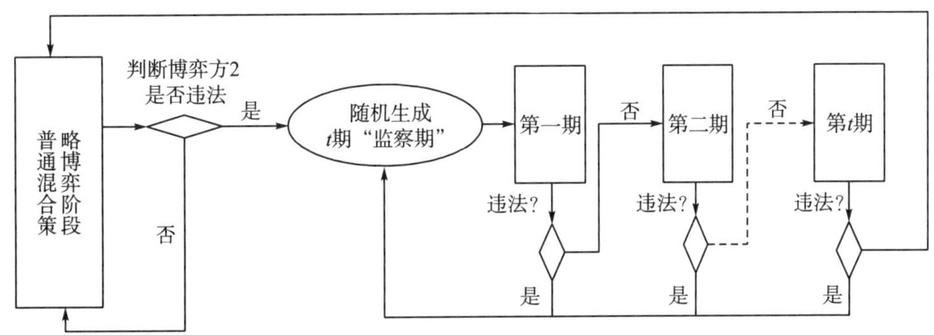

图 3.1　“t 期”监管规则示意图

假设将监管规则改进为如下形式：监管机构和企业主体与企业首先按照单次混合策略博弈的规则选择自己的策略，如果监管机构发现企业有违法行为，则将在未来的 t(t 为随机产生）次重复混合博弈中连续选择监管策略，其中$t \in \{1,2,3,4\}$，此阶段可以称为监察期。如果在监察期中，仍然发现企业有违法行为，则将重新随机生成 t，再次进入 t 期的监察期，以此往复；如果在监察期中，企业没有违法行为，则监管部门撤销监察期，并重新进入普通混合策略博弈中，直至下一次发现企业违法，再启动监察期规则。

3.2.2 网络交易“T 周期”相关算法规则设定

本节首先将监管博弈的无纯策略纳什均衡模型转换为混合策略纳什均衡，确定策略组合的概率分布。其次，确定网络交易的监管规则，以便于确定马尔可夫链转移状态的数量和定义。最后，介绍一步转移概率的计算方法和概率数据的产生方式。

1. 博弈模型选定

首先，根据网络交易监管博弈模型，整理出马尔可夫链的状态空间，设定每一个策略组合为一个状态，结果如图 3.2 所示。

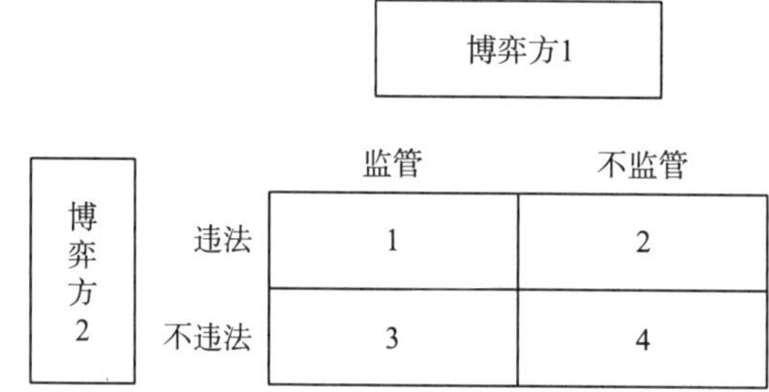

图 3.2 博弈模型转移状态

在上述模型中，一共有 4 种状态：$X_1=1, X_2=2, X_3=3, X_4=4$，分别对应原博弈模型中的 4 个策略组合，即状态 1 为{监管，违法}、状态 2 为{不监管，违法}、状态 3 为{监管，不违法}、状态 4 为{不监管，不违法}。博弈双方策略组合的转变相当于上述 4 种状态的转变，所以状态空间为$I=\{1,2,3,4\}$。

其次，选择网络监管博弈的无纯策略纳什均衡模型作为本章的研究出发点。

模型参数、变量设定如下。

$$\text{a：} -C+M>-S$$

$$\text{b：} P+P^{*}-M<P+W$$

在上述 3 个约束条件的限制下，该模型不存在纯策略纳什均衡，可以求得该模型的混合策略纳什均衡。设博弈方 1 监管的概率为 x，不监管的概率为 1−x；博弈方 2 违法的概率为 y，不违法的概率为$1-y$。

博弈方 1 监管的期望值为：$E_1=(-C+M)y+(-C-W)(1-y)$。

不监管的期望值：$E_2=(-S)y$。

在混合策略博弈下，博弈方 1 选择监管的期望值应当等于选择不监管的期望值，即 $E_1 = E_2$。通过求解，得到：$y = \dfrac{C+W}{M+W-S}$，根据对模型参数、变量设定 a 可以证明 $0 < y < 1$。

同样，博弈方 2 违法的期望值：$E_3 = (P+P^* - M)x + (P+P^*)(1-x)$。

不监管的期望值：$E_4 = (P+W)x + P(1-x)$。

在混合策略博弈下，博弈方 2 选择违法的期望值应当等于选择不违法的期望值，即：$E_3 = E_4$。通过求解，得到：$x = \dfrac{P^*}{M+W}$，可以证明 $0 < x < 1$。

当博弈方 1 以 $\left(\dfrac{P^*}{M+W}, 1-\dfrac{P^*}{M+W}\right)$ 的概率分布随机选择其监管博弈策略（监管、不监管）时，博弈方 2 在选择其监管博弈策略（违法、不违法）时，就以 $\left(y=\dfrac{C+W}{M+W-S}, 1-\dfrac{C+W}{M+W-S}\right)$ 的概率分布随机选择，双方都无法通过单独改变策略，即单独改变随机选择纯策略的概率分布提高利益，所以双方上述概率分布的组合构成一个混合策略纳什均衡。

2. 仿真数据处理方法

1）初始分布状态的确定

在“博弈模型选定”一节中，已经求解混合策略纳什均衡，得到了博弈双方策略选择的概率分布。在状态的初始分布处理方法上，将采用概率论联合概率分布方法确定。令博弈方 1 的状态和博弈方 2 的状态相互独立，所以采用相互独立的随机变量二维分布函数求解方法，即 $P\{X=x_1, Y=y_1\} = P\{X=x_1\}P\{Y=y_1\}$ 来确定博弈模型策略组合的分布律（状态的初始分布）。

2）一步转移概率的确定

根据一步转移概率的计算公式 $P_{ij} = P_{ij}(1) = P\{X_{m+1}=a_j \mid X_m = a_i\}$，因为重复混合策略博弈每一次单独混合策略博弈之间都是相互独立的，所以 $P\{X_{m+1}=a_j \mid X_m = a_i\} = \dfrac{P\{X_{m+1}=a_j, X_m=a_i\}}{P\{X_m=a_i\}} = \dfrac{P\{X_{m+1}=a_j\}P\{X_m=a_i\}}{P\{X_m=a_i\}} = P\{X_{m+1}=a_j\}$，则 $P_{ij} = P_{ij}(1) = P\{X_{m+1} = a_j \mid X_m = a_i\} = P\{X_{m+1}=a_j\}$，即 $P_{ij}(1) = P\{X_{m+1}=a_j\}$，可以看出重复混合策略博弈的一步转移概率等于状态的初始分布概率。

3）一步转移概率矩阵的确定

前面已经确定了监管规则下的一步转移概率，现在需要在转移矩阵中加入 t 次监察期的一个循环转移机制，此机制可以保证一旦监管机构发现有违法行为的出现，则随机进入 t 次的监察期，并且按照监察期的监管机制保证监管规则的执行：一方面是发现再次违法，再循环进入监察期；另一方面是顺利通过监察期，进入普通混合策略博弈阶段。

3.2.3 混合策略重复博弈的马尔可夫检验

1. 无后效性

在网络交易监管博弈中，假设 X_n 表示时刻 n 时重复混合策略博弈的策略组合所在的状态，由于重复博弈的每一个阶段都是独立的混合策略博弈，所以 $\{X_n, n=0,1,2,\cdots\}$ 是一个随机过程，状态空间就是 $I=\{1,2,3,4\}$，而且当 $X_n=i, i\in I$ 为已知时，X_{n+1} 所处的状态的概率分布只与 $X_n=i$ 有关，而与重复混合策略博弈的策略组合在时刻 n 之前如何到达 i 没有关系，即 $P\{X_n=i|X_1,X_2,\cdots,X_{n-1}\}=P\{X_n=i|X_{n-1}\}$，所以 $\{X_n,n=0,1,2,\cdots\}$ 是一个马尔可夫过程。

2. 离散性

网络交易监管博弈中马尔可夫过程的状态 $X_n=i, i\in\{1,2,3,4\}$ 是离散的。在时间上，每一次状态的改变都是混合策略博弈的结果，而博弈过程的开始在时间上并不是连续的，所以 $\{X_n,n=0,1,2,\cdots\}$ 这一马尔可夫过程在时间和状态上都是离散的。最终，可以认为马尔可夫过程 $\{X_n,n=0,1,2,\cdots\}$ 是马尔可夫链。

3. 齐次性

由重复混合策略博弈的特点可以知道，状态转移概率 $P_{ij}(m,m+n)$ 只和 i、j 以及时间距离 n 有关，即 $P_{ij}(m,m+n)=P_{ij}(n)$。可以知道此状态转移概率具有平稳性。同时也可以认为马尔可夫链 $\{X_n,n=0,1,2,\cdots\}$ 是齐次的。

3.3 基于马尔可夫链的混合策略重复博弈模型

3.3.1 转移状态初始分布的计算与假设

前面已经得出博弈模型的混合策略纳什均衡解为 $X=\dfrac{P^*}{M+W}$，$Y=\dfrac{C+W}{M+W-S}$，即每一次混合策略博弈中，博弈方 1（监管机构）以 X 的概率选择监管，博弈方 2（网络经营者）以 Y 的概率选择违法。由于重复混合策略博弈的每一个博弈阶段（每一次单独的混合策略博弈）是相互独立的，而每一种状态的出现就是一组策略组合的出现，所以转移状态初始分布就是策略组合出现的概率分布，于是可以利用相互独立的随机变量二维分布函数求解方法得到转移状态初始分布 $p_i(0)=P\{X_0=i\}, i=1,2,3,4$，具体计算如下。

(1) 状态 1（策略组合{监管，违法}）的初始分布：$p_1(0)=P\{X_0=1\}=xy$

(2) 状态 2（策略组合{不监管，违法}）的初始分布：$p_2(0)=P\{X_0=2\}=(1-x)y$

(3) 状态 3（策略组合{监管，不违法}）的初始分布：$p_3(0)=P\{X_0=3\}=x(1-y)$

(4) 状态 4（策略组合{不监管，不违法}）的初始分布：$p_4(0)=P\{X_0=4\}=(1-x)(1-y)$

3.3.2　一步转移概率的确定

在建模阶段，对一步转移概率的计算方法采用“仿真数据处理方法”的公式：$p_{ij}=P_{ij}(1)=P\{X_{m+1}=a_j \mid X_m=a_i\}$，并且在前面已经论证重复混合策略博弈的一次转移概率等于状态的初始分布概率，所以可以直接得出一步转移概率。

(1) 考虑在前面监管规则设定中设计的 t 次的监察期，博弈方 1 一旦发现博弈方 2 出现违法行为，则两者将进入一个监察期阶段。首先，如果博弈方 1 监管并发现博弈方 2 违法，并且假设已经进入 $t=1$ 的监察期，此时监察期第一期的博弈方 1 只选择监管，博弈方 2 可以选择违法、不违法，那么从策略组合{监管，违法}(状态 1)只能转移到策略组合{监管，违法}(状态 1)或策略组合{监管，不违法}(状态 3)，并且此状态的转移与博弈方 1 无关，而与博弈方 2 是否选择违法有关，于是可知 $p_{11}=y$，$p_{13}=1-y$。

(2) 当策略组合从{不监管，违法}(状态 2)转移时，可以转到任何一个策略组合(状态 1、2、3、4)，并且由于一次转移概率等于状态初始分布概率，于是可知 $p_{21}=xy$，$p_{22}=(1-x)y$，$p_{23}=x(1-y)$，$p_{24}=(1-x)(1-y)$。

(3) 当策略组合从{监管，不违法}(状态 3)转移时，可以转到任何一个策略组合(状态 1、2、3、4)，并且由于一次转移概率等于状态初始分布概率，于是可知 $p_{31}=xy$，$p_{32}=(1-x)y$，$p_{33}=x(1-y)$，$p_{34}=(1-x)(1-y)$。

(4) 当策略组合从{不监管，不违法}(状态 4)转移时，可以转到任何一个策略组合(状态 1、2、3、4)，并且由于一次转移概率等于状态初始分布概率，于是可知 $p_{41}=xy$，$p_{42}=(1-x)y$，$p_{43}=x(1-y)$，$p_{44}=(1-x)(1-y)$。

3.3.3　一步转移概率矩阵的构建

根据上面一步转移概率的确定，可以构建一步转移概率矩阵。

$$
\begin{array}{c}
X_{m+1}\text{的状态} \\
\begin{array}{cc}
 & \begin{array}{cccc} 1 & 2 & 3 & 4 \end{array} \\
X_m\text{的状态}\begin{array}{c} 1 \\ 2 \\ 3 \\ 4 \end{array} &
\begin{bmatrix}
y & 0 & 1-y & 0 \\
xy & (1-x)y & x(1-y) & (1-x)(1-y) \\
xy & (1-x)y & x(1-y) & (1-x)(1-y) \\
xy & (1-x)y & x(1-y) & (1-x)(1-y)
\end{bmatrix}
\end{array}
\end{array}
$$

上面的转移概率矩阵可以看成 $t=1$ 的监察期的矩阵，因为如果从状态 1 转移到状态 3，则表示监察期内企业没有违法，顺利通过监察期进入状态 3，之后从状态 3 开始普通混合策略博弈(从状态 3 可以转入任意状态)。监察期内企业继续违法，则从状态 1 转入状态 1，再次进入监察期。

但是上述矩阵只能满足 t=1 监察期的规则要求，对于之前设定的监管规则：博弈方 1 一旦发现企业有违法行为，则将在未来的 t(t 为随机产生) 次重复混合博弈中连续选择监管策略，其中 $t\in\{1,2,3,4\}$，此阶段可以称为监察期，上述矩阵无法满足 t=2，3，4 时的监管规则的要求。

考虑 t=2 时，仅从上述矩阵中只能看出，在监察期中博弈方 2 必须要两次正确地选择不违法，从而使状态 2 转移到状态 3，才能再次开始普通混合策略博弈，其中只要错误地选择违法，则必须又回到状态 1 并进入一个新的 t 期的监察期。观察上述矩阵，如果在矩阵中监察期的第二次状态转移到状态 3 时，就可以开始下一次的普通混合策略博弈，那么第一次的状态转移就不能转移到矩阵中的状态 3，否则将跳过监察期的第二次博弈而直接进入普通混合策略博弈，于是出现的问题就是：博弈方 2 在第一次状态转移时不能转移到矩阵中的状态 3，在第二次状态转移时必须转移到矩阵中的状态 3，这与监察期中对博弈方 2 的要求存在矛盾。针对这种矛盾，本节设计了一种 $t>1$ 时的循环监管机制，并且对上述矩阵进行了改进，改进的模型如下。

$$
\begin{array}{c}
X_{m+1}\text{的状态} \\
\begin{array}{cc}
 & \begin{array}{ccccccc} 1 & 2 & 3 & 4 & 5 & 6 & 7 \end{array} \\
\begin{array}{c} X_m\text{的状态} \end{array}
\begin{array}{c} 1\\2\\3\\4\\5\\6\\7 \end{array} &
\left[\begin{array}{ccccccc}
y & 0 & 1-y & 0 & \$ & \$ & \$ \\
xy & (1-x)y & x(1-y) & (1-x)(1-y) & 0 & 0 & 0 \\
xy & (1-x)y & x(1-y) & (1-x)(1-y) & 0 & 0 & 0 \\
xy & (1-x)y & x(1-y) & (1-x)(1-y) & 0 & 0 & 0 \\
\$ & 0 & \$ & 0 & 0 & 0 & 0 \\
\$ & 0 & 0 & 0 & \$ & 0 & 0 \\
\$ & 0 & 0 & 0 & 0 & \$ & 0
\end{array}\right]
\end{array}
\end{array}
$$

在改进的转移概率矩阵中，\$符号表示存在转移概率 $p_{ij}(1)>0$。其中，为了设计出 $t>1$ 期的监管期循环监管机制，增加了状态 5、状态 6、状态 7，这 3 种状态均为状态 3 的虚拟状态，其状态转入功能与状态 3 完全一样，相当于状态 3 的一个镜像转入入口，并且虚拟状态所代表的策略组合与状态 3 所代表的策略组合一致，即{监管，不违法}。而在状态转出功能上，这 3 个虚拟状态则与状态 3 本身存在差别，即若从虚拟状态转出，则只能转入状态 1、状态 3 及其虚拟状态。

可以假设如果从状态 1 转到状态 5，又从状态 5 可转到状态 3，则可以理解为从状态 1 转移到虚拟状态 3，又从虚拟状态 3 转移到状态 3 本身。于是可以看出当从状态 1 转到状态 5 时，相当于进入了一个 t=2 的监察期，其中第一期状态转入状态 5(即状态 3 的一个虚拟状态)，这样满足了监察期第一次博弈中企业不违法的要求，并且从状态 5 只能转移到状态 1 或状态 3 本身，满足了监察期中监管机构总是选择监管的要求，在监察期第二期时状态由 5 转入 3(状态 3 本身)，满足监察期第二次博弈中企业不违法的要求，于是此改进矩阵解决了原先矩阵中 t=2 监察期的问题。

同样，当状态从 1 转到 6，则代表进入一个 t=3 的监察期，其中第一期状态由 1 转到 6(状态 3 的另外一个虚拟镜像)，满足了监察期第一次博弈中企业不违法，并且从状态 6 只能转移到状态 1 或状态 5，满足了监察期中监管机构总是选择监管的要求，如果状态从 6 转移到 5，则满足了监察期第二次博弈中企业不违法，同理如果状态从 5 转移到 3，则满足监察期第三次博弈中企业不违法，这样就实现了一个 t=3 的监察期的循环监管机制。

当然，很容易看出，当状态从 1 转到 7，则表示进入了一个 t=4 的监察期。从改进的矩阵中能够看出，在 t 期的监察期中，无论是哪一次循环阶段，都有可能再次转入状态 1，表明企业在监察期中任何一个阶段都仍有一定的概率违法，从而使得状态重新转入 1。改进矩阵实现了“监管规则设定”的 t 期监察期的循环监管机制。

最后，考虑状态 5、状态 6、状态 7 其实是状态 3 的镜像，代表相同的策略组合，并且状态 3 能够实现 t=1 的监察期，状态 5 能够实现 t=2 的监察期，状态 6 能够实现 t=3 的监察期，状态 7 能够实现 t=4 的监察期。又因为 t 从{1,2,3,4}中随机取得，所以从状态 1 转入 3、5、6、7 的概率应当是相等的，并且此概率 $p_{ij}=\dfrac{1-y}{4}$，于是对改进矩阵的一步转移概率矩阵进行修正，得到：

$$
\begin{array}{c} \\ \\ X_m \text{的状态} \end{array}
\begin{array}{c} \\ 1\\2\\3\\4\\5\\6\\7 \end{array}
\overset{X_{m+1}\text{的状态}}{\begin{array}{ccccccc} 1 & 2 & 3 & 4 & 5 & 6 & 7 \end{array}}
$$

$$
\begin{bmatrix}
y & 0 & \frac{1-y}{4} & 0 & \frac{1-y}{4} & \frac{1-y}{4} & \frac{1-y}{4} \\
xy & (1-x)y & x(1-y) & (1-x)(1-y) & 0 & 0 & 0 \\
xy & (1-x)y & x(1-y) & (1-x)(1-y) & 0 & 0 & 0 \\
xy & (1-x)y & x(1-y) & (1-x)(1-y) & 0 & 0 & 0 \\
y & 0 & 1-y & 0 & 0 & 0 & 0 \\
y & 0 & 0 & 0 & 1-y & 0 & 0 \\
y & 0 & 0 & 0 & 0 & 1-y & 0
\end{bmatrix}
$$

上式即为加入循环监管机制的网络交易监管重复混合策略博弈的一步转移概率矩阵。

3.4　监管策略的检验及仿真比较实验

在本节中，以上一节得到的一步转移概率矩阵为基础，利用切普曼-科尔莫戈罗夫(Chapman-Kolmogorov)方程求解 n 步转移概率矩阵，最终得到重复混合策略博弈的均衡预测。同时对监管规则进行改变，通过比较实验，得出预测结果差距，进行分析探讨。最后，需要说明的是虽然前面已经得出了一步转移概率的计算公式，但是由于相关参数、资料本身的隐秘性，导致相关数据的调查和收集工作遇到极大困难。所以在本节中，首先将利用 MATLAB 数学工具对上一节中设计的“t 期”监管策略进行有效性检验，确保此策略对于网络交易监管具有效果；其次，为简便起见，将简单利用参数假设方法，假设某一

个概率组合 $\delta_1=(0.65,0.35)$，$\delta_2=(0.45,0.55)$ 为混合策略纳什均衡解，从而进行马尔可夫链的比较实验。

3.4.1 网络交易“T 周期”监管策略的检验

在上一节中已经提出了基于马尔可夫方法的“t 期”监管策略，但是由于缺乏数据，并未能采用实际数据进行实证分析，所以在本小节针对现实情况中可能出现的任何概率组合，计划对“t 期”监管策略进行仿真，以验证提出的监管策略对网络交易监管的确具有积极作用。

1. 数据处理方法

考虑需要验证 t 期监管策略的普遍适用性。本书计划对所有可能的混合策略博弈概率加入马尔可夫转移矩阵中进行仿真。数据规定如下。

混合策略博弈中：博弈方 1(监管机构)以 x 的概率选择监管，并规定 $x\in[0,1]$；博弈方 2(网络经营者)以 y 的概率选择违法，并规定 $y\in[0,1]$。

2. 矩阵选取

本次仿真利用加入循环监管机制的网络交易监管重复混合策略博弈的一步转移概率矩阵。

3. 其他工作

考虑 MATLAB 数学工具在进行矩阵运算时无法使用连续变量的问题，所以只能将连续变量转换为步长较小的离散变量，通过大数据量的仿真，得到与连续变量相一致的结果，作为连续变量仿真结果。本书将 x 和 y 两个连续变量进行转换，并规定：x 取 0.05～0.95 区间，其中步长为 0.05；y 取 0.05～0.95 区间，步长为 0.05。于是可得到在上述数据规范下的 19×19=361 组概率组合，并对其进行仿真。

4. 代码编辑

```
x=0.05:0.05:0.95
y=0.05:0.05:0.95
k=1
for a=1:19
for b=1:19
M=[y(1, b), 0, (1-y(1, b))/4, 0, (1-y(1, b))/4, (1-y(1, b))/4, (1-y(1, b))/4;
x(1, a)*y(1, b), (1-x(1, a))*y(1, b), (1-y(1, b))*x(1, a), (1-x(1, a))*(1-y(1, b)), 0, 0, 0;
x(1, a)*Y(1, b), (1-x(1, a))*y(1, b), (1-y(1, b))*x(1, a), (1-x(1, a))*(1-y(1, b)), 0, 0, 0;
x(1, a)*y(1, b), (1-x(1, a))*y(1, b), (1-y(1, b))*x(1, a), (1-x(1, a))*(1-y(1, b)), 0, 0, 0;
```

```
y(1, b), 0, 1-y(1, b), 0, 0, 0, 0;
y(1, b), 0, 0, 0, 1-y(1, b), 0, 0;
y(1, b), 0, 0, 0, 0, 1-y(1, b), 0]
N=M^30
R(k, :)=N(1, :)
k=k+1
end
end
i=R(:, 1)
j=R(:, 2)
z=R(:, 3)+R(:, 5)+R(:, 6)+R(:, 7)
o=R(:, 4)
plot(i, j, z, o)
```

5. 仿真结果

图 3.3 是经过 361 组初始概率组合仿真后得到的马尔可夫极限分布图。图中纵轴表示 361 组概率组合。每一个间隔区间表示 x 在 0.05 步长下取的不同值，如第四次运算后 x 取值为 0.2。每一个 x 的间隔区间中的图样表示 y 在 0.05 步长从 0.05 变化到 0.95 后，极限分布处于{监管，违法}(状态 1)的概率走势。

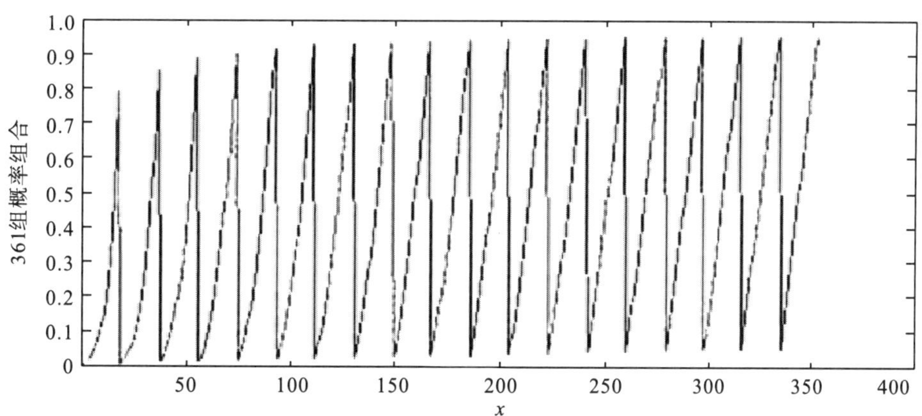

图 3.3　达到马尔可夫极限分布后处于{监管，违法}(状态 1)的概率

从图 3.3 中可以看出，不论 x 取值如何，随着 y 值的增加，极限分布处于{监管，违法}(状态 1)的概率都呈现急速上升的态势；随着 x 取值的增加，上升的态势逐渐变陡。这表示，在“t 期”监管策略下，不论监管部门采取何种概率，都可以增加违法现象的监管成功率，即较大可能性洞察到违法现象，并及时监管。

同理，图 3.4 是经过 361 组初始概率组合仿真后得到的马尔可夫极限分布图。图中纵轴表示 361 组概率组合。每一个间隔区间表示 x 在 0.05 步长下取的不同值，如第四次运算后 x 取值为 0.2。每一个 x 的间隔区间中的图样表示 y 在 0.05 步长从 0.05 变化到 0.95 后，极限分布处于{不监管，违法}(状态 2)的概率走势。

从图 3.4 中可以看出，不论 x 取值如何，随着 y 值的增加，极限分布处于{不监管，违法}(状态 2)的概率都呈现急速上升又迅速回落的态势，形成一个类似于波峰的图样，但是同时波峰呈明显下降的趋势；随着 x 取值的增加，上升的态势逐渐变缓，并且上升的程度明显减小。这表示，在“t 期”监管策略下，不论监管部门采取何种概率，在采用“t 期”监管策略之后，都可以有效抑制违法现象不断攀升的问题。同时，每种固定的 x 取值区间下，y 值都出现一个峰值，这表示，在此 x 值下采用“t 期”监管策略之后，只能起到抑制违法现象攀升的作用，并不能有效降低违法现象的发生率，仍有部分违法主体钻了监管漏洞。但是如果能提高 x 值，则明显抑制波峰高度，证明提高 x 值，对于减少违法现象仍有明显作用。

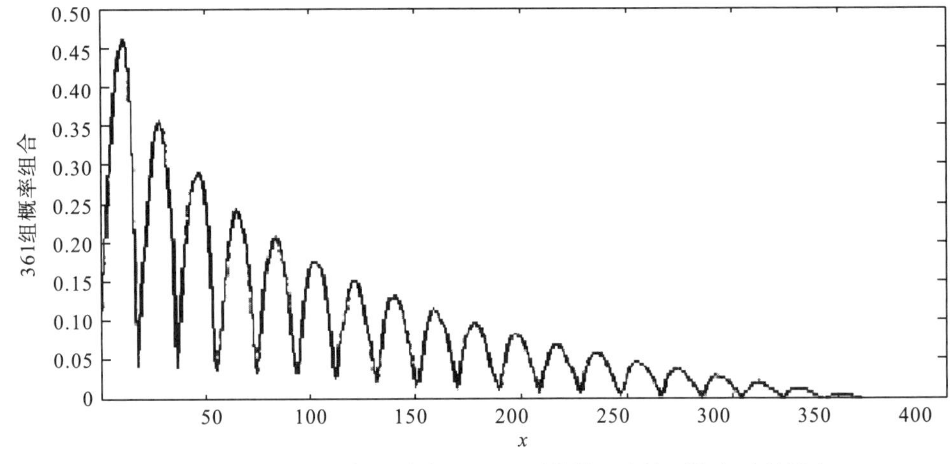

图 3.4 达到马尔可夫极限分布后处于{不监管，违法}(状态 2)的概率

同理，图 3.5 可以说明，无论监管部门采用什么样的概率 x，通过“t 期”监管策略，都可以有效降低违法现象的出现，表现为图样中迅速下滑的曲线。在 x 值的不断增加中，极限分布后处于{监管，不违法}(状态 3)的概率明显提升，且波峰图样也由缓变急，证明随着 x 值的增加，“t 期”监管策略能够对违法现象起到快速打击的作用，处于状态 3 的概率明显提升，证明“t 期”监管策略能够有效提高监管部门的监管概率，即经营主体不违法，监管部门又能保证监管力度。

同理，图 3.6 可以说明，无论监管部门采用什么样的概率 x，通过“t 期”监管策略，都可以有效减少违法现象的出现，最后处于{不监管，不违法}的最优状态，表现为图样中迅速下滑的曲线。但是在 x 值的不断增加中，极限分布后处于{不监管，不违法}(状态 4)的概率明显下降，证明随着 x 值的增加，“t 期”监管策略能够对违法现象起到快速打击的效果，但是由于 x 值的增加，导致监管部门工作量的增加，从而导致{不监管，不违法}的最优状态下降。

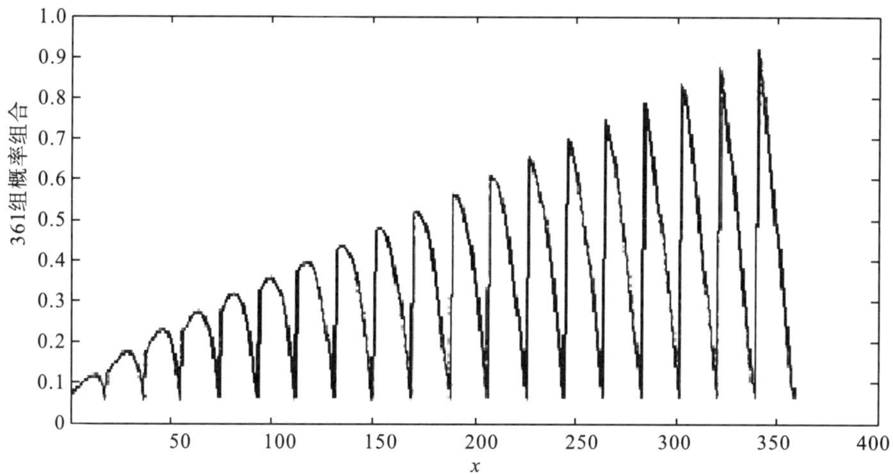

图 3.5　达到马尔科夫极限分布后处于{监管，不违法}(状态 3)的概率

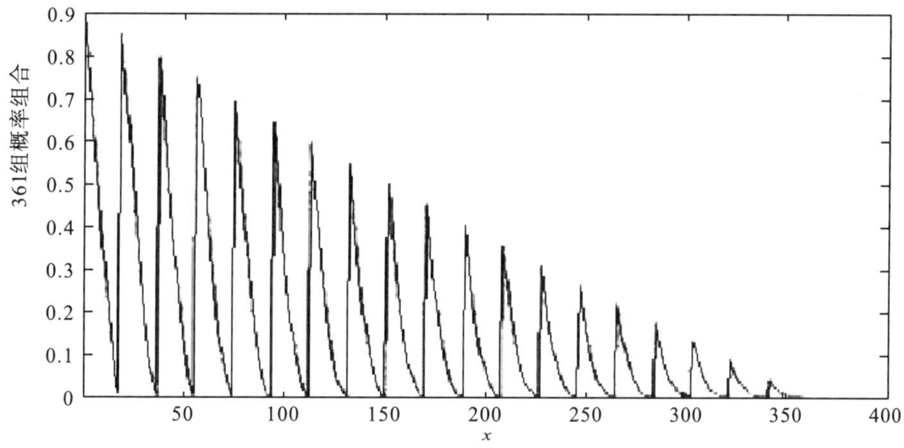

图 3.6　达到马尔可夫极限分布后处于{不监管，不违法}(状态 4)的概率

综上，通过 4 个状态的仿真图，可以说明“t 期”监管策略对于网络交易违法现象的出现有明显的抑制作用，第 4 张图则展现出投入大力监管也会导致效率的降低。

3.4.2　网络交易“T 周期”混合策略 N 次重复博弈均衡预测

在前面已经建立了 t 期的马尔可夫链一步转移矩阵，并且验证“t 期”监管策略对于所有概率组合下的网络交易监管具有不同程度的抑制作用。所以在本小节，将假设较为简单的混合策略纳什均衡解：$\delta_1 = (0.65, 0.35)$，$\delta_2 = (0.45, 0.55)$，对 $t \in \{1,2,3,4\}$ 期中监察期的网络交易监管博弈进行仿真。

一步转移概率矩阵为

$$P(1)=\begin{bmatrix} 0.45 & 0 & 0.1375 & 0 & 0.1375 & 0.1375 & 0.1375 \\ 0.2925 & 0.1575 & 0.3575 & 0.1925 & 0 & 0 & 0 \\ 0.2925 & 0.1575 & 0.3575 & 0.1925 & 0 & 0 & 0 \\ 0.2925 & 0.1575 & 0.3575 & 0.1925 & 0 & 0 & 0 \\ 0.45 & 0 & 0.55 & 0 & 0 & 0 & 0 \\ 0.45 & 0 & 0 & 0 & 0.55 & 0 & 0 \\ 0.45 & 0 & 0 & 0 & 0 & 0.55 & 0 \end{bmatrix}$$

根据马尔可夫链多步转移概率的计算公式：切普曼-科尔莫戈罗（Chapman-Kolmogorov）方程，得到$P(n)=P^n$，即n步转移概率矩阵是一步转移概率矩阵的n次方。所以很容易得到：

$$P(16)=\begin{bmatrix} 0.391483 & 0.058517 & 0.241498 & 0.07152 & 0.099718 & 0.083435 & 0.053829 \\ 0.391483 & 0.058517 & 0.241498 & 0.07152 & 0.099718 & 0.083435 & 0.053829 \\ 0.391483 & 0.058517 & 0.241498 & 0.07152 & 0.099718 & 0.083435 & 0.053829 \\ 0.391483 & 0.058517 & 0.241498 & 0.07152 & 0.099718 & 0.083435 & 0.053829 \\ 0.391483 & 0.058517 & 0.241498 & 0.07152 & 0.099718 & 0.083435 & 0.053829 \\ 0.391483 & 0.058517 & 0.241498 & 0.07152 & 0.099718 & 0.083435 & 0.053829 \\ 0.391483 & 0.058517 & 0.241498 & 0.07152 & 0.099718 & 0.083435 & 0.053829 \end{bmatrix}$$

上式表明16步转移概率矩阵中已经达到了转移概率p_{ij}的极限，即表明不管在某一时刻从什么状态出发，通过16次的转移，到达状态1的概率是0.391483，转移到状态2的概率是0.058517，3.3.3节中设定了状态5、状态6、状态7，这3种状态均为状态3的虚拟状态，转移到状态3的概率是状态3、状态5、状态6、状态7相加之和，为0.47848。其实早在第3步转移概率矩阵中已经不存在零元，所以上述马尔可夫链是具有遍历性。其极限分布为$\pi=(0.391483,0.058517,0.47848,0.07152)$，表明经过16次状态转移后，网络交易博弈的策略组合位于状态1（{监管，违法}）的概率约为0.391483，位于状态2（{不监管，违法}）的概率约为0.058517，位于状态3（{监管，不违法}）的概率约为0.47848，位于状态4（{不监管，不违法}）的概率约为0.07152。

将求出的马尔可夫链极限分布$\pi=(0.391483,0.058517,0.47848,0.07152)$与初始分布$\pi_0=(0.2925,0.1575,0.3575,0.1925)$比较来看，可以发现经过$n$次转移之后，策略组合位于状态2和状态4的概率明显减小，相反策略组合位于状态1和状态3的概率有所增大，表明在监管机制——监察期下，通过长期的重复混合策略博弈后，策略组合将集中于{监管，违法}和{监管，不违法}。

3.4.3 网络交易“T周期”监管规则仿真比较及探讨

1. 监管规则仿真比较

在本小节，试图改变监管规则来尝试找到影响网络交易监管效率的因素。所以在比较实验过程中，将原监察期的条件$t\in\{1,2,3,4\}$改变为$t\in\{1,2\}$、$t\in\{1,2,3\}$和$t\in\{1,2,3,4,5\}$，针对 3 种不同的条件 t 分别进行仿真。

1）对规则一进行仿真

同样采用假设的混合策略纳什均衡解：$\delta_1=(0.65,0.35),\delta_2=(0.45,0.55)$，对 $t\in\{1,2\}$ 期中监察期的网络交易监管博弈进行仿真。

一步转移概率矩阵为

$$P(1)=\begin{bmatrix} 0.45 & 0 & 0.275 & 0 & 0.275 \\ 0.2925 & 0.1575 & 0.3575 & 0.1925 & 0 \\ 0.2925 & 0.1575 & 0.3575 & 0.1925 & 0 \\ 0.2925 & 0.1575 & 0.3575 & 0.1925 & 0 \\ 0.45 & 0 & 0 & 0.55 & 0 \end{bmatrix}$$

进而得到 n 步转移概率矩阵：

$$P(8)=\begin{bmatrix} 0.365997 & 0.084003 & 0.34668 & 0.102671 & 0.100649 \\ 0.365997 & 0.084003 & 0.34668 & 0.102671 & 0.100649 \\ 0.365997 & 0.084003 & 0.34668 & 0.102671 & 0.100649 \\ 0.365997 & 0.084003 & 0.34668 & 0.102671 & 0.100649 \\ 0.365997 & 0.084003 & 0.34668 & 0.102671 & 0.100649 \end{bmatrix}$$

通过 8 次的转移，到达状态 1 的概率是 0.365997，转移到状态 2 的概率是 0.084003，3.3.3 节中设定了状态 5 为状态 3 的虚拟状态，转移到状态 3 的概率是状态 3、状态 5 相加之和，为 0.447329。其极限分布为 $\pi=(0.365997,0.084003,0.447329,0.102671)$，表明经过 8 次状态转移后，网络交易博弈的策略组合位于状态 1（{监管，违法}）的概率约为 0.365997，位于状态 2（{不监管，违法}）的概率约为 0.084003，位于状态 3（{监管，不违法}）的概率约为 0.447329，位于状态 4（{不监管，不违法}）的概率约为 0.102671。

将求出的马尔可夫链极限分布 $\pi=(0.365997,0.084003,0.447329,0.102671)$ 与初始分布 $\pi_0=(0.2925,0.1575,0.3575,0.1925)$ 比较来看，同样发现经过 n 次转移之后，策略组合位于状态 2 和状态 4 的概率明显减小，相反策略组合位于状态 1 和状态 3 的概率有所增大，表明在监管机制——监察期下，通过长期的重复混合策略博弈后，策略组合将集中于{监管，违法}和{监管，不违法}。

2）对规则二进行仿真

对 $t\in\{1,2,3\}$ 期中监察期的网络交易监管博弈进行仿真。

一步转移概率矩阵为

$$P(1)=\begin{bmatrix} 0.45 & 0 & 0.183333 & 0 & 0.183333 & 0.183333 \\ 0.2925 & 0.1575 & 0.3575 & 0.1925 & 0 & 0 \\ 0.2925 & 0.1575 & 0.3575 & 0.1925 & 0 & 0 \\ 0.2925 & 0.1575 & 0.3575 & 0.1925 & 0 & 0 \\ 0.45 & 0 & 0.55 & 0 & 0 & 0 \\ 0.45 & 0 & 0 & 0 & 0.55 & 0 \end{bmatrix}$$

进而得到 n 步转移概率矩阵：

$$P(16)=\begin{bmatrix} 0.380429 & 0.069571 & 0.287119 & 0.085031 & 0.108105 & 0.069745 \\ 0.380429 & 0.069571 & 0.287119 & 0.085031 & 0.108105 & 0.069745 \\ 0.380429 & 0.069571 & 0.287119 & 0.085031 & 0.108105 & 0.069745 \\ 0.380429 & 0.069571 & 0.287119 & 0.085031 & 0.108105 & 0.069745 \\ 0.380429 & 0.069571 & 0.287119 & 0.085031 & 0.108105 & 0.069745 \\ 0.380429 & 0.069571 & 0.287119 & 0.085031 & 0.108105 & 0.069745 \end{bmatrix}$$

其极限分布为 $\pi=(0.380429,0.069571,0.464969,0.085031)$，其中，3.3.3 节中设定了状态 5、状态 6 为状态 3 的虚拟状态，转移到状态 3 的概率是状态 3、状态 5、状态 6 相加之和，为 0.464969。

3) 对规则三进行仿真

对 $t\in\{1,2,3,4,5\}$ 期中监察期的网络交易监管博弈进行仿真。

一步转移概率矩阵为

$$P(1)=\begin{pmatrix} 0.45 & 0 & 0.11 & 0 & 0.11 & 0.11 & 0.11 & 0.11 \\ 0.2925 & 0.1575 & 0.3575 & 0.1925 & 0 & 0 & 0 & 0 \\ 0.2925 & 0.1575 & 0.3575 & 0.1925 & 0 & 0 & 0 & 0 \\ 0.2925 & 0.1575 & 0.3575 & 0.1925 & 0 & 0 & 0 & 0 \\ 0.45 & 0 & 0.55 & 0 & 0 & 0 & 0 & 0 \\ 0.45 & 0 & 0 & 0 & 0.55 & 0 & 0 & 0 \\ 0.45 & 0 & 0 & 0 & 0 & 0.55 & 0 & 0 \\ 0.45 & 0 & 0 & 0 & 0 & 0 & 0.55 & 0 \end{pmatrix}$$

进而得到 n 步转移概率矩阵：

$$P(32)=\begin{pmatrix} 0.4 & 0.05 & 0.206348 & 0.061111 & 0.088831 & 0.08151 & 0.0682 & 0.044 \\ 0.4 & 0.05 & 0.206348 & 0.061111 & 0.088831 & 0.08151 & 0.0682 & 0.044 \\ 0.4 & 0.05 & 0.206348 & 0.061111 & 0.088831 & 0.08151 & 0.0682 & 0.044 \\ 0.4 & 0.05 & 0.206348 & 0.061111 & 0.088831 & 0.08151 & 0.0682 & 0.044 \\ 0.4 & 0.05 & 0.206348 & 0.061111 & 0.088831 & 0.08151 & 0.0682 & 0.044 \\ 0.4 & 0.05 & 0.206348 & 0.061111 & 0.088831 & 0.08151 & 0.0682 & 0.044 \\ 0.4 & 0.05 & 0.206348 & 0.061111 & 0.088831 & 0.08151 & 0.0682 & 0.044 \\ 0.4 & 0.05 & 0.206348 & 0.061111 & 0.088831 & 0.08151 & 0.0682 & 0.044 \end{pmatrix}$$

其极限分布为 $\pi=(0.4,0.05,0.488889,0.061111)$，其中，3.3.3 节中设定了状态 5、状态 6、状态 7、状态 8 均为状态 3 的虚拟状态，转移到状态 3 的概率是状态 3、状态 5、状态 6、状态 7、状态 8 相加之和，为 0.488889。

4) 结果比较

通过对几种不同的监管规则进行仿真，得到了相应的极限分布，将仿真得到的极限分布整理后做比较，如表 3.1。

表 3.1 各监管规则下极限分布表

规则	位于状态 1 的概率	位于状态 2 的概率	位于状态 3 的概率	位于状态 4 的概率
初始分布	0.2925	0.1575	0.3575	0.1925
$t\in\{1,2\}$	0.365997	0.084003	0.447329	0.102671
$t\in\{1,2,3\}$	0.380429	0.069571	0.464969	0.085031
$t\in\{1,2,3,4\}$	0.391483	0.058517	0.47848	0.07152
$t\in\{1,2,3,4,5\}$	0.4	0.05	0.488889	0.061111

表 3.1 中横向表示的是当马尔可夫链 n 次转移达到平稳后位于状态 $i, i\in I=\{1,2,3,4\}$ 的概率，纵向表示的是不同的监管规则下到达各个状态的概率。

首先，从纵向上来看，当马尔可夫链转移概率矩阵达到平稳之后，从第一个监管规则的仿真到最后一个监管规则的仿真中位于状态 1 的概率从 0.365997 增加到 0.4，并且明显大于混合策略博弈的初始分布中位于状态 1 的概率(0.2925)，而同时状态 3 的概率也从 0.4473298 增加到 0.488889，与状态 1 相同也是呈现出较初始分布中状态 3 的概率(0.3575)大的现象。相反地，位于状态 2 和状态 4 的概率分别从 0.084003 和 0.102671 下降到 0.05 和 0.061111，并且明显小于混合策略博弈的初始分布中位于状态 2 和状态 4 的概率(0.1575 和 0.1925)。

经过比较来看，在几种监管规则下的仿真中，位于状态 1 和状态 3 的概率出现递增的问题，虽然此概率的增量小于 0.02，从数据上来看变化幅度也在 3%之下，但是考虑实际网络交易监管的博弈中，参与博弈的企业为数众多、状态转移次数较大、博弈周期较短等因素，如果某监管机构监管 10000 家企业，每家企业在一个状态转移过程中平均参与 3 期的监管期博弈，并且如果博弈周期为一个月，那么该监管机构每年将参与 10000 家×3 期×12 个月=360000 次博弈，那么 0.02 的概率增量，将导致每年增加 7200 次博弈出现{监管，违法}的策略组合情况，所以此增量也能导致可观的变化。

其次，从横向上来看，无论是在什么样的监管规则下，位于状态 1 和状态 3 的概率远远大于位于状态 2 或状态 4 的概率，其差距为 4～8 倍，在马尔可夫链转移概率达到平稳之后最有可能并且有很大可能出现状态 1 或状态 3 的结果，从预测概率分布的情况来看，呈现出监管机构监管概率高的现象，表明随监管工作的开展，监管机构对网络交易行为的监管力度不断加大。

2. 仿真结果的探讨

通过一系列工作来看，对未来博弈均衡的预测提高了状态的确定性，但出现的问题是仿真后状态 1 和状态 3 出现的概率有所增加，意味着监管部门虽然加大了监管工作的执行力度，但是博弈结果中{违法，监管}和{不违法，监管}策略的概率有所增加，所以在本节将针对这个问题，尝试找出原因。

1)极限分布集中

仿真结果呈现出极限分布集中的问题，状态转移到状态 1 或状态 3 的概率达 0.8～0.9，而转移到状态 4 或状态 2 的概率小于 0.2，也就是说，当 n 次转移之后最有可能达到的状态不是状态 1 就是状态 3，结合状态 1、状态 3 代表的博弈策略组合来看，对博弈结果的预测几乎集中在策略组合{监管，违法}和{监管，不违法}。一方面，这样的均衡结果表明了博弈方 1(监管机构)采用监管策略的概率大大提高；另一方面，按照仿真结果中状态 1 的概率和状态 3 的概率的比例来看，博弈方 2 选择违法与不违法的比例还是维持初始分布中的比例，并没有达到预想中的改善，详见表 3.2。

表 3.2　各监管规则下状态 1 和状态 3 分布情况

规则	位于状态 1 的概率	位于状态 3 的概率	位于状态 1 或状态 3 的概率	状态 1 所占比例	状态 3 所占比例
初始分布	0.2925	0.3575	0.65	0.45	0.55
$t\in\{1,2\}$	0.365997	0.447329	0.813326	0.45	0.55
$t\in\{1,2,3\}$	0.380429	0.464969	0.845398	0.45	0.55
$t\in\{1,2,3,4\}$	0.391483	0.47848	0.869963	0.45	0.55
$t\in\{1,2,3,4,5\}$	0.4	0.488889	0.888889	0.45	0.55

考虑 $t\in\{1,2,3,4\}$ 博弈仿真模型：

$$
P(1)=\begin{bmatrix}
0.45 & 0 & 0.1375 & 0 & 0.1375 & 0.1375 & 0.1375 \\
0.2925 & 0.1575 & 0.3575 & 0.1925 & 0 & 0 & 0 \\
0.2925 & 0.1575 & 0.3575 & 0.1925 & 0 & 0 & 0 \\
0.2925 & 0.1575 & 0.3575 & 0.1925 & 0 & 0 & 0 \\
0.45 & 0 & 0.55 & 0 & 0 & 0 & 0 \\
0.45 & 0 & 0 & 0 & 0.55 & 0 & 0 \\
0.45 & 0 & 0 & 0 & 0 & 0.55 & 0
\end{bmatrix}
$$

原先设计的监察期监管机制，如果发现违法行为，则博弈方 1 就会选择 t 期的监管，博弈方 2 则进入一个 t 期的监察期。从上面的一步转移矩阵中发现了问题的原因，每一个虚拟状态下，有 0.45 和 0.55 的概率转移到状态 1 和状态 3 或虚拟状态，这个概率已经比初始状态下状态 1 的概率(0.2925)和状态 3 的概率(0.3575)大，所以每一次从虚拟状态转移到状态 1 或状态 3，将使得状态 1 或状态 3 的平均转移概率增加。如果是 $t\in\{1,2,3,4\}$ 的监管期机制，每一次状态转移中 t 的均值为 2，所以每一次状态转移中平均有两次从虚拟状态转移到状态 1 或状态 3，从而使得状态 1 或状态 3 的平均转移概率再次增加。如果是 $t\in\{1,2,3,4,5\}$ 的监管期机制，每一次状态转移中 t 的均值为 2.5，这将导致极限分布中状态 1 和状态 3 的概率继续增加。

从另外一个方面考虑，上面的模型也的确存在疑问，因为最初假设的是企业按照(0.45,0.55)的概率选择违法与不违法，这是在混合策略博弈中双方并不知道对方的策略时做出的策略方案，但是如果某一期企业被发现有违法行为，那么它将进入一个监察期，于是企业会知道对手(监管机构)在一个 t 期内一直选择监管，也就是说理性的企业应当认为自己在监察期中被监管的平均概率将大大提高，所以理性的企业会在监察期中大幅度减少自己违法的概率，这种情况是比较符合现实的。而在原来的模型中，从虚拟状态转移到状态 1 或状态 3 或其他虚拟状态，即在监管期中企业选择违法与不违法的概率仍然与混合策略博弈中的概率相同，这是不符合逻辑的。最终我们找到了问题的原因。

2) 仿真数据修正

上面已经找到了原先 $t\in\{1,2,3,4\}$ 的一步转移矩阵中问题的所在，即在监管期中，企业不明智地选择了 0.45 的违法概率。所以在这里将此模型中的数据进行修正，仍然采用混合策略纳什均衡解：$\delta_1=(0.65,0.35)$，$\delta_2=(0.45,0.55)$，并假设如果企业被发现有违法行为，则认为自己将会被监管机构纳入加强监管的对象，所以这时企业将不会继续按照原来的概率进行违法行为，企业将在监管期中减小违法的概率(监管期中企业违法的概率降低为 0.2)，从而尽可能地避开监管部门的监管。

3.5　监管策略的修正仿真

一步转移概率矩阵：

$$P(1)=\begin{bmatrix} 0.2 & 0 & 0.2 & 0 & 0.2 & 0.2 & 0.2 \\ 0.2925 & 0.1575 & 0.3575 & 0.1925 & 0 & 0 & 0 \\ 0.2925 & 0.1575 & 0.3575 & 0.1925 & 0 & 0 & 0 \\ 0.2925 & 0.1575 & 0.3575 & 0.1925 & 0 & 0 & 0 \\ 0.2 & 0 & 0.8 & 0 & 0 & 0 & 0 \\ 0.2 & 0 & 0 & 0 & 0.8 & 0 & 0 \\ 0.2 & 0 & 0 & 0 & 0 & 0.8 & 0 \end{bmatrix}$$

进行 n 次转移概率求解后：

$$P(16)=\begin{pmatrix} 0.245914 & 0.078178 & 0.322639 & 0.095551 & 0.120006 & 0.088529 & 0.049183 \\ 0.245914 & 0.078178 & 0.322639 & 0.095551 & 0.120006 & 0.088529 & 0.049183 \\ 0.245914 & 0.078178 & 0.322639 & 0.095551 & 0.120006 & 0.088529 & 0.049183 \\ 0.245914 & 0.078178 & 0.322639 & 0.095551 & 0.120006 & 0.088529 & 0.049183 \\ 0.245914 & 0.078178 & 0.322639 & 0.095551 & 0.120006 & 0.088529 & 0.049183 \\ 0.245914 & 0.078178 & 0.322639 & 0.095551 & 0.120006 & 0.088529 & 0.049183 \\ 0.245914 & 0.078178 & 0.322639 & 0.095551 & 0.120006 & 0.088529 & 0.049183 \end{pmatrix}$$

得到极限分布 $\pi=(0.245914,0.078178,0.580357,0.095551)$，其中，3.3.3 节中设定了状态 5、状态 6、状态 7 为状态 3 的虚拟状态，转移到状态 3 的概率是状态 3、状态 5、状态 6、状态 7 相加之和，为 0.580357。

从最后仿真得到的极限分布与原始概率分布 $\pi_0=(0.2925,0.1575,0.3575,0.1925)$ 相比较来看，位于状态 1 的概率有所减小，而位于状态 3 的概率有所增大。与没有修正的矩阵比较，修正后的矩阵在概率分布上产生了较大的区别，并且在监管效率上出现积极的作用：减少了 n 次转移之后位于状态 1 的概率，即企业采用违法策略的概率降低；增加了位于状态 3 的概率，即企业采用不违法策略的概率。

最终，得到混合策略纳什均衡解：$\delta_1=(0.65,0.35)$，$\delta_2=(0.45,0.55)$ 下的 $t\in\{1,2,3,4\}$ 期中监察期理性企业的网络交易监管博弈仿真结果，极限分布为 $\pi=(0.245914,0.078178,0.580357,0.095551)$。

3.6 本章小结

首先，在本章中验证了网络交易监管中博弈双方之间的重复混合策略博弈的马尔可夫性，对监管主体(监管机构)设计了一种 t 期监管期的循环监管机制，利用马尔可夫链中状态转移的特点，设计了状态 3 的几个虚拟镜像及其转移规则，从而成功地实现了 $t>1$ 期的监管期机制。

其次，本章利用第二章中混合策略博弈的纳什均衡结果构建了 $t\in\{1,2,3,4\}$ 的监管期一步转移概率矩阵模型，利用假设的混合策略纳什均衡 $\delta_1=(0.65,0.35)$，$\delta_2=(0.45,0.55)$ 对其进行仿真，同时也对 $t\in\{1,2\}$、$t\in\{1,2,3\}$ 和 $t\in\{1,2,3,4,5\}$ 3 种不同的监管期分别做了仿真。通过几个仿真结果的对比发现，通过 n 次转移达到概率平稳之后，一方面监管机构采用监管的平均概率大大提升，意味着监管力度得到了加强。另一方面，随着监管力度的提升，博弈结果却大部分集中在{监管，违法}和{监管，不违法}两个策略组合，这意味着监管力度的提升导致博弈双方{监管，违法}这一低效策略组合概率的增加，所以网络交易监管博弈通过马尔可夫链的仿真得到了好坏参半的结果。

最后，在本章末尾通过分析模型找到了导致{监管，违法}出现概率增加的原因，是由于原模型的监管期中缺乏对理性博弈方 2 的考虑，因为在原模型的监管期中仍然沿用博弈方 2 的混合策略均衡，最终导致每一次从虚拟状态的转移都增加了状态 1 或状态 3 的概率。针对这个问题，在最后修正仿真部分加入了理性博弈方 2 的因素，降低了每一次从虚拟状态转移到状态 1 的概率，最终得到了非常有效的转移概率预测，即监管部门的工作力度提升，同时又使得状态 1 的概率低于初始分布，状态 3 的概率高于初始分布。至此，$t\in\{1,2,3,4\}$ 期中监察期为理性企业的网络交易监管博弈仿真结束。

参考文献

[1] 何咏梅，刘影，郭勤. 网络经济对现代化企业管理的影响及对策研究[J]. 工业技术经济，2008，27(6):2-4.

[2] 乌家培. 信息社会与网络交易[M]. 长春:长春出版社，2002.

[3] 何明珂，阿拉木斯，李安渝，等. 中国网络商品交易监管现状研究及政策建议[J]. 中国工商管理研究，2011，6(2):46-49.

[4] 王慧. 国外网络媒体法律监管模式及对我国的启示[J]. 管理学家，2010，6(7):190-191.

[5] 郭跃进. 电子商务监管的几个问题[J]. 中国工商管理研究，2005，12(10):145-149.

[6] 陈敏. 互联网监管体系研究[J]. 计算机安全，2010，11(5):80-82.

[7] 黄道丽. 我国网络安全监管主体法律问题研究[J]. 网络安全技术与应用，2010，2(1):15-17.

[8] 吴仙桂. 网络交易平台的法律定位[J]. 重庆邮电大学学报(社会科学版)，2008，20(6):47-50.

[9] 李莉. 电子商务经济学[M]. 北京：机械工业出版社，2007.

[10] Schmid B F. Requirements for electronic markets architecture[J]. Electronic Markets，1997，7(1):3-6.

[11] Senn J A. The emergence of M_Commerce[J]. Computer，2001，33(12):148-150.

[12] 隋兵. 网络交易平台的法律责任立法模式比较[J]. 决策与信息(下旬刊)，2010(8):109-110.

[13] 王铁坚. 网络交易平台提供商的基本义务分析[J]. 中国经贸导刊，2011(12):82-83.

[14] Gefen，David，Straub，Detmar W. Consumer trust in B2C e-Commerce and the importance of social presence: experiments in e-Products and e-Services[J]. Omega，2004，32(6):407-424.

[15] 王国明. 全国人大代表建议严厉打击网络交易中的违法行为[N]. 中国工商报，2008-03-18(1).

[16] 杨国良. 网络经济下信息欺诈现象的经济学分析[J]. 现代财经：天津财经大学学报，2008，28(6):93-96.

[17] 张志刚，严广乐. 对互联网信息资源监管的博弈分析[J]. 上海理工大学学报，2002，24(4):349-353.

[18] 乔立新，袁爱玲，李淑霞，等. 我国商业银行防范网络安全风险的博弈模型[J]. 系统工程理论与实践，2006，26(9):43-50.

[19] 程广平. 基于博弈分析和信用中介的中小电子商务企业信用机制建立[D]. 天津：天津大学，2006.

[20] 王莹. 基于博弈论的第三方支付监管问题研究[D]. 成都：西南财经大学，2008.

[21] 徐琼来. 不对称信息下网络交易信任缺失的博弈研究[D]. 北京：北京邮电大学，2008.

[22] 向楠. 网络安全投资与博弈策略研究[D]. 北京：北京邮电大学，2008.

第二篇　互联网信息服务业市场行为演变与竞争秩序监管研究

第 4 章　互联网信息服务业市场行为演变与竞争概况

本章通过梳理互联网信息服务业不正当竞争的现实案例，归纳出企业不正当竞争行为类型，进而研究企业跨领域竞争的演变过程及实现方式。同时，运用演化博弈理论分析进入企业和在位企业的战略选择，并探讨不正当竞争的形成机理，为预防与管制不正当竞争行为提供理论依据。

4.1　互联网信息服务业市场竞争现状

4.1.1　互联网信息服务企业不正当竞争现状

中国互联网行业发展迅速，截至 2021 年 12 月，我国已拥有 10.32 亿网民[①]，国内外上市的互联网企业高达百余家，其中腾讯、阿里巴巴的市值更是跻身世界前十，紧随其后的大中型互联网信息服务企业在稳定自身业务的同时，为进一步扩展商业领域、满足用户多样化的需求，也展开了激烈的竞争。随着中国互联网人口红利时期的消失，以及相关互联网技术的发展，企业之间的不正当竞争行为发生频率日渐升高。对互联网信息服务业市场竞争环境的整体把握，将有助于对不同类型的竞争行为进行划分，并进行相应的监管。本部分整理了近几年来较为典型的互联网信息服务业大事件，具体见表 4.1。

表 4.1　互联网信息服务业大事件

序号	发生时间	案件名称
1	2010 年 11 月	3Q 大战[①]
2	2011 年 3 月	大众点评诉爱帮网案[②]
3	2012 年 4 月	百度诉奇虎插标案[③]
4	2013 年 8 月	百度诉 360 屏蔽广告案[④]
5	2014 年 4 月	搜狗与奇虎互诉商业诋毁案[⑤]
6	2014 年 10 月	奇虎诉百度虚假宣传案[⑥]
7	2015 年 1 月	百度诉搜狗劫持流量案[⑦]
8	2015 年 5 月	奇虎诉搜狗诱导安装案[⑧]
9	2015 年 10 月	搜狗诉奇虎虚假宣传案[⑨]
10	2016 年 5 月	大众点评诉百度搭便车案[⑩]

① 中国互联网络信息中心. 第 49 次《中国互联网络发展状况统计报告》[EB/OL]. [2022-2-25]. http://www.cnnic.net.cn/hlwfzyj/hlwxzbg/hlwtjbg/202202/t20220225_71727.htm.

续表

序号	发生时间	案件名称
11	2017 年 5 月	高德诉滴滴不正当竞争索赔案⑪
12	2017 年 7 月	腾讯与今日头条内容之争互诉案⑫
13	2017 年 9 月	美团诉饿了么虚假宣传案⑬
14	2018 年 1 月	今日头条诉百度不正当竞争案⑭
15	2018 年 11 月	爱奇艺诉妙奇艺侵权案⑮
16	2019 年 3 月	熊猫直播斗鱼直播不正当竞争案⑯
17	2020 年 8 月	华多网络科技诉网易滥用市场支配地位案⑰
18	2021 年 2 月	腾讯侵害计算机软件著作权案⑱
19	2021 年 4 月	阿里巴巴强制二选一案⑲
20	2021 年 9 月	小米侵害实用新型专利权案⑳
21	2021 年 9 月	腾讯诉百度侵犯发明专利权案㉑

注释：

① 中国法院网．360 诉腾讯“反垄断”案二审宣判判决书全文[EB/OL]．[2014-10-16]．https://www.chinacourt.org/article/detail/2014/10/id/1460985.shtml.

② 中国法院网．生活搜索第一案——大众点评网诉爱帮网侵权案开庭[EB/OL]．[2009-4-23]．https://www.chinacourt.org/article/detail/2009/04/id/355188.shtml.

③ 中国法院网．百度、360 不正当竞争案[EB/OL]．[2014-4-24]．https://www.chinacourt.org/article/detail/2014/04/id/1281841.shtml.

④ 中国法院网．10月14日9:30，称不正当“屏蔽广告”百度起诉“奇虎360”案[EB/OL]．[2013-10-14]．https://www.chinacourt.org/article/detail/2013/10/id/1107343.shtml.

⑤ 中国法院网．北京海淀法院审结“搜狗”诉“奇虎”不正当竞争案[EB/OL]．[2015-3-9]．https://www.chinacourt.org/article/detail/2015/03/id/1563701.shtml.

⑥ 中国法院网．北京一中院召开“涉互联网不正当竞争案件审理情况通报会”[EB/OL]．[2014-6-20]．https://www.chinacourt.org/article/detail/2014/06/id/1321230.shtml.

⑦ 中国法院网．4 月 23 日 14:00 称百度引擎跳转搜狗页面百度诉搜狗不正当竞争[EB/OL]．[2015-4-23]．https://www.chinacourt.org/article/detail/2015/04/id/1602314.shtml.

⑧ 中国裁判文书网．北京奇虎科技有限公司等与北京搜狗信息服务有限公司等不正当竞争纠纷二审民事判决书[EB/OL]．[2015-6-29]．https://wenshu.court.gov.cn/website/wenshu/181107ANFZ0BXSK4/index.html?docId=2748b5331938472fb7e86afafb820acf.

⑨ 中国裁判文书网．北京搜狗科技发展有限公司等与北京奇虎科技有限公司等不正当竞争纠纷二审民事裁定书[EB/OL]．[2016-1-4].https://wenshu.court.gov.cn/website/wenshu/181107ANFZ0BXSK4/index.html?docId=39c1828e97fb4a57a895d8c5002a9ce6.

⑩ 中国法院网．大众点评诉百度案一审宣判百度赔偿 323 万[EB/OL]．[2016-5-27]．https://www.chinacourt.org/article/detail/2016/05/id/1885442.shtml.

⑪ 中国法院网．高德起诉滴滴不正当竞争索赔 7500 万举证难度高[EB/OL]．[2017-5-30]．https://www.chinacourt.org/article/detail/2017/05/id/2884058.shtml.

⑫ 中国裁判文书网．深圳市腾讯计算机系统有限公司与北京字节跳动科技有限公司侵害作品信息网络传播权纠纷一审民事判决书[EB/OL]．[2017-11-15]．https://wenshu.court.gov.cn/website/wenshu/181107ANFZ0BXSK4/index.html?docId=43f44cd8701942b6bbeaa82c0014cdf6.

⑬ 中国裁判文书网．北京三快科技有限公司与上海拉扎斯信息科技有限公司、深圳市南山区猪粉世家小吃店商业贿赂不正当竞争纠纷一审民事判决书[EB/OL]．[2020-1-3]．https://wenshu.court.gov.cn/website/wenshu/181107ANFZ0BXSK4/index.html?docId=14d1eeb5ed7a4e538245ab340141317d.

⑭ 中国法院网．称被标注“不稳定”“无法正常访问”今日头条诉百度不正当竞争索赔 500 万等[EB/OL]．[2018-1-30]．https://www.chinacourt.org/article/detail/2018/01/id/3194871.shtml.

⑮ 中国法院网．“奇艺”字样引纠纷 爱奇艺诉妙奇艺不正当竞争[EB/OL]．[2018-11-2]．https://www.chinacourt.org/article/detail/2018/11/id/3558682.shtml.

⑯ 中国裁判文书网．上海熊猫互娱文化有限公司与武汉斗鱼网络科技有限公司其他不正当竞争纠纷一审民事裁定书[EB/OL]．[2020-7-9]．https://wenshu.court.gov.cn/website/wenshu/181107ANFZ0BXSK4/index.html?docId=3764040932914fc19313abd500c46dc4.

⑰ 中国裁判文书网. 广州华多网络科技有限公司(以下简称华多公司)因与被上诉人广州网易计算机系统有限公司(以下简称网易公司)滥用市场支配地位及不正当竞争纠纷终审民事判决书[EB/OL]. [2020-8-4]. https://wenshu.court.gov.cn/website/wenshu/181107ANFZ0BXSK4/index.html?docId=51aac1bb823d47cbb575ac0d012414c6.

⑱ 中国裁判文书网. 深圳市腾讯计算机系统有限公司、腾讯科技(深圳)有限公司等侵害计算机软件著作权纠纷民事二审民事裁定书[EB/OL]. [2021-9-7]. https://wenshu.court.gov.cn/website/wenshu/181107ANFZ0BXSK4/index.html?docId=74ea9d152bb441278998ad8a0107fc91.

⑲ 中国法院网. 禁止平台"二选一"要紧盯不放[EB/OL]. [2021-4-16]. https://www.chinacourt.org/article/detail/2021/04/id/5975382.shtml.

⑳ 中国裁判文书网. 小米通讯技术有限公司、杭州鸿雁电器有限公司等侵害实用新型专利权纠纷民事二审民事裁定书[EB/OL]. [2021-9-2]. https://wenshu.court.gov.cn/website/wenshu/181107ANFZ0BXSK4/index.html?docId=dbcf5c3506714ce0b8 bcad970108b3b0.

㉑ 中国裁判文书网. 腾讯科技(深圳)有限公司与国家知识产权局、北京百度网讯科技有限公司发明专利权无效行政纠纷案二审判决书[EB/OL]. [2021-2-1]. https://wenshu.court.gov.cn/website/wenshu/181107ANFZ0BXSK4/index.html?docId=ea17ccc89934470b9ee3acbe01225249.

由表 4.1 可见，我国互联网信息服务业不正当竞争案频频发生，且从"3Q 大战"发生后案件数量呈现增加的趋势。由于在 3Q 大战发生后政府没有及时加以监管，且当时的监管存在一定的不足之处，比如原有的《中华人民共和国反不正当竞争法》并未对互联网新型不正当竞争行为做相应的分类，法院在审理新型不正当竞争行为时没有较为详细的参考依据，给互联网信息服务业不正当竞争的审理带来了类型不清、判定困难等难题，因此，迫切需要对互联网信息服务业不正当竞争行为进行分类，为政府判定提供相关参考。

4.1.2　互联网信息服务业市场竞争行为类型划分

1. 开放性编码

开放性编码就是将搜集来的资料进行分解，不断比较资料中各种现象的异同，总结典型现象并为其贴上标签，使之概念化与范畴化的过程。这个过程中，需要不断提出问题，比较资料的异同，并根据逐步显现出的概念、范畴进行采样，进一步搜集资料，再把新资料与原始资料和提炼的概念、范畴作进一步比较，总结概括出主要的范畴[1]。本节对互联网信息服务业不正当竞争的相关资料进行开放性编码，最终所得结果见表 4.2。

表 4.2　开放性编码形成的概念及范畴

序号	资料	概念化	范畴化
1	2010 年 11 月，A 公司公开信宣称，用户必须卸载 360 软件才能登录 QQ，逼迫用户二选一	a1 不顾用户利益，强迫用户做选择	A1 恶意排斥(a1)
2	2010 年，A 公司推出 QQ 医生；QQ 医生升级并与 QQ 软件管理合二为一，更名为 QQ 电脑管家，功能涵盖了 360 安全卫士的主流功能；2010 年 9 月，网友反映 A 公司强制安装 QQ 电脑管家，且开机时会自动启动	a2 A 公司在用户不知情的情况下，篡改用户计算机设置，强制安装自身产品	A2 恶意篡改(a2、a3、a4、a5、a6、a7)
3	"B 杀毒"软件在对用户计算机进行全盘扫面时，会通过"建议修复"选项用"B 安全浏览器"替换原有的默认浏览器	a3 擅自修改用户默认设置	
4	当用户把默认浏览器恢复为"A 浏览器"时，"B 浏览器"会立即弹窗提醒用户"有程序正在修改您的默认浏览器设置"，并且"B 安全卫士"会无视用户恢复"某浏览器"为默认浏览器的意愿，仍将"B 浏览器"设置为默认浏览器	a4 为达到推广目的，无视用户意愿	

续表

序号	资料	概念化	范畴化
5	用户使用“扣扣保镖”的一键修复功能后，QQ 软件的基本功能被删除、篡改，QQ 升级被阻止，加载模块被屏蔽	a5 利用自身产品直接篡改其他产品设置、阻碍其正常运行	A2 恶意篡改（a2、a3、a4、a5、a6、a7）
6	2013 年 4 月，C 公司在其网址导航网页上嵌入百度搜索框，改变百度网给用户提供的下拉提示词，引导用户访问无关联的 C 公司经营的游戏等页面，且用户在仅设置搜索方向、没输入关键词的情况下，也进入 C 公司的相关网页	a6 篡改下拉提示词，干扰用户对软件的正常使用	
7	K 公司生产销售的极路由路由器通过安装“屏蔽视频广告”插件过滤了某网站视频的片前广告，损害了 M 公司的合法利益，违背诚实信用原则，构成不正当竞争	a7 为获取商业利益，利用插件恶意侵犯他人合法利益	
8	C 公司通过积极为 QQ 用户提供工具帮助，使用户在不明晰状况的条件下，根据“扣扣保镖”的提示逐步进行系统设置，使 QQ 软件的“QQ 网站”“腾讯搜搜”“腾讯对战游戏”等部分或全部的功能处于瘫痪状态	a8 用提示性语言让用户修改设置，导致其他产品不能使用	A3 恶意诱导用户（a8、a9）
9	某拼音输入法在程序中设置了特定进程，若用户安装了 A 公司的拼音输入法，则“某输入法管理器-输入法修复”的进程会自动启动，提示用户其输入法需要进行“修复”，诱导用户将输入法列表中的“拼音输入法”删去；且每天下午四点提示用户其输入法需要修复，误导用户将其删除	a9 利用技术手段恶意提示诱导用户删除竞争对手产品	
10	某公司修改“D 搜索伴侣”软件注册表信息、阻碍点击鼠标左键正常下载安装运行、弹出软件冲突警告对话框中任一选项均导致安装失败等涉案行为阻碍了“D 搜索伴侣”软件的正常下载、安装和运行，构成了不正当竞争	a10 通过修改竞争对手软件注册信息、阻碍正常安装下载运行、弹窗警示等方式干扰他人	A4 阻碍安装（a10、a11）
11	2013 年，用户在正常安装某浏览器时，C 公司利用安全卫士弹窗显示针对某浏览器的负面信息，阻碍用户正常安装和使用某浏览器，并阻碍用户将某浏览器设置为默认浏览器，极大地降低了某浏览器的市场份额	a11 采用破坏性手段阻碍用户安装	
12	E 网采用链接等技术手段，与他人分工合作，在没有得到许可的情况下，就向用户提供相关涉案赛事的转播	a12 无许可情况下，盗链同性质网站的原创或享有著作权的内容	A5 盗链（a12、a13）
13	VST 全聚合使用技术手段从某网站将视频内容盗链到自身平台上后免费提供给网络用户	a13 免费为用户提供观看途径，窃取正版视频网站流量	
14	C 不仅对百度进行插标，还逐步引导用户点击安装 B 浏览器，通过百度搜索推广 360 浏览器	a14 为占领市场利用他人平台宣传推广自身同类产品	A6 流量劫持（a14、a15、a16、a17、a18、a19、a20）
15	F 公司通过技术手段在百度的搜索结果页面中强行弹出自己的宣传广告，从而借助 D 较高的知名度与浏览量来扩大自身的知名度	a15 利用技术手段在较为知名的网站上弹窗显示广告为自身做宣传	
16	C 公司旗下搜索引擎“搜索”上线后，D 公司第一时间在 Robots 文本中禁止其对 D 公司旗下“D 知道”和“D 百科”的数据抓取，然而 C 公司无视其协议，依旧使用爬虫对其数据进行抓取运用到“搜索”中	a16 为使自身产品更加完善并提升用户体验而违反行业惯例，随意抓取他人数据	
17	D 诉珠穆朗玛一案中，珠峰科技在 D 搜索页面增加了包含 8848 在内的搜索导航条和广告缩略图，导致用户在 D 界面轻松访问 8848 等网站	a17 在别人页面插入广告、链接等分流	
18	某输入法在用户事先选定 D 搜索的情况下，利用其输入法的工具地位推出与 D 搜索类似的搜索候选服务，借助用户使用 D 下拉列表的使用习惯，不合理设置以诱导用户点击候选词进入另一搜索页面，造成用户对搜索服务来源的混淆，不正当争夺，减少了 D 搜索引擎的商业机会	a18 利用自身优势工具地位，不合理设置以不当方式争夺其他企业的商业机会	

续表

序号	资料	概念化	范畴化
19	2016 年 7 月以来，E 新闻不断接到用户投诉，称在访问更新下载“E 新闻”客户端时，下载到用户设备上的竟然是“今日头条”客户端。根据技术监测，原本访问 E 网的部分流量被恶意劫持，直接转至“toutiao.com”和“pstatp.com”，用户访问、更新、下载“E 新闻”客户端的诉求直接被替换成了访问下载“今日头条”客户端	a19 利用他人产品对用户的吸引力，利用技术替换他人客户端，为自己谋求利益	
20	在百度中使用其他输入法如微软输入法、QQ 拼音输入法进行搜索时，点击输入法所提供的候选字，再点击“百度一下”后跳转进入的是百度网搜索结果页面，而使用某输入法提供的候选字进行搜索时，跳转进入的却是某搜索结果界面	a20 歧视性对待以分流其他企业的市场	
21	D 地图、D 知道在 2012 年以后未经汉寿公司允许，直接复制、抄袭某点评网的用户点评信息，将这些信息直接提供给用户，直接替代了某点评网为用户提供信息	a21 直接免费抄袭利用他人成果获取利益，给对方造成了巨大损失	A7 山寨抄袭（a21、a22、a23、a24）
22	在 2016 年 8 月的 O2O 侵权一案：美团接纳“李鬼”遭绿茶索赔案中，绿茶餐厅起诉全国多家侵权绿茶餐厅、美团网等，不少餐厅为了在别人商誉的基础上搭便车，希望借助绿茶的影响力，将原本是其他餐厅的客户，吸引进入自己的餐馆消费。客观上造成了混淆	a22 借助其他企业的商誉，将其他企业的客户吸引进自己企业，造成混淆	
23	E 网声称“凤凰网贷”模仿 E 网网站名称、网站 LOGO 及恶意注册包含 E 网“IFENG”商标的域名 ifengdai.com 和 ifengdai.net 的手段误导用户，阻碍了 E 网金融业务板块的快速发展	a23 不当模仿他人域名、网站 LOGO 等	
24	经法院调查发现，M 公司开通的“开心网”（www.kaixin.com）网站名称，服务功能、对象、内容与北京开心人网站完全相同，网民难辨真假，导致开心人公司的注册用户明显减少，2010 年 10 月 26 日，北京市第二中级人民法院对“真假开心网不正当竞争案”进行一审，宣判 M 公司败诉，不得使用“开心网”相同或相近名称	a24 为获取利益，采用与他人相似的名称冒充其他公司	
25	法院认定 G 公司在先使用 gmail 电子邮箱服务名称且提供的服务在被诉侵权行为发生时已构成知名服务的特有名称并无不当。H 公司关于其在先使用 gmail 电子邮箱服务名称并享有在先的知名服务特有名称权的再审主张缺乏证据支持，本院不予采信	a25 注册使用已有的知名服务特有名称获取利益	A8 恶意抢注域名（a25、a26）
26	I 公司使用“去哪”“去哪儿”“quna.com”商业标记的行为构成对北京趣拿信息技术有限公司知名服务特有名称的侵害，I 公司在其企业字号中使用“去哪”字样的行为构成不正当竞争，使用“quna.com”“123quna.com”域名的行为构成对北京趣拿信息技术有限公司域名权益的侵害	a26 擅自使用在先注册的域名。	
27	2012 年 3 月，C 公司的 360 安全卫士在百度搜索结果页面上有选择的插标红色感叹号，即使结果对应的是统一网站，但奇虎只对百度搜索结果页面进行插标，对 Google 等其他搜索引擎的搜索结果没进行插标	a27 为获取利益有针对性的标注别人的安全网址	A9 恶意插标（a27）
28	在北京 L 公司诉深圳 L 公司案中，因深圳 L 公司使用“北京 L”为关键词在百度推广其网站，被认定构成虚假宣传	a28 利用别人的关键词为自身产品做宣传	A10 虚假宣传（a28、a29、a30、a31）
29	某公司在其某输入法中宣传声明某输入法是目前使用最多，评价最好的输入法软件	a29 为达目的过分夸大自己产品的性能，迷惑用户	
30	2017 年 2 月，高德诉滴滴不正当竞争案中，高德表示：滴滴关于“全球最大的一站式多元化出行平台”“滴滴师傅最好”的广告宣传语，夸大事实，容易给消费者造成误解，构成虚假宣传，扰乱了市场竞争秩序，给高德造成巨大损失，因此提出不正当竞争诉讼。法院审理后认为：高德提起的诉讼是不正当竞争及涉嫌虚假宣传而产生的不正当竞争纠纷	a30 采用夸大事实的广告宣传语等让消费者产生误解，侵害了同类竞争对手的利益	

续表

序号	资料	概念化	范畴化
31	2017年2月15日，某公司组织刷单行为误导消费者，污染电商数据。《网络交易监督管理办法》明确规定"刷单"行为属于不正当竞争行为，以虚假宣传论处	a31 企业为获取利益，采用删除不利评价、刷单等手段提升自身信誉	
32	某公司起诉C公司关于安全卫士发布某浏览器存在安全漏洞等文章、视频引发商业诋毁诉讼	a32 捏造、散布虚假消息贬损竞争对手的商誉	A11 商业诋毁(a32、a33、a34)
33	2006年，百度诉D不正当竞争案中，D开设博客专栏，根据自身判断标准选择、征集相关文章进行传播，传播文章中夹杂着大量诋毁百度公司商誉的内容，如利用夸张的图片吸引大家注意，有的文章号召抵制百度产品	a33 在网上传播相关文章诋毁其他公司的商誉	
34	C公司在经营"扣扣保镖"软件及其服务时，在无法证明QQ查看用户隐私的情况下，就声称其具有"可以阻止电脑中隐藏文件被QQ聊天程序进行强制查看"的功能，并且"扣扣保镖"对QQ软件的检查得分的规则与标准无法进行详细说明	a34 贬损竞争对手达到增强自身交易机会、竞争优势的目的	
35	2017年2月，高德诉E不正当竞争案，高德认为E伙同M公司、公司离职员工胡先生，拉拢掌握核心机密的6名员工跳槽，侵犯其商业秘密，构成不正当竞争	a35 采用拉拢竞争对手员工的手段获取商业秘密	A12 侵犯商业秘密(a35、a36)
36	网络系统中不可避免地存在一些漏洞，这些漏洞会给信息系统造成一定的安全隐患，很多不法竞争者受利益驱使就会利用技术手段获取竞争对手的商业秘密，极大地损害了经营者的利益	a36 受利益驱使，利用技术窃取竞争对手商业秘密	

资料来源：中国裁判文书网(https://wenshu.court. gov.cn/)及相关资料。

通过上述开放性编码分析得出互联网信息服务业不正当竞争行为大致有如下12类：恶意排斥、恶意篡改、恶意诱导、阻碍安装、盗链、流量劫持、山寨抄袭、恶意抢注域名、恶意插标、虚假宣传、商业诋毁、侵犯商业秘密。这12类基本囊括了现阶段互联网信息服务业中所有的不正当竞争行为。

2. 主轴性编码

主轴性编码主要是以开放性编码的结果为基础，通过分析条件、现象、脉络及结果这一典型模型，将开放性编码中所得的概念、范畴等紧密联系，最终得出具有代表性的主范畴(Juliet，1997)[2]。本节按照该典型模型对开放性编码所得的36个概念、12个范畴加以分析总结，最终得到如下4个主范畴：恶意不兼容、恶意搭便车、虚假信息、违背商业道德。主轴性编码分析过程见表4.3，具体的主轴性编码结果见表4.4。

表4.3 主轴性编码形成的主范畴

主范畴	条件	现象	脉络	结果
恶意不兼容	A1 恶意排斥 A2 恶意篡改 A3 恶意诱导用户 A4 阻碍安装	a1 不顾用户利益，强迫用户做选择；a3 擅自修改用户默认设置；a4 为达到推广目的，无视用户意愿；a6 篡改下拉提示词，干扰用户对软件的正常使用；a9 利用技术手段恶意提示诱导用户删除竞争对手产品；a10 通过修改竞争对手软件注册信息、阻碍正常安装下载运行、弹窗警示等方式干扰他人；a11 采取破坏性手段阻碍用户安装	无视用户意愿，强迫用户做选择，通过擅自修改用户设置、利用技术手段阻碍用户安装、提示用户删除竞争对手的产品，修改竞争对手软件注册表信息、干扰用户对软件的正常使用，从而造成恶意排斥、恶意篡改、恶意诱导用户、阻碍安装等行为。	互联网信息服务业的恶意不兼容主要体现为恶意排斥、恶意篡改、恶意诱导用户、阻碍安装等行为。

续表

主范畴	条件	现象	脉络	结果
恶意搭便车	A5 盗链 A6 流量劫持 A7 山寨抄袭 A8 恶意抢注域名	a12 无许可情况下，盗链同性质网站的原创或享有著作权的内容；a13 免费为用户提供观看途径，窃取正版视频网站流量；a14 为占领市场利用他人平台宣传推广自身同类产品；a15 利用技术手段在较为知名的网站上弹窗显示广告为自身做宣传；a18 利用自身优势工具地位，不合理设置以不当方式争夺其他企业的商业机会；a20 利用技术替换他人客户端为自身谋求利益；a21 直接免费利用他人成果获取利益，给对方造成了巨大损失；a22 借助其他企业的商誉，将其他企业的客户吸引进自己企业，造成混淆；a23 不当模仿他人域名、网站 Logo 等；a26 擅自使用在先注册的域名	在未经用户许可时，免费使用他人原创同类产品以分流，通过为用户免费提供获取其他网站资源的途径、利用技术在他人平台设置弹窗广告以推广自身同类产品、不当模仿使用他人域名等来吸引用户，从而达到盗链、流量劫持、山寨抄袭、恶意抢注域名等行为。	互联网信息服务业恶意搭便车不正当竞争主要体现为盗链、流量劫持、山寨抄袭、恶意抢注域名等行为。
虚假信息	A9 恶意插标 A10 虚假宣传	a27 为获取利益有针对性的标注别人的安全网址；a29 为达目的过分夸大自身产品的性能，迷惑用户；a31 企业为获取利益，采用删除不利评价、刷单等手段提升自身信誉	通过有针对性的标注别人的安全网址、过分夸大自身产品的性能、采取删除不利评价、刷单等手段提升自身信誉、迷惑用户以获取利益，这即是恶意插标、虚假宣传等行为的体现。	互联网信息服务业的虚假信息主要体现在恶意插标、虚假宣传等行为上。
违背商业道德	A11 商业诋毁 A12 侵犯商业秘密	a32 捏造、散布虚假消息贬损竞争对手的商誉；a35 采用拉拢竞争对手员工的手段获取商业秘密；a36 受利益驱使，利用技术手段窃取竞争对手商业秘密	通过捏造散布虚假消息贬损竞争对手的商誉、采用拉拢竞争对手员工或利用技术手段获取竞争对手商业秘密等是商业诋毁、侵犯商业秘密行为的体现。	互联网信息服务业中体现违背商业道德的主要行为有商业诋毁、侵犯商业秘密。

表 4.4　主轴性编码结果

主范畴	范畴
恶意不兼容	恶意排斥 恶意篡改 恶意诱导用户 阻碍安装
恶意搭便车	盗链 流量劫持 山寨抄袭 恶意抢注域名
虚假信息	恶意插标 虚假宣传
违背商业道德	商业诋毁 侵犯商业秘密

3. 选择性编码

选择性编码是在主轴性编码的基础上对副范畴与主范畴的关系加以详细阐述[3]，本节最终得出如下 4 类主范畴：恶意不兼容主范畴、恶意搭便车主范畴、虚假信息主范畴、违背商业道德主范畴。

⑴恶意不兼容主范畴。其主线为在互联网信息服务业中，通过恶意排斥、恶意篡改、恶意诱导用户、阻碍安装等不正当竞争行为对竞争对手的产品实施不兼容，从而获取不当利益。

⑵恶意搭便车主范畴。其主线为在互联网信息服务业中实施盗链、流量劫持、山寨抄袭、恶意抢注域名等不正当竞争行为，从而达到利用他人的产品或市场地位以获取不当利益的目的。

⑶虚假信息主范畴。其主线为在互联网信息服务业中进行恶意插标、虚假宣传等不正当竞争行为以获取利益。

⑷违背商业道德主范畴。其主线为通过实施商业诋毁、侵犯商业秘密等行为以获取不当利益。

对于上述开放性编码所得的 12 种范畴，首先将其分为互联网信息服务业新型不正当竞争和传统不正当竞争行为在互联网信息服务业中的延伸。对于互联网信息服务业新型不正当竞争，根据互联网信息服务业不正当竞争的特点，将其分为跨领域竞争和非跨领域竞争，再结合上述运用扎根理论的开放性编码、主轴性编码和选择性编码所得的分类结果：恶意不兼容、恶意搭便车、虚假信息、违背商业道德，最终梳理得出互联网信息服务业不正当竞争行为，如图 4.1 所示。

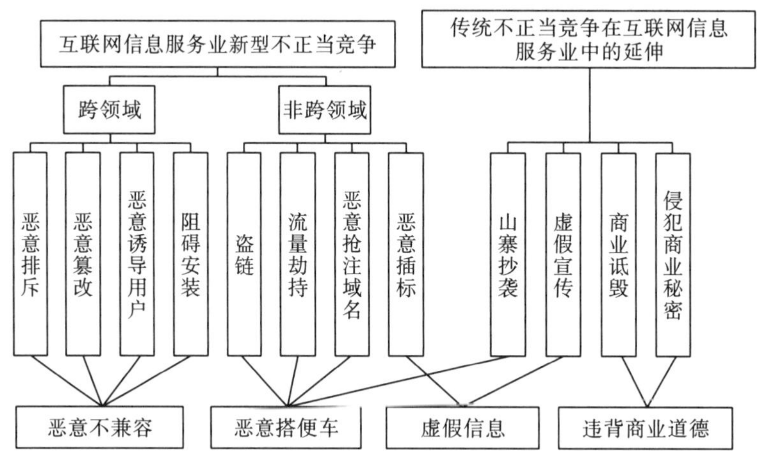

图 4.1　互联网信息服务业不正当竞争类型划分图

4.2　跨领域竞争的形成与实现方式

4.2.1　企业跨领域竞争的原因

1. 行业的快速发展

1）互联网经济的蓬勃发展

早在互联网出现之前，中国的经济增长依靠钢铁、煤炭等传统行业来支撑，但由于受到市场环境、资源储备等方面的限制，当前我国传统能源产业的增加值复合增速维持在较低水平。伴随互联网信息技术以及个人计算机在中国的广泛普及，中国正逐渐向数字化转型迈向新型互联网时代，为每天高达数百万次的网上交易和日常沟通交流提供平台，因此，互联网行业的迅速发展对中国经济起到了重要的推动作用[4]。

2) 互联网业务领域的丰富发展

随着“互联网+”模式的到来以及网络信息技术的不断发展，人们对互联网的服务需求更加多样化，使得互联网行业内的服务领域不断丰富和发展，由传统的即时通信、搜索引擎等业务领域不断细分，各种应用层出不穷，为企业进行跨领域竞争提供了广阔的操作空间。通过对历年来发布的《中国互联网络发展状况统计报告》中的相关数据进行梳理分析，我们可以清晰地看到互联网行业中不同业务领域的发展态势，下面我们选取互联网行业中具有代表性的业务领域加以说明，2010～2021 年各业务领域的用户规模发展趋势如图 4.2 所示。

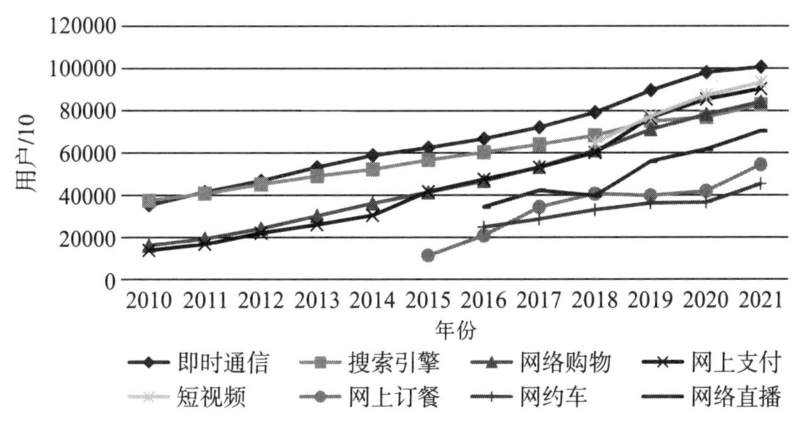

图 4.2　2010～2021 年互联网行业代表业务领域用户规模发展趋势

资料来源：根据 CNNIC 第 25～44 次中国互联网络发展状况统计报告整理

2. 企业创新发展的内在驱动

1) 经济效益方面

互联网企业早期通常只经营一个业务领域，而随着互联网市场的繁荣，加之单一领域内的利润上限，企业已不再仅仅满足于其在核心业务领域内的盈利空间而选择拓宽自身的业务经营范围以获得更大的经济效益。因此，互联网信息服务企业在希望获得更多利润，并保证企业多元化经营的基础上，将公司的发展战略从单领域向跨领域转变[5]。

2) 市场战略方面

随着互联网市场竞争激烈程度的不断加剧，为了维护自身的稳定性，增强抗风险能力，越来越多的企业选择拓宽自身的业务领域范围，实施多元化的经营战略，这在一定程度上也导致企业选择向其他领域进行业务渗透，从而发生跨领域竞争行为。

3. 用户价值的深度挖掘

大量的用户群体为企业创造了巨大的市场需求，而用户的需求呈现多样化、差异化的特点，互联网信息服务企业在自身核心业务领域积累大量忠实用户后如果仅仅在单一的业务领域内谋求发展，企业收益增长速率将会有所放缓，面对这种情况，企业往往会选择向新的业务领域进行渗透，挖掘自身产品用户在其他业务领域的需求价值。

因此互联网信息服务企业为了获取更大的用户价值，往往会选择拓宽业务范围，依托自身核心产品已有的强大用户基数，利用用户黏性实现忠实用户从自身核心业务领域向其他业务领域的转移，进而实现在新业务领域内的快速发展，实现公司业务的多元化经营以获取更大的经济效益。

4. 技术的快速进步

互联网信息服务业的快速发展很大一部分得益于互联网技术的高速发展，现今对互联网行业发展影响较大的技术主要包括以下三种。

1)物联网

物联网技术的发展使得现实世界中的物品与计算机上的虚拟世界相连，创造出信息沟通交换的新方式，并衍生出智能感知、识别技术等新的技术业务领域，拓宽互联网信息服务企业的业务经营范围，为企业跨领域发展提供基础。同时，物联网技术的发展使互联网行业内的各种技术相互联系，使得行业内的企业能够更加便利地进行跨领域发展。

2)大数据

大数据技术的发展使得互联网信息服务企业能够搜集上传自身原有领域的用户信息、数据，更好地分析用户的消费偏好、用户习惯并预测用户在未来一个阶段的消费需求，让互联网信息服务企业更加有效地选择新的领域，为互联网信息服务企业选择跨领域竞争提供参考。

3)云计算

云计算技术的发展可以使运算能力大幅度提升，互联网信息服务企业通过对自身产品用户的日常数据进行搜集，获得大量的数据信息，而云计算可以帮助企业对所搜集到的数据进行分析，并得到有用信息，帮助企业进行公司战略的调整，以谋求长久发展。

4.2.2 企业竞争方式的演变过程

1. 单领域竞争

单领域竞争主要是指企业在自己所处的领域内进行的一系列商业活动，以提升自身的知名度，并进行同质产品或者功能相近产品的销售。自从商业经济发展以来，单领域竞争一直是所有企业必须经历的一个时期，而且决定企业未来市场地位以及竞争力水平的往往也正是这一领域的竞争。随着竞争的日趋激烈，企业要么在该领域立足下来，进行持续的战略发展，并不断牟利；要么就在与其他企业的竞争过程中，由于财力、人力或者管理等方面的原因，在同行中竞争力水平不断下滑，直至被淘汰。所有企业的发展都会经历单领域发展时期，互联网行业中企业众多，业务细分程度也更加突出，各领域内竞争异常激烈[6]。

2. 跨领域竞争

在互联网行业的各个细分领域，企业之间的竞争都趋于白热化，由于互联网的网络外部性等特点，使得行业内的跨领域竞争也逐渐成为常态。腾讯起初是专做即时通信软件的，随后基于 QQ 这一聊天软件，进行附加产品的销售，如 QQ 装扮、QQ 飞车等；而阿里巴巴成立初期也只是在电子商务领域进行产品的销售，基于淘宝这一电商平台进行产品的营销。但是，随着互联网的高速发展，以及企业间利润空间的不断压缩，互联网信息服务企业间的界限也越来越模糊，不断有企业开始采取跨领域竞争的方法来获取访问流量与顾客，如腾讯在文化产业入资华谊，在电子商务领域携手 58 同城与妈妈网等，在互联网金融领域开发定投宝、微众银行等业务模式，在互联网 O2O 领域与糯米网、百度钱包、91 无线等企业进行合作，在旅游业与同程和艺龙等网站进行合作。

综合来看，互联网信息服务业发展前期各企业主要依靠自身核心业务来吸引用户，占领相应业务领域的市场份额获取收益，市场行为主要发生在与自身核心业务领域相同的企业之间，属于单领域竞争的范畴，而随着互联网信息服务业发展的不断成熟，信息技术的发展使得不同业务领域之间的界限逐渐淡化，加之单一领域内人口红利的逐渐消失，使得企业在原有核心领域内的收益增长速度逐渐放缓，越来越多的互联网信息服务企业选择拓宽自身的业务经营范围，谋求企业在其他业务领域内的收益。此时互联网信息服务业市场行为已不再局限于单领域范围，而往往发生在不同业务领域的企业之间，从而使互联网信息服务业市场行为实现了从单领域竞争向跨领域竞争的转变。

4.2.3　跨领域竞争的实现方式

互联网信息服务企业在进行跨领域竞争时，采取的主要竞争方式为附随扩散，即在自身原有领域用户量的基础上，增加新的功能或者将老用户引入新的领域来达到跨领域的目的，从而更大程度地发挥用户价值，获得巨额利润。本节将通过对腾讯 QQ 与 QQ 空间的用户量进行搜集统计，并建立附随扩散模型来进行验证，最终说明互联网信息服务企业在扩领与竞争过程中确实存在附随扩散行为。

1. 附随扩散模型的建立

附随扩散的基础模型即 Bass 模型，是由 Frank M. Bass 在 1969 年提出的，这里提到的 Bass 模型如下：

$$N(t)=mF(t)=m\left[\frac{1-\mathrm{e}^{-(p+q)^t}}{1+\frac{q}{p}\mathrm{e}^{-(p+q)^t}}\right] \tag{4.1}$$

式中，m 表示所有采用者的总数，也就是该领域内市场的最大容量；$N(t)$ 表示 t 时间累计达到的采用者人数；$F(t)$ 表示 t 时间采用者的比例，即从产品扩散开始的 0 到 t 时间的累计采用者占全部采用者的比例；p 和 q 分别表示创新系数与模仿系数。

学者 Peterson 和 Mahajan 提出建立产品的附随扩散模型时，很容易出现参数估计难度大从而降低准确度的问题，因而其后也有部分学者根据不同的研究方面，对附随扩散模型的参数进行了重新调整。

根据附随扩散模型，将企业的产品分为两类：核心产品与延伸产品。$F_1(t)$ 表示 $(0,t)$ 时间内核心产品累计采用者占总全部采用者的比例；$F_2(t)$ 表示 $(0,t)$ 时间内延伸产品累计采用者占全部采用者的比例；m_1 和 m_2 分别表示核心产品与延伸产品的市场容量；p_1 和 p_2 分别表示核心产品与延伸产品的创新系数；q_1 和 q_2 分别表示核心产品与延伸产品的模仿系数；$N_1(t)$ 和 $N_2(t)$ 分别表示 $(0,t)$ 时间内核心产品与延伸产品的累计采用者数量。

在任何一个时间段内，核心产品的累计采用者数量 $N_1(t)$ 都应该是其延伸产品在 t 时刻的市场容量 m_2，基于此延伸产品的市场容量随时间的变化关系函数为

$$m_2=N_1(t)$$

因此，在此基础上，可以建立核心产品与其附随产品的扩散模型为

$$N_1(t)=m_1F_1(t) \tag{4.2}$$

$$N_2(t)=m_2F_2(t) \tag{4.3}$$

由于附随产品在扩散时间上的不同，使得其在扩散的过程中会出现两种可能。

(1) 延伸产品附随核心产品的扩散无时间差，即

$$m_2=N_1(t)=m_1F_1(t)$$

所以

$$N_2(t)=m_1F_1(t)F_2(t) \tag{4.4}$$

(2) 延伸产品附随核心产品的扩散有时间差 σ，即

$$m_2=N_1(t+\sigma)=m_1F_1(t+\sigma)$$

所以

$$N_2(t)=m_1F_1(t+\sigma)F_2(t) \tag{4.5}$$

其中，$F_1(t+\sigma)=\dfrac{1-\mathrm{e}^{-(p_1+q_1)(t+\sigma)}}{1+\dfrac{q_1}{p_1}\mathrm{e}^{-(p_1+q_1)(t+\sigma)}}$。

这两种附随扩散方式在现实生活中均有体现，没有时间差的扩散方式是一种特殊的情况，而在互联网领域由于附随产品的出现往往要滞后其所依赖的核心产品，因此是一种存在时间差的扩散方式。这种扩散方式可以通过曲线图进行简单描述，如图 4.3 所示。

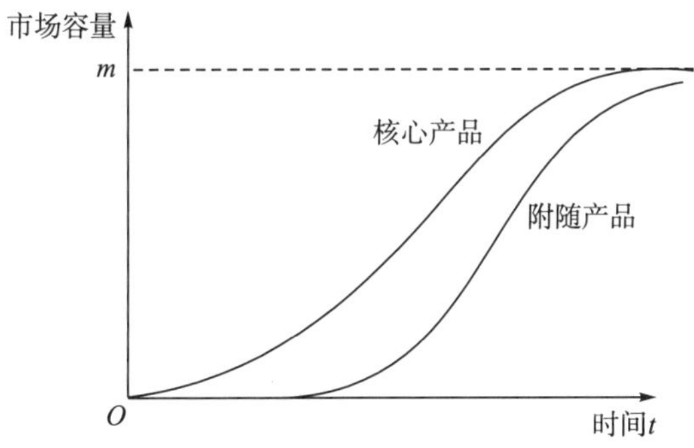

图 4.3　核心产品与附随产品的扩散关系

通过对比两条函数曲线，我们不难发现附随产品的函数图像呈 S 形，其走势相对于核心产品更加陡峭，且核心产品与附随产品最终都会趋于相同的市场容量，也就是说附随产品最终的市场容量是由其所依赖的核心产品决定的，当 t 趋于无限大时，核心产品的市场容量将无限趋于核心产品的采用者累计量。因此，在附随扩散模型中，随着时间的增加，相比核心产品，附随产品的数量会随着时间更快地增加，最终两者的数量将会达到一个共同值[7]。

2. 附随扩散的实证研究

目前互联网信息服务业内所涉及的领域众多，不同领域内的产品也多种多样。为了使研究具有代表性，我们选取在该领域内用户最多、起步最早的即时通信领域来进行研究，涉及的产品为腾讯公司旗下的 QQ 即时通信与 QQ 空间两款产品。通过对腾讯公司的财务报表进行搜集整理，得到腾讯 QQ 即时通信与 QQ 空间的历年用户数据，通过构建附随扩散模型，研究 QQ 即时通信与 QQ 空间之间所存在的附随扩散关系。

1) 数据选取

本部分以腾讯公司的各季度财务报表为基础，通过整理得到每半年 QQ 即时通信与 QQ 空间的用户量来进行实证分析。在这个过程中，QQ 空间以 QQ 即时通信为基准，对原有用户量进行转移与锁定，以获得另一领域的强大用户量。腾讯公司通过以 QQ 即时通信为平台，并在该平台上提供新的产品——QQ 空间，以向用户提供新服务，其存在明显的附随扩散关系，因此这里我们将这两款产品的用户量作为研究对象进行模型分析。

QQ 即时通信与 QQ 空间的用户量数据均来自腾讯公司官方的财务报表，经整理可得表 4.5。

表 4.5 QQ 即时通信与 QQ 空间用户数据

年月	QQ 即时通信用户数据		QQ 空间用户数据	
	时间 t/半年	用户人数/亿户	时间 t/半年	用户人数/亿户
2004.12	16	1.35	—	—
2005.06	17	1.731	—	—
2005.12	18	2.019	—	—
2006.06	19	2.242	—	—
2006.12	20	2.362	—	—
2007.06	21	2.732	—	—
2007.12	22	3.002	—	—
2008.06	23	3.419	7	1.26
2008.12	24	3.766	8	1.501
2009.06	25	4.48	9	2.283
2009.12	26	5.229	10	3.878
2010.06	27	6.125	11	4.585
2010.12	28	6.476	12	4.92
2011.06	29	7.109	13	5.307
2011.12	30	7.21	14	5.521
2012.06	31	7.836	15	5.976
2012.12	32	7.839	16	6.027
2013.06	33	8.185	17	6.264
2013.12	34	8.08	18	6.25
2014.06	35	8.29	19	6.45
2014.12	36	8.15	20	6.54
2015.06	37	8.375	21	6.635
2015.12	38	8.565	22	6.465
2016.06	39	8.88	23	6.50
2016.12	40	8.725	24	6.35
2017.06	41	8.555	25	6.19
2017.12	42	7.834	26	5.633
2018.06	43	8.032	27	5.483
2018.12	44	8.071	28	5.324
2019.06	45	8.079	29	5.535

数据来源：腾讯公司业绩报告（2004～2019）。

表中数据均为两款产品活跃用户的数量，活跃用户是指该账户每个月登录量至少一次的用户。在现实生活中，由于一个人往往拥有多个账户，因此这里选取活跃用户来分析扩散关系更具有准确性。根据之前的模型可知，企业在进行产品或技术的扩散时会存在两种方式，其一是不存在时间差的模型，其二是存在时间差的模型，而在本部分的例子中，QQ 即时通信与 QQ 空间不是同时出现的，后者较前者存在一个滞后期，所以属于第二种模型的情况。QQ 即时通信与 QQ 空间分别于 1998 年和 2005 年推入市场，而本书在时间结构上以半年为一个统计周期，因此两款产品的出现相差 14 个统计周期。根据方程(4.5)可知，附随产品与核心产品间的时间差为 $\delta=14$。

2)参数估计

由于 QQ 即时通信与 QQ 空间两款产品的推出时间不长，使得相关历史数据较少，而且研究对象的数据样本量均很小，所以对于使用哪种回归方法并没有统一结论。因此，本节根据应用的普及度来看，选择了非线性最小二乘法来作为统计分析的方法。

根据附随扩散模型方程(4.1)和方程(4.5)可知，m_1、p_1、q_1、p_2、q_2 五个参数均需要通过数据来进行估计。这里我们运用的工具是 SPSS 19.0 软件，通过建立非线性回归模型，并代入表 4.5 中的数据来进行非线性回归分析，得到如表 4.6 所示的分析结果。

表 4.6　参数估计结果

参数名称	估计结果
最大市场潜力 m_1	9.009
创新系数 p_1	0.002
模仿系数 q_1	0.075
创新系数 p_2	0.003
模仿系数 q_2	0.002
可决系数 R^2	0.994
残差平方和	1.035

根据统计结果，可决系数 $R^2=0.994$，很接近于 1，而且数据的残差平方和为 1.035，也很小，所以该估计效果较好，相关非线性回归方程可以对当前数据进行有效拟合，因此说明互联网信息服务行业确实存在附随扩散的跨领域竞争行为。

4.3　不正当竞争产生的机理分析

4.3.1　不正当竞争的诱因

1. 用户因素

足够体量的用户基数是企业选择跨领域竞争的主要原因之一，在此基础上开拓新领域市场已成为企业在新领域竞争时的主要手段和途径。但由于用户市场在近几年趋于饱和，人口红利渐渐消失，用户基数的增长在短时间里容易接近极限，导致企业通过不正当竞争的方式争夺用户量。与此同时，进入企业与在位企业存在企业之间用户交叉的现象，加剧了不正当竞争行为的产生。

2. 技术因素

技术是互联网信息服务业不正当竞争产生的另一重要因素。信息技术的快速发展，使得网络经营者可选择投入低廉、获利丰厚的技术手段实施网络不正当竞争，如通过网络入侵窃取其他经营者的商业和技术机密。采用高科技手段实施网络不正当竞争，隐蔽性极强，既难以迅速被竞争对手发现，又容易逃避司法追究，这种技术发展带来的便利性往往被一些别有所图的公司利用，以实施自己的不正当竞争行为。

3. 经济因素

互联网企业选择守法经营，但在短期内所获取的利益无法与实施不正当竞争手段所获取的利益相比较，后者收益较前者更为可观，尤其是在不正当竞争行为不易被监管部门发现和取证以及处罚力度与所获收益差距过大等原因之下，某些企业不惜以身试法，试图通过行使不正当竞争手段的方式，获取不正当但极具诱惑力的竞争利益。

4. 法律与监管

在规范市场行为的过程中，法律与监管是相辅相成、缺一不可的关系，只有在法律的约束下，才能建立规范的市场竞争体系，但是法律的滞后性作为一条不可回避的短板，使得其针对的调整对象不能囊括所有的不正当竞争行为，导致某些不正当竞争行为的监管无法可依、无章可循。在监管方面，目前我国关于互联网行业的监管仍然存在诸多问题，如发现问题难、监管责任重叠、行政手段单一等短板，如不能尽早解决，将会对我国互联网行业的健康有序发展造成一定的影响。

4.3.2 在位企业与进入企业的博弈

1. 进入企业与在位企业分析

进入企业也被称为后进入市场者，与在位企业的区别主要体现在行业市场地位与进入时间上面。当前研究中提到的进入企业主要是指较晚进入一个相对成熟的市场的企业，同时相较于在位企业，进入企业的实力较弱。本节模型中所研究的进入企业除上述所指的范围之外，还包括那些进入某一市场相对较晚，但具有一定实力的企业，其进入方式主要依靠产品附随扩散，即利用其核心产品所拥有的稳定用户数，跨领域进入某一新领域，此时由于网络外部性、用户黏性等原因，新产品更容易被接受，占据市场份额。

在位企业多指进入市场较早，并且在市场中占据了一定主导地位的、实力较强的企业，如微软在操作系统市场、腾讯在即时通信市场的地位，它们通常有以下四种特征：①企业实力较强，在行业中处于领先地位；②在当前市场中拥有数量较多的使用者；③相关技术较为成熟，甚至形成了标准垄断；④企业业绩良好，处于稳步上升阶段。本节模型中所研究的在位企业即指满足上述条件的互联网信息服务企业，拥有稳定用户数，实力较强，其相较于进入企业而言，初期占有更多的市场份额。

2. 不正当竞争产生的演化博弈模型

1）模型假设

假设 1：模型研究范围为具有网络外部性的互联网信息服务业市场。根据附随扩散的主体特征，将市场上的企业划分为两类——进入企业和在该领域的在位企业，且企业双方并非完全理性。进入企业指的是通过产品附随扩散进入某一领域的互联网信息服务企业，其相对于已经在该领域的在位企业而言，占有更少的市场份额，进入企业经过一段时间的发展，可以选择与在位企业进行正常合作兼容，正常竞争；或采取非常规的竞争策略，以一些不正当手段，如软件干扰、虚假宣传、商业诋毁和搭便车等，获取市场份额，故将其策略集定为｛合作，竞争｝。同样地，在位企业也可以选择与进入企业合作兼容，合法竞争，或者选择不正当竞争，排挤进入企业，故其策略集也为｛合作，竞争｝。

假设 2：企业附随扩散进入目标领域，前期会稳定发展一段时间，达到一定程度与在位企业发生合作或者竞争关系，通过前一段时间的积累，进入企业拥有一部分收益 π_1，由于互联网企业具有明显的网络外部性特征，而网络外部性又与 $\pi_1 = n_1 r_1$ 用户数呈正相关关系[7]，不妨利用用户数量来表示进入企业的初始收益量。表示为 $\pi_1 = n_1 r_1$，其中 n_1 为进入企业前期积累的用户数，也可以理解为进入企业从原领域转移过来的用户数，r_1 表示进入企业由于用户数量导致的收入转化系数。同理，在位企业的用户基数所引起的收益可以表示为 $\pi_2 = n_2 r_2$，n_2 表示在位企业的用户数量，r_2 表示在位企业用户数量所导致的收入转化系数。

假设 3：当进入企业与在位企业双方都是合作时，会出现合作成本 C，此时双方以一定比例分摊合作成本。进入企业承担 αC 的合作成本，在位企业承担 $(1-\alpha)C$ 的合作成本，同时，进入企业的用户量会增加，在位企业的用户量可能增加，可能减少，也可能不变。以 n_3 表示进入企业增加的用户量，以 $kn_3 (k \in R)$ 表示在位企业变化的用户量。

假设 4：进入企业与在位企业策略不一致时，选择采取主动竞争策略的企业将从对手企业处获得额外的用户数量 N，在市场用户规模既定的情况下，采取合作策略的企业相应损失掉 N 的用户数，由于不同的企业对于单位用户所获得的单位利润与单位成本的不同，故这部分损失或获取的收益 S[（单位利润-单位成本）$\times N$] 也不相同[8]。其中，由于 S 指采取合作策略的企业所损失的收益和采取竞争策略的企业所获得的收益，不妨将其称为合作风险。假设进入企业的合作风险 $S=S_1$，在位企业的合作风险 $S=S_2$。

假设 5：当双方企业都选择竞争时，会各自产生竞争成本 T_1 和 T_2。同时由于最终的竞争结果多样，导致用户量在企业之前流动。当一方企业增加 $|h\Delta n|$（其中 $-1 \leqslant h \leqslant 1$）的用户量时，另一方企业相应减少 $|h\Delta n|$ 的用户量。

上述假设中相关参数的含义见表 4.7。

表 4.7 相关参数解释

参数符号	参数意义
n_1	进入企业前期积累的用户数量以及从原领域转移过来的用户数量
n_2	在位企业的用户数量
r_1	进入企业用户数量导致的收入转化系数
r_2	在位企业用户数量导致的收入转化系数
π_1	进入企业基础收益，$\pi_1 = n_1 r_1$
π_2	在位企业基础收益，$\pi_2 = n_2 r_2$
C	合作成本
α	进入企业合作成本分摊比例
$1-\alpha$	在位企业合作成本分摊比例
n_3	合作后，进入企业增加的用户量
kn_3	在位企业变化的用户量（$k \in R$）
S_1	进入企业的合作风险
S_2	在位企业的合作风险
T_1	在位企业竞争成本
T_2	进入企业竞争成本
$\lvert h\Delta n \rvert$	竞争后，用户量的转移 $-1 \leqslant h \leqslant 1$

基于假设，可以构建出互联网信息服务企业阶段博弈的支付矩阵，见表 4.8。

表 4.8 互联网信息服务企业阶段博弈的支付矩阵

进入企业	在位企业	
	合作(y)	竞争($1-y$)
合作(x)	$(n_1+n_3)r_1-\alpha C$，$(n_2+kn_3)r_2-(1-\alpha)C$	$n_1r_1-\alpha C-S_1$，$n_2r_2-T_2+S_2$
竞争($1-x$)	$n_1r_1-T_1+S_1$，$n_2r_2-(1-\alpha)C-S_2$	$(n_1-h\Delta n)r_1-T_1$，$(n_2+h\Delta n)r_2-T_2$

2)模型构建

假设进入企业群体 A 中选择与在位企业合作策略的比例为 x，则选择竞争策略的比例即为 $1-x$；同理，确定了在位企业群体 B 采取合作策略与竞争策略的比例分别为 y 和 $1-y$。基于上述假设，得到进入企业群体 A 与在位企业群体 B 的复制动态方程以模拟该有限理性重复博弈过程。

进入企业群体 A 方面，选择采取合作策略时，其期望收益 U_{A1} 为

$$U_{A1} = y\left[\left(n_1 + n_3\right)r_1 - \alpha C\right] + (1-y)\left(n_1 r_1 - \alpha C - S_1\right) \tag{4.6}$$

选择采取竞争策略时，其期望收益 U_{A2} 为

$$U_{A2} = y\left(n_1 r_1 - T_1 + S_1\right) + (1-y)\left[\left(n_1 - h\Delta n\right)r_1 - T_1\right] \tag{4.7}$$

进入企业群体 A 的平均期望收益 $\overline{U}_A$ 为

$$\overline{U}_A = xU_{A1} + (1-x)U_{A2} \tag{4.8}$$

由此可得到进入企业群体 A 的复制动态方程：

$$F(x) = \frac{\mathrm{d}x}{\mathrm{d}t} = x\left(U_{A1} - \overline{U}_A\right) = x(1-x)\left[y\left(n_3 r_1 - h\Delta n r_1\right) - \alpha C - S_1 + h\Delta n r_1 + T_1\right] \tag{4.9}$$

在位企业群体 B 方面，选择采取合作策略时，其期望收益 U_{B1} 为

$$U_{B1} = x\left[\left(n_2 + kn_3\right)r_2 - (1-\alpha)C\right] + (1-x)\left[n_2 r_2 - (1-\alpha)C - S_2\right] \tag{4.10}$$

选择采取竞争策略时，其期望收益 U_{B2} 为

$$U_{B2} = x\left(n_2 r_2 - T_2 + S_2\right) + (1-x)\left[\left(n_2 + h\Delta n\right)r_2 - T_2\right] \tag{4.11}$$

在位企业群体 B 的平均期望收益 $\overline{U}_B$ 为

$$\overline{U}_B = yU_{B1} + (1-y)U_{B2} \tag{4.12}$$

由此可得到在位企业群体 B 的复制动态方程：

$$G(y) = \frac{\mathrm{d}y}{\mathrm{d}t} = y\left(U_{B1} - \overline{U}_B\right) = y(1-y)\left[x\left(kn_3 r_2 + h\Delta n r_2\right) - C + \alpha C - S_2 - h\Delta n r_2 + T_2\right] \tag{4.13}$$

分别令 $F(x)=0$，$G(y)=0$，可以得到：在平面 $N=\{(x,y);0\leqslant x,y\leqslant 1\}$ 上，互联网信息服务企业间的策略博弈有 5 个局部均衡点，分别是 $O(0,0)$、$A(1,0)$、$B(1,1)$、$C(0,1)$ 和鞍点 $D(x_D,y_D)$。其中，$x_D = \dfrac{C - \alpha C + S_2 + h\Delta n r_2 - T_2}{kn_3 r_2 + h\Delta n r_2}$，$y_D = \dfrac{\alpha C + S_1 - h\Delta n r_1 - T_1}{n_3 r_1 - h\Delta n r_1}$。

当 t 趋于无穷大时，对于企业而言，如果采取的某一种策略选择在长期内是趋于稳定的，则其应对微小的扰动具有持续稳定的性质，即如果 x^* 点为 ESS，那么该 x^* 使得某些进入企业和在位企业即使选择了不相同的策略，最终的稳定点也会回到该点。反映这一过程的数学表达如下：当 $F(x)=0$，$F'(x)<0$ 时，x^* 为演化稳定策略。根据这一性质，我们对进入企业和在位企业的演化稳定策略进行讨论。

3) 模型分析

对 $F(x)$ 求导，得

$$F'(x) = (1-2x)\left[y\left(n_3 r_1 - h\Delta n r_1\right) - \alpha C - S_1 + h\Delta n r_1 + T_1\right]$$

令 $F(x)=0$ 可得

$$x^* = 0,\ x^* = 1,\ y = y^* = \frac{\alpha C + S_1 - h\Delta n r_1 - T_1}{n_3 r_1 - h\Delta n r_1}$$

(1) 当 $F(x)=0$，$F'(x)=0$ 时，整个 x 水平都是稳定方向。其相位图如图 4.4 所示。

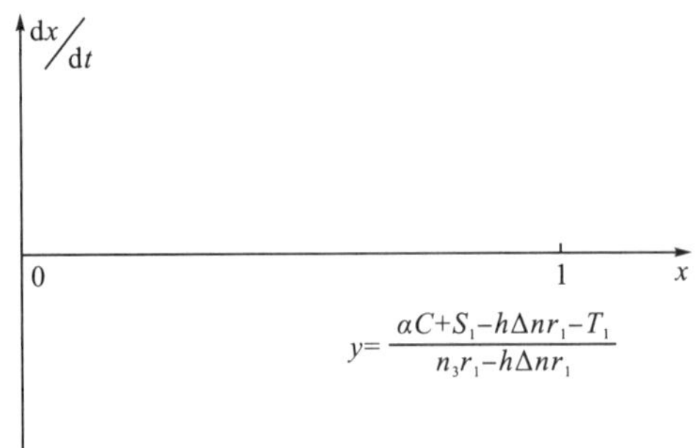

图 4.4　进入企业稳定策略演化相位图(1)

(2) 当 $y>y^*=\dfrac{\alpha C+S_1-h\Delta nr_1-T_1}{n_3r_1-h\Delta nr_1}$ 时，$x^*=0$，$F(x)=0$，$F'(x)>0$；$x^*=1$，$F(x)=0$，$F'(x)<0$。此时，$x^*=1$是全局唯一的演化稳定策略(ESS，相位图如图 4.5 所示)。说明在位企业选择合作策略的概率逐渐增加到大于某一阈值时，对于进入企业而言其最优策略选择也是合作。

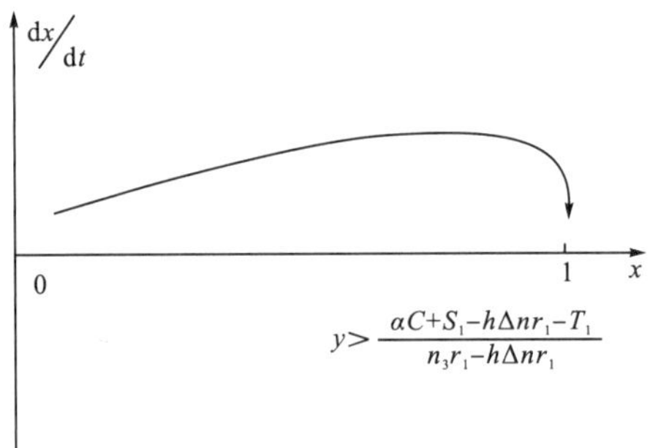

图 4.5　进入企业稳定策略演化相位图(2)

(3) 当 $y<y^*=\dfrac{\alpha C+S_1-h\Delta nr_1-T_1}{n_3r_1-h\Delta nr_1}$ 时，$x^*=0$，$F(x)=0$，$F'(x)<0$；$x^*=1$，$F(x)=0$，$F'(x)>0$。此时，$x^*=0$是全局唯一的演化稳定策略(ESS，相位图如图 4.6 所示)。说明在位企业对进入企业选择不正当竞争的概率达到一定阈值后，进入企业将最终选择不正当竞争的战略决策。

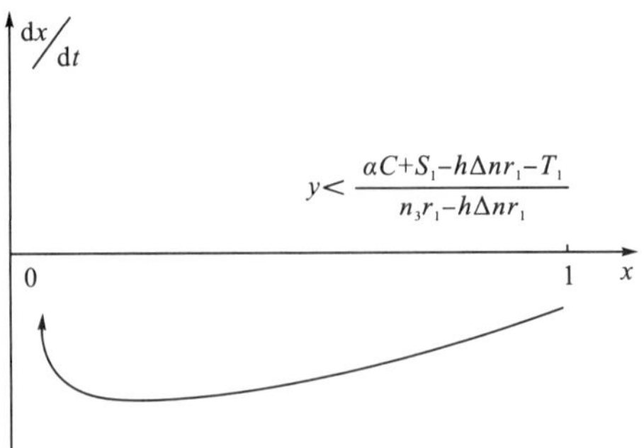

图 4.6　进入企业稳定策略演化相位图(3)

用类似的分析方法对在位企业的战略选择进行稳定性分析，在位企业的复制动态微分方程如下。

对 $G(y)$ 求导，得

$$G'(y)=(1-2y)\left[x\left(kn_3r_2+h\Delta nr_2\right)-C+\alpha C-S_2-h\Delta nr_2+T_2\right]$$

令 $G(y)=0$，可得 $y^*=0$，$y^*=1$，$x^*=\dfrac{C-\alpha C+S_2+h\Delta nr_2-T_2}{kn_3r_2+h\Delta nr_2}$。同理，对在位企业的演化稳定策略进行讨论。

(1) 当 $x^*=\dfrac{C-\alpha C+S_2+h\Delta nr_2-T_2}{kn_3r_2+h\Delta nr_2}$ 时，$F(y)=0$，$F'(y)=0$，整个 y 水平都是趋于稳定的方向，其演化相位图如图 4.7 所示。

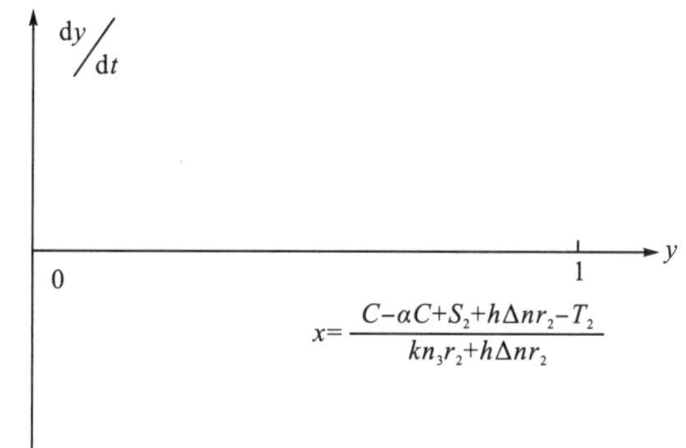

图 4.7　在位企业稳定策略演化相位图(1)

(2) 当 $x>x^*=\dfrac{C-\alpha C+S_2+h\Delta nr_2-T_2}{kn_3r_2+h\Delta nr_2}$ 时，$y^*=0$，$F(y)=0$，$F'(y)>0$；$y=1$，$F(y)=0$，$F'(y)<0$。此时，$y^*=1$ 是全局唯一演化稳定策略(ESS，相位图如图 4.8 所示)。说明当进入企业选择合作策略的概率逐渐增大至某一边界值时，在位企业的最优策略选择为合作。

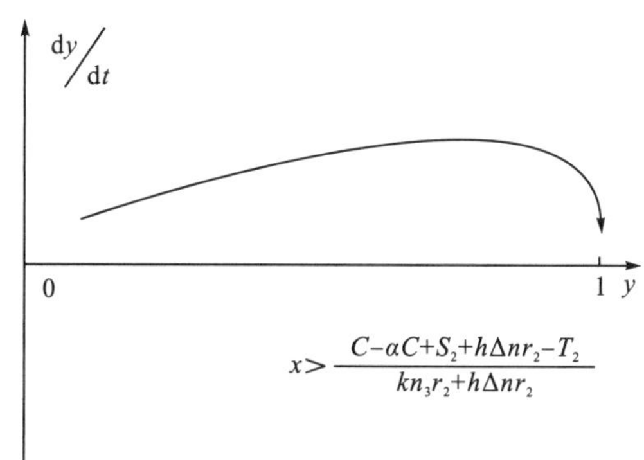

图 4.8　在位企业稳定策略演化相位图(2)

(3) 当 $x<x^*=\dfrac{C-\alpha C+S_2+h\Delta nr_2-T_2}{kn_3r_2+h\Delta nr_2}$ 时，$y^*=0$，$F(y)=0$，$F'(y)<0$；$y^*=1$，$F(y)=0$，$F'(y)>0$。此时，$y^*=0$ 是全局唯一演化稳定策略(ESS，相位图如图 4.9 所示)。

说明当进入企业选择合作策略的概率小于某边界值时，在位企业的最优策略选择为竞争。

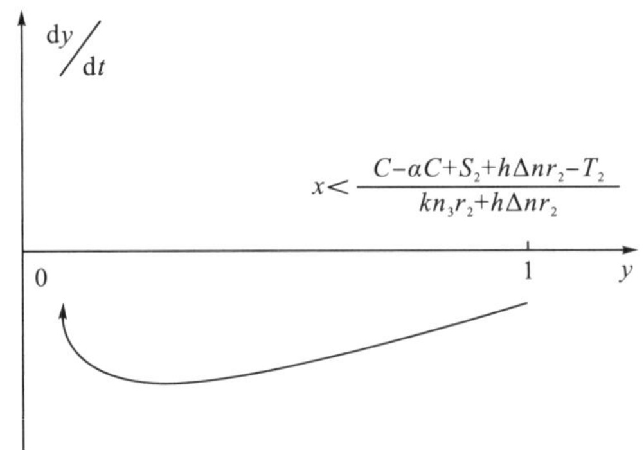

图 4.9 在位企业稳定策略演化相位图(3)

综合前文分析，将博弈双方的动态关系用一个二维平面坐标来表示，如图 4.10 所示。

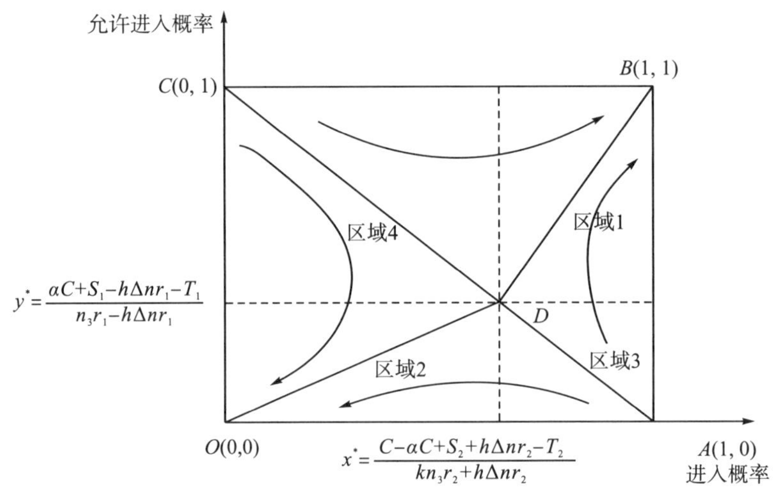

图 4.10 互联网信息服务业企业策略演化相位图

3. 进入企业具体参数分析

对于进入企业而言，$y^* = \dfrac{\alpha C + S_1 - h\Delta nr_1 - T_1}{n_3 r_1 - h\Delta nr_1}$ 中，由前文的分析可以得出：y^* 的减小可以促使进入企业选择合作策略，相反 y^* 的增大将促使进入企业选择竞争策略，据此可以得到以下结论。

(1)收益对进入企业演化稳定策略的影响。易求得 $\partial y^* / \partial n_3 r_1 < 0$，所以，互联网信息服务业企业进入市场后合作策略收益越高，其最终的选择将越倾向于选择合作策略。联系现实，互联网企业进入某一领域的市场之后，无论是从企业生存的角度，还是从企业未来发展的角度，都会将收益作为首要考虑要素，即进入企业受利益驱动而进行合作。然而，竞争之后的收益对于策略的选择在不同的情景下产生不同的结果。

情况 1：当$\alpha C + S_1 < T_1 + n_3 r_1$时，存在$\partial y^* / \partial(-h_\Delta n r_1) > 0$。当合作的成本与合作的风险小于竞争的成本与合作的收益值时，竞争收益对进入企业的策略选择产生正向影响，即竞争收益的增加使得进入企业更趋于选择竞争策略。

情况 2：当$y^* = \dfrac{\alpha C + S_1 - h\Delta n r_1 - T_1}{n_3 r_1 - h\Delta n r_1} > 1$，$\alpha C + S_1 > T_1 + n_3 r_1$时，存在$\partial y^* / \partial(-h_\Delta n r_1) < 0$。然而此时，由图 4.10 互联网信息服务业企业策略演化相位图可得，进入企业的最终演化稳定策略为竞争，即当合作的成本与合作的风险大于竞争的成本与合作的收益值时，进入企业的最终演化稳定点为竞争。联系实际，当进入企业面对较高的合作成本与合作风险，而只有较低的合作收益与竞争成本时，进入企业作为较理性的群体都会选择竞争策略。换而言之，当$\alpha C + S_1 < T_1 + n_3 r_1$这一前提提出之后，竞争策略所产生的收益已经不能作为影响进入企业策略选择的关键变量。

(2) 成本对进入企业演化稳定策略的影响。易求得$\partial y^* / \partial \alpha C > 0$，$\partial y^* / \partial T_1 < 0$，故互联网信息服务企业进入市场后的某种策略的成本越高，其最终越不倾向选择该种策略。联系实际，企业在做出策略选择时，收益作为考虑的第一要素。每种策略的成本也将作为重要决定要素。根据模型具体来说，当进入企业选择合作策略时，会与在位企业分摊一部分合作成本C；而当进入企业选择竞争策略时，会产生由于自身实力因素所决定的竞争成本T_1。若进入企业实力强劲，则相应的竞争成本较低，对应进入企业选择竞争策略的概率增大。

(3) 合作风险对进入企业演化稳定策略的影响。影响进入企业策略选择的还有另外一个重要因素，即进入企业的合作风险。进入企业的合作风险是指：当进入企业选择了合作策略，而在位企业却选择了竞争策略时，进入企业不仅不能得到合作成功的收益$n_3 r_1$，还会额外产生S_1的损失。求得$\partial y^* / \partial S_1 > 0$，即合作风险$S_1$越大，进入企业采取竞争策略的概率越大。合作风险的存在实际上是将进入企业的决策选择与在位企业联系在一起，由于合作风险的存在，使得进入企业在决定自身策略之前，也需要对在位企业的策略有一个预先的估计。联系实际，进入企业在做出策略选择时，首先充分考虑自己的每项收益与成本，同时也不得不考虑对手的选择会对自身带来的影响。

4. 在位企业具体参数分析

在$x^* = \dfrac{C - \alpha C + S_2 + h\Delta n r_2 - T_2}{k n_3 r_2 + h\Delta n r_2}$中，对于在位企业而言，$x^*$的减小能够使在位企业对进入企业采取合作兼容策略，$x^*$的增大则会导致在位企业对进入企业的不合作转而采取竞争行为，据此可以得到以下结论。

(1) 收益对进入企业演化稳定策略的影响。易求得$\partial x^* / \partial k n_3 r_2 < 0$，所以，在位企业的合作策略收益高，将会增加其选择合作策略的概率，即在位企业受利益驱动而进行合作。分析竞争收益对在位企业策略的影响，同样是在不同的情景下产生不同的结果。

情况 1：$C - \alpha C + S_2 < k n_3 r_2 + T_2$，存在$\partial x^* / \partial h\Delta n r_2 > 0$，即在位企业拥有较低的合作成本与合作风险，较高的合作收益与竞争成本时，此时的竞争收益对在位企业策略选择的影响为正向的。竞争收益越大，在位企业选择竞争策略的概率越大。

情况2：$C-\alpha C+S_2>kn_3r_2+T_2$，存在$\partial x^* / \partial h\Delta nr_2<0$，此时$x=\dfrac{C-\alpha C+S_2+h\Delta nr_2-T_2}{kn_3r_2+h\Delta nr_2}>1$，由图 4.10 互联网信息服务业企业策略演化相位图可得，此时在位企业的最终演化稳定策略为竞争，即在位企业作为一个理性的群体，都会选择竞争策略。竞争策略所产生的收益也不能作为影响在位企业策略选择的关键变量。

(2) 成本对进入企业演化稳定策略的影响。易求得$\partial x^* / \partial(C-\alpha C)>0$，$\partial x^* / \partial T_2<0$，故在位企业的某种策略的成本越高，其最终越不倾向于选择该种策略。联系实际，企业在做出策略选择时，收益作为考虑的第一要素。每种策略的成本也将作为重要决定要素。根据模型具体来说，当在位企业选择合作策略时，会与进入企业分摊一部分合作成本C；而当在位企业选择竞争策略时，会产生由于自身实力因素所决定的竞争成本T_2。若在位企业实力强劲，则相应的竞争成本较低，对应在位企业选择竞争策略的概率增大。

(3) 合作风险对进入企业演化稳定策略的影响。在位企业的合作风险是指：当在位企业选择了合作策略，而进入企业却选择了竞争策略时，在位企业不仅不能得到合作成功的收益kn_3r_1，还会额外产生S_2的损失。求得$\partial y^* / \partial S_2>0$，即合作风险$S_2$越大，在位企业采取竞争策略的概率越大。合作风险的存在实际上是将在位企业的决策选择与进入企业联系了起来，由于合作风险的存在，使得在位企业在决定自身策略之前，也需要对进入企业的策略有一个预先的估计。

4.3.3 机理分析

互联网信息服务业企业策略选择的阶段性变化实际上是进入企业与在位企业进行综合博弈的结果。结合前文的模型分析，本节将互联网信息服务业不正当竞争产生的演化发展过程划分为潜伏期与爆发期两个阶段。

1. 潜伏期

在不正当竞争发生的潜伏期，市场上存在在位企业与进入企业两类企业，且在位企业具有较强的实力，在该市场中占据一定的主动地位。由演化稳定策略分析可知，在位企业的策略选择受收益、成本和合作风险的影响。根据前文分析，由于在位企业在初始时期具有较强的实力，认为自己的竞争成本较低；而进入企业由于规模与实力等原因，竞争成本较高；同时在位企业由于不能确定兼容后的收益以及兼容的风险等，因此大部分在位企业会在该时期选择竞争的策略。从进入企业群体的角度来看，进入企业进入市场后的收益、策略成本以及合作风险都会对进入企业的策略造成影响。在博弈的初始阶段，进入企业由于自身实力的不足以及预期到在位企业可能更多地采取市场竞争的策略，因而进入企业更多地会选择低调进入市场的策略。因此在初始阶段，在位企业采取竞争策略，进入企业低调进入市场，暂不与在位企业发生合作或者竞争的行为。

策略突变机制是博弈的演化过程包含的机制之一，这种突变主要来自企业对新的ESS的预期。在博弈的初始阶段，进入企业受到自身实力以及自身利益等多方面的影响，更倾向于保守，不愿意过多地与在位企业发生竞争或者合作关系。但是受有限理性甚至非理性的影响，在时间的推移下，随着自身实力的增加，总会存在少部分进入企业采取偏离演化稳定策略的行为。这少部分企业错误地估计了自身实力以及选择进入市场的企业数量，认为自身的实力以及进入企业的进入概率大到可以使在位企业不采取竞争转而采取合作的策略，但实际上，只有部分企业选择策略突变，这些少数个体的实力以及进入的意愿不足以使在位企业改变策略，反而可能会碰到在位企业的更激烈的竞争打压，同时也没有达到进入企业预期的收益情况，策略突变的个体不得不转而继续低调或者干脆退出市场的策略。在潜伏期内，由于进入企业自知自身实力，不愿意与在位企业发生激烈冲突，一直低调发展，故在潜伏期市场上只有少量不正当竞争案例的发生。

2. 爆发期

随着时间的进一步推移，进入企业的实力不断增加，更多地进入企业逐渐不满足于当前的现状并期待扩大自己的规模进入新的领域，于是进入企业开始慢慢寻找机会，如大力发展自己的用户、设计新的产品等，这类行为对在位企业来说是一种威胁，可能会导致直接冲突。但有限理性的在位企业群体会将这类行动视为“不可置信威胁”，并对其置之不理继续采取竞争的策略，使得进入企业的预期不能得到满足，进入企业越发希望通过某种手段改变当前的状况。少数进入企业能够感觉到情况的变化，预期在位企业的竞争成本T_2增大，从而使$\frac{C-\alpha C+S_2+h\Delta nr_2-T_2}{kn_3r_2+h\Delta nr_2}$减小，进而使得$x>\frac{C-\alpha C+S_2+h\Delta nr_2-T_2}{kn_3r_2+h\Delta nr_2}$，在位企业会选择合作策略；与此同时，随着在位企业市场选择竞争的概率减小，以及进入企业实力的增强，从而使$y>\frac{\alpha C+S_1-h\Delta nr_1-T_1}{n_3r_1-h\Delta nr_1}$，进入企业也转而选择竞争策略。于是进入企业开始选择竞争策略，互联网信息服务业企业间的竞争进入爆发期。

在这个时期，针对进入企业策略上的变化，在位企业并没有选择策略上的调整，原因可能在于以下两个方面：一是尽管进入企业采取竞争策略的数量与概率不断增加，在位企业由于受到自身实力评估、信息量以及合作成本、竞争成本等因素的影响，在位企业并没有意识到形势的变化，因而没有及时地做出策略的改变；二是尽管采取竞争的进入企业逐渐增多，进入企业的实力逐渐增大，但是并没有使得$x>\frac{C-\alpha C+S_2+h\Delta nr_2-T_2}{kn_3r_2+h\Delta nr_2}$，竞争仍然是在位企业的演化稳定策略，理论上在位企业也没有理由调整策略。在实际中则表现为进入企业的竞争策略并没有引起在位企业的广泛关注，在位企业没有采取合理的应对策略，仍试图采取竞争等方式与进入企业对抗直至将进入企业赶出市场。因此，进入企业与在位企业间冲突不断升级，不正当竞争爆发。

4.4 本章小结

本章系统梳理了我国互联网信息服务业发展中的不正当竞争典型案件，运用扎根理论的开放性编码、主轴性编码和选择性编码对市场竞争行为类型予以划分；同时，分析了跨领域竞争出现的深层次原因，提出附随扩散是跨领域竞争的主要方式，以 QQ 即时通讯与 QQ 空间的用户数量为例加以验证；然后构建了互联网信息服务业不正当竞争形成的演化博弈模型，分析进入企业与在位企业在市场竞争过程中的行为博弈演化过程，并将不正当竞争的形成过程分为潜伏期和爆发期，对不正当竞争产生的机理进行总结，帮助政府实现对互联网信息服务业不正当竞争的预防与管制。

第5章　互联网信息服务业市场监管的问题及改进

5.1　监管过程中主体策略的分歧与偏差

本章对互联网信息服务业市场竞争秩序的监管展开研究，在分析当前市场监管存在的分歧与偏差的基础上，运用演化博弈与委托代理理论研究合作兼容对监管改进效果的影响；构建共同参与、协作长效的竞争秩序监管体系框架，促进互联网信息服务业市场竞争秩序监管制度的优化。

5.1.1　监管政策概述

自1994年正式接入国际互联网以来，我国互联网信息服务业获得了更大的发展市场。高速发展的互联网信息服务业在带动经济发展的同时，越来越多的互联网企业选择跨领域竞争等方式来实现产品多元化战略，在此过程中，相继爆发了3Q大战、大众点评诉百度搭便车案等一系列互联网不正当竞争事件。我国一直高度关注互联网监管问题，形成了中央统筹、行业自律协会补充配合的监管体系。

针对不正当竞争的监管问题，我国颁布了相关法律法规，为互联网行业不正当竞争案件的审查工作提供了参考依据。历年来，我国相关法律法规中对互联网行业不正当竞争问题的管制现状大体如下。

1. 《中华人民共和国反不正当竞争法》

1993年实施的《中华人民共和国反不正当竞争法》中，第五条规定对不正当竞争行为类型进行了列举，主要包含假冒、擅自使用其他企业名称、伪造、误导等一系列损害竞争对手的行为。第六条规定在位优势企业不得限定消费者的选择及排挤竞争者。第二十三条规定对排挤竞争的经营者罚款五万元以上二十万元以下金额，对销售质次价高商品或滥收费用的经营者应没收违法所得并罚款一倍以上三倍以下违法所得收入。

1993年我国还未正式接入国际互联网，在《中华人民共和国反不正当竞争法》中，对不正当竞争手段的界定很大程度上局限于传统行业，使得现今互联网企业的很多不正当竞争手段无法据此进行准确界定；第六条规定中关于排他性问题，在现今互联网企业中的具体表现大部分为不兼容问题，很多互联网信息服务业凭借多年的在位企业优势，利用技术手段实现对其他进入企业产品不兼容，限定消费者的购买选择，但是当时的法律中并未明确提出不兼容等概念；对于互联网信息服务业来说，具有明显的低边际成本、高收益、信息高速传播等特点，企业“一夜成名”可成为现实。针对互联网信息服务业违法成本低而守法成本高的问题，现有的惩罚力度则难以限制企业为了牟取暴利而采取不正当竞争行为。

2017 年 11 月 4 日，第十二届全国人民代表大会常务委员会第三十次会议针对《中华人民共和国反不正当竞争法》进行了修订，并自 2018 年 1 月 1 日施行。第十二条规定经营者不得利用技术手段影响用户选择或妨碍竞争者正常运营，不正当竞争行为主要包括私自插入跳转链接、误导用户放弃其他产品或服务、恶意不兼容等。对违反规定的经营者责令停止违法行为，并处罚款十万元以上五十万元以下，情节严重者处五十万元以上三百万元以下的罚款。

2019 年 4 月 23 日，第十三届全国人民代表大会常务委员会第十次会议对《中华人民共和国反不正当竞争法（第二次修订）》予以通过，修订条款自公布之日（2019 年 4 月 23 日）起实施。第二次修订主要集中于商业秘密的保护，对商业秘密的定义、侵犯商业秘密的具体行为、承担侵权责任的主体、侵犯商业秘密行为的法律责任、举证责任的分配等多个方面进行修订。与 2017 年旧法相比，2019 年新法中的第二十一条对违反规定侵犯商业秘密的经营者增加没收所得的处罚，并将罚款的上限由五十万元、三百万元分别提高到一百万元、五百万元。

新修订的《中华人民共和国反不正当竞争法》中，虽有提及某些互联网信息服务业中存在的不正当竞争行为，如集中对商业秘密的保护，但是未对互联网现存的不正当竞争行为进行详细的类型划分，这会使监管部门在审查不正当竞争案件时出现因判定标准不充分而难以准确判定某些不正当竞争行为的类型。就新法对不正当竞争行为的惩罚力度来看，虽有大幅提升，但主要是针对违反规定侵犯商业秘密的经营者而言，对于其他不正当竞争行为的惩罚力度较之原有法律并未增加。此外，对于互联网行业来说，现有法律的惩罚力度缺乏一定的威慑力，从互联网信息服务业市场以往发生的案件来看，部分企业虽在不正当竞争行为中败诉，但却在市场方面取得巨大成就，其所受到的惩罚远远低于通过不正当竞争手段取得的利益。因此，《中华人民共和国反不正当竞争法》对违法企业的惩罚力度是否应该根据企业的规模和不正当竞争案件所造成的后果严重性进行规定？这值得政府部门商榷。

总的来说，目前我国政府重视对互联网信息服务业不正当竞争问题的监管，相继制定或者完善了一些法律法规。但是由于互联网企业的特殊性、监管行为本身的局限性和立法的滞后性，导致我国互联网监管还存在一些不足。

2.《中华人民共和国反垄断法》

2007 年通过的《中华人民共和国反垄断法》中，第六条、第十三条、第十七条规定具有市场支配地位的经营者不得达成垄断协议，通过控制价格、数量等条件排除、限制竞争。第四十六条规定对达成垄断协议的经营者责令停止违法行为、没收违法所得并罚款上一年度销售额百分之一以上百分之十以下金额，对未达成垄断协议的经营者罚款五十万元以下金额。

在《中华人民共和国反垄断法》中明确表明市场不能排除、限制竞争，良好有序的竞争市场可以保障消费者和生产者的合法权益。但是针对互联网信息服务业的锁定效应，消费者面临转移成本，这在一定程度上提高了进入企业的进入壁垒，加之个别具有优势的在位企业采取不正当竞争手段，使用技术对进入企业进行不兼容，限制了市场竞争，导致现今互联网信息服务业市场容易出现“一家独大，赢家通吃”的局面。然而，《中华人民共和国反垄断法》对此并没有明确的规定，且对于不正当竞争行为的惩罚力度不够。

2021 年 11 月 9 日，第十三届全国人民代表大会常务委员会第三十一次会议对《中华人民共和国反垄断法（修正草案）》进行了初次审议，并于 10 月 23 日公布该草案，向社会公开征集意见，截止日期到 2021 年 11 月 21 日。2022 年 5 月 30 日，第十三届全国人民代表大会常务委员会第一百一十八次委员长会议在北京人民大会堂举行，会议建议审议《中华人民共和国反垄断法（修正草案）》。此次的《中华人民共和国反垄断法（修正草案）》意在以公平竞争促进高质量发展，鼓励创新和强化竞争政策的基础地位，进一步完善反垄断相关制度，加大对垄断行为的处罚力度，为强化反垄断和防止资本无序扩张提供强有力的法律依据和制度保障。

《中华人民共和国反垄断法（修正草案）》亮点突出，重点明确，以反垄断工作中出现的问题为导向，着力解决制度保障不足的问题。目前，草案公示阶段已经结束，应加快新修反垄断法的正式实施，并在反垄断法垄断协议、滥用市场支配地位、经营者集中规制、公平竞争审查等具体内容方面做出更加明确细致的规范。

3. 《规范互联网信息服务市场秩序若干规定》和《网络交易监督管理办法》

在 2012 年实施的《规范互联网信息服务市场秩序若干规定》（以下简称《规定》）中，第五条列举了互联网信息服务业市场中的不正当竞争行为，主要包括恶意干扰竞争对手和软件安装过程、恶意诋毁、恶意不兼容、误导用户等。

2021 年实施的《网络交易监督管理办法》（以下简称《办法》）第十四条列举了不正当竞争行为[①]，包括：①虚构交易、编造用户评价；②采用误导性展示等方式，将好评前置、差评后置，或者不显著区分不同商品或者服务的评价等；③采用谎称现货、虚构预订、虚假抢购等方式进行虚假营销；④虚构点击量、关注度等流量数据，以及虚构点赞、打赏等交易互动数据。

在上述《规定》和《办法》中，明确针对互联网市场秩序制定了相关规定，对互联网信息服务业的部分不正当竞争行为做出了界定，包括恶意干扰、虚假传播、恶意不兼容、恶意修改等；《办法》中对域名保护、有奖销售、虚假交易、恶意诋毁等不正当竞争方式做出了界定。这两项法规表明随着互联网行业经济在我国经济中比重的增加，国家与行业越来越重视对互联网市场竞争秩序的规范，但对于互联网信息服务业中难以判定的新型不

① 亳州市人民政府. 网络交易监督管理办法（2021 年 3 月 15 日国家市场监督管理总局令第 37 号公布）[EB/OL]. [2022-4-19]. https://www.bozhou.gov.cn/OpennessContent/show/1882188.html.

正当竞争行为还未做出完整的规定，其重视程度也还未提升至法律层面。

5.1.2 监管策略问题分析

随着互联网产业的快速发展，互联网信息服务业不仅渗透到消费者日常生活的方方面面，而且在我国经济发展中的比重也逐渐增加，市场竞争出现的问题也显示出来。例如，恶意不兼容、恶意搭便车、黑客攻击、传播虚假信息、利用网络侵害他人人身权益等危害活动，影响了我国互联网信息服务业市场中消费者和其他生产者的基本权利，阻碍了互联网经济业态的健康发展。从对我国和国外互联网信息服务业竞争秩序的管制现状分析中可以得出，目前我国现行互联网竞争秩序监管法律与政策存在缺陷，难以满足国内互联网产业发展的实际需求，本节我们着重分析以下 3 个问题。

1. 政府监管参与度不够

对于互联网信息服务业市场来说，由于其发展阶段的不成熟性和不稳定性，政府过度监管会抑制行业的创新和发展，所以早期政府对于互联网信息服务业监管亦采取不作为的监管理念，依靠市场的力量让生产者和消费者用自身行动和选择以达到市场均衡状态。从互联网行业竞争秩序监管的法律体系来看，我国还未形成一个完整的监管法律体系，个别企业则利用法律漏洞，违法采取一系列不正当竞争行为参与到市场竞争中，扰乱市场有序竞争。

2. 不兼容问题

除恶意不兼容问题外，不兼容问题还包括企业产品之间不共享用户和信息的不兼容问题。在我国反不正当竞争的法律体系中，恶意不兼容行为属于违法行为，要严令禁止并对相关企业采取法律手段进行制裁，但从对我国相关法律条例进行分析可以发现，目前法律中对恶意不兼容等不正当竞争行为的类型没有进行详细划分，以致在审理实际案件时难以准确判定企业的不正当竞争行为。对于未构成违法的不兼容问题，从企业层面来讲，是企业与同类产品公司是否进行合作的战略选择问题，一般而言，进入企业为了利用网络外部性带来的消费者支付意愿更倾向采取兼容策略，但对具有强大产权的在位先锋企业不会给予进入者生产兼容性产品的权利，以阻止改进的竞争性产品的导入。

3. 惩罚力度不足

从我国以往发生的不正当竞争案件的审理结果来看，目前我国的《中华人民共和国反不正当竞争法》为被侵害企业提供的救济保护不够，违法者因高额违法收益而忽视低额违法成本，多次通过不正当竞争手段侵占市场利益。在现行不正当竞争司法体系救济机制下，被侵权企业获得的赔偿金额少，市场损失大，导致违法企业的侵权成本低而被侵权企业的维权成本高，使得恶性竞争、重复侵权案件层出不穷，互联网市场竞争秩序受到被破坏的威胁，在政府的监管法律中，是否应该根据企业规模、案件破坏后果对企业的惩罚力度进行详细划分，值得政府相关部门商榷。

5.2　合作兼容视角下的监管博弈与激励

5.2.1　监管改进方向

1. 合作兼容的提出

从互联网行业中发生过的不正当竞争案件来看，30%的案件由不兼容问题导致，互联网信息服务企业的兼容性研究具有一定的理论和实践意义。针对目前我国政府对互联网信息服务业的监管现状问题，结合借鉴其他国家经验和学者的研究，本节提出兼容性激励监管改进方向。一方面，完善互联网监管法律中对恶意不兼容等一系列不正当竞争行为的类型划分，让监管部门在审查违规企业的不正当竞争行为时有法可依；加大对违法企业的惩罚力度，以减少不正当竞争案件的发生。另一方面，政府激励企业之间进行合作兼容，可以减少消费者的转移成本和解除部分锁定效应，增加消费者福利；企业之间进行合作兼容，将更多的财力、人力、技术投资于行业创新发展，可以有效减少不正当竞争案件的发生。

2. 合作兼容的必要性

1）合作兼容提高消费者福利

在互联网信息服务业市场中，消费者更倾向选择同时使用同一领域的具有竞争性的产品，这种消费行为被称为“多管齐下”。网络之间的互联互通使得消费者有了扩大自身使用产品的网络规模的可能，以此丰富消费产品的多样性和互补性，扩大总的消费者福利。企业之间合作兼容策略将实现这种可能，通过减少消费者的转移成本、扩大网络外部性、提高消费体验和购买的服务质量等方式增加消费者福利。对消费者整体来说，企业之间的兼容性增加了消费者的整体福利，减少了消费者被锁定的转移成本，扩大了消费者介入网络的外部性，形成了良性循环，提高了消费者的购买体验和接受的服务质量。

2）合作兼容促进行业发展

合作兼容不仅对消费者产生影响，还通过对市场中的在位者、互补者和创新者产生影响，从而促进行业向前发展。兼容性给市场在位者带来挑战，促进其加快步伐推出新产品来赢得战争，也提高了产品本身的向后兼容性。兼容性标准是受互补品销售者欢迎的，它们的用户市场会随着兼容网络的扩大而扩大。合作兼容对于创新者来说减少了进入壁垒，为市场内源源不断地注入新能量，使市场保持活力。合作兼容通过对市场参与者产生影响，益于维护市场的良性竞争环境，促进行业的进步发展，使消费者、在位者、互补者、创新者多方受益，从而有利于规范行业竞争秩序。

3) 合作兼容规范竞争秩序

政府通过对企业合作兼容的监管，将从原来的反馈控制转换为前馈控制，即原来政府对企业的监管均为不正当行为发生之后，政府通过取证鉴定了企业的不正当竞争行为，进而对企业采取一定的惩处措施。但是这种反馈控制式的监管方式不能从根本上改变企业间的不正当竞争方式，而通过合作兼容规定后，将从源头上解决大部分由互联网信息服务企业不兼容问题引发的不正当竞争行为。从源头治理，从而保证互联网行业的有序竞争。

5.2.2 合作兼容条件下企业间的演化博弈分析

1. 模型假设

本节主要通过考虑政府对于互联网信息服务业市场的调控，由于在位企业与进入企业合作兼容，将会使社会秩序更趋于规范，也会因此而增加消费者福利。在位企业与进入企业拒绝合作兼容，产生激烈的不正当竞争，将影响市场健康有序的发展。所以为了减少不正当竞争的产生，稳定市场的发展，政府应对采取不正当竞争策略的企业，给予一定的惩罚值 $P(P\geqslant 0)$，此惩罚值的大小因企业规模大小的不同而不同。不妨假设对进入企业给予惩罚值 $P_1(P_1\geqslant 0)$，对在位企业给予惩罚值 $P_2(P_2\geqslant 0)$。

2. 模型构建

根据前文假设，可得互联网信息服务业的企业支付矩阵，见表 5.1。

表 5.1 互联网信息服务业的企业支付矩阵

进入企业	在位企业	
	合作 (y)	竞争 $(1-y)$
合作 (x)	$(n_1+n_3)r_1-\alpha C$，$(n_2+kn_3)r_2-(1-\alpha)C$	$n_1r_1-\alpha C-S_1$，$n_2r_2-T_2+S_2-P_2$
竞争 $(1-x)$	$n_1r_1-T_1+S_1+P_1$，$n_2r_2-(1-\alpha)C-S_2$	$(n_1-h\Delta n)r_1-T_1-P_1$，$(n_2+h\Delta n)r_2-T_2-P_2$

在激励机制下，进入企业群体 A 方面，选择采用合作兼容策略的期望收益 U_{A1} 为

$$U_{A1}=y\left[(n_1+n_3)r_1-\alpha C\right]+(1-y)(n_1r_1-\alpha C-S_1) \tag{5.1}$$

选择采用竞争策略时的期望收益 U_{A2} 为

$$U_{A2}=y(n_1r_1-T_1+S_1-P_1)+(1-y)((n_1-h\Delta n)r_1-T_1-P_1) \tag{5.2}$$

进入企业群体 A 的平均期望收益 $\overline{U}_A$ 为

$$\overline{U}_A=xU_{A1}+(1-x)U_{A2} \tag{5.3}$$

由此得到进入企业群体 A 的复制动态方程为

$$F(x)=\frac{\mathrm{d}x}{\mathrm{d}t}=x(U_{A1}-\overline{U}_A)=x(1-x)\left[y(n_3r_1-h\Delta nr_1)-\alpha C-S_1+h\Delta nr_1+T_1+P_1\right] \tag{5.4}$$

在位企业群体 B 方面，选择采取合作兼容策略的期望收益 U_{B1} 为

$$U_{B1}=x\left[(n_2+kn_3)r_2-(1-\alpha)C\right]+(1-x)\left[n_2r_2-(1-\alpha)C-S_2\right] \tag{5.5}$$

选择采取竞争策略的期望收益U_{B2}为

$$U_{B2}=x(n_2r_2-T_2+S_2-P_2)+(1-x)\left[(n_2+h\Delta n)r_2-T_2-P_2\right] \tag{5.6}$$

在位企业群体 B 的平均期望收益$\overline{U}_B$为

$$\overline{U}_B=yU_{B1}+(1-y)U_{B2} \tag{5.7}$$

由此得到在位企业群体 B 的复制动态方程为

$$G(y)=\frac{\mathrm{d}y}{\mathrm{d}t}=y(U_{B1}-\overline{U}_B)\left[x(kn_3r_2+h\Delta nr_2)-(1-\alpha)C-S_2-h\Delta nr_2+T_2+P_2\right] \tag{5.8}$$

分别令$F(x)=0$，$G(y)=0$，可以得到：在平面$N=\{(x,y);0\leqslant x,y\leqslant 1\}$上，互联网信息服务企业间的策略博弈有 5 个局部均衡点，分别是$O(0,0)$、$A(1,0)$、$B(1,1)$、$C(0,1)$和鞍点$D(x_D,y_D)$。其中，$x_D=\dfrac{(1-\alpha)C+S_2+h\Delta nr_2-T_2-P_2}{kn_3r_2+h\Delta nr_2}$，$y_D=\dfrac{\alpha C+S_1-h\Delta nr_1-T_1-P_1}{n_3r_1-h\Delta nr_1}$。

3. 模型分析

根据前文的分析，我们求得了 5 个均衡点，为验证这 5 个均衡点是不是系统的演化稳定策略，我们根据 Friedman（1991）[9]提出的方法，演化均衡点的稳定性可以从系统的 Jacobian 矩阵（记为 $\boldsymbol{J}$）局部稳定分析导出。

$$\boldsymbol{J}=\begin{bmatrix}\dfrac{\partial F(x)}{\partial x} & \dfrac{\partial F(x)}{\partial y}\\ \dfrac{\partial F(y)}{\partial x} & \dfrac{\partial F(y)}{\partial y}\end{bmatrix}=\begin{bmatrix}a_{11} & a_{12}\\ a_{21} & a_{22}\end{bmatrix}$$

其中，a_{11}、a_{12}、a_{21}和a_{22}的具体表达式如下。

$$a_{11}=(1-2x)\left[y(n_3r_1-h\Delta nr_1)-\alpha C-S_1+h\Delta nr_1+T_1+P_1\right]$$

$$a_{12}=x(1-x)(n_3r_1-h\Delta nr_1)$$

$$a_{21}=y(1-y)(kn_3r_2+h\Delta nr_2)$$

$$a_{22}=(1-2y)\left[x(kn_3r_2+h\Delta nr_2)-(1-\alpha)C-S_2-h\Delta nr_2+T_2+P_2\right]$$

如果同时满足以下两个条件，则复制动态方程的均衡点就是演化稳定策略。

$$\operatorname{tr}\boldsymbol{J}=a_{11}+a_{22}<0 \text{（迹条件）}$$

$$\det\boldsymbol{J}=\begin{vmatrix}a_{11}a_{12}\\ a_{21}a_{22}\end{vmatrix}=a_{11}a_{22}-a_{12}a_{21}>0 \text{（Jacobian 行列式条件）}$$

将 5 个局部均衡点值代入，a_{11}、a_{12}、a_{21}和a_{22}的取值见表 5.2。

表 5.2　局部均衡点处a_{11}、a_{12}、a_{21}和a_{22}的取值

均衡点	a_{11}	a_{12}	a_{21}	a_{22}
(0,0)	$-[\alpha C+S_1-h\Delta nr_1-T_1-P_1]$	0	0	$-[(1-\alpha)C+S_2+h\Delta nr_2-T_2-P_2]$
(0,1)	$n_3r_1-\alpha C-S_1+T_1+P_1$	0	0	$(1-\alpha)C+S_2+h\Delta nr_2-T_2-P_2$

续表

均衡点	a_{11}	a_{12}	a_{21}	a_{22}
(1,0)	$\alpha C+S_1-h\Delta nr_1-T_1-P_1$	0	0	$kn_3r_2-(1-\alpha)C-S_2+T_2+P_2$
(1,1)	$-(n_3r_1-\alpha C-S_1+T_1+P_1)$	0	0	$-(kn_3r_2-(1-\alpha)C-S_2+T_2+P_2)$
(x_D,y_D)	0	M	N	0

表 5.2 中 M 和 N 的具体表达式如下。

$$M=\frac{(1-\alpha)C+S_2+h\Delta nr_2-T_2-P_2}{kn_3r_2+h\Delta nr_2}\left[1-\frac{(1-\alpha)C+S_2+h\Delta nr_2-T_2-P_2}{kn_3r_2+h\Delta nr_2}\right](n_3r_1-h\Delta nr_1)$$

$$N=\frac{\alpha C+S_1-h\Delta nr_1-T_1-P_1}{n_3r_1-h\Delta nr_1}\left(1-\frac{\alpha C+S_1-h\Delta nr-T_1-P_1}{n_3r_1-h\Delta nr_1}\right)(kn_3r_2+h\Delta nr_2)$$

应用系统平衡点的判断局部稳定性，可以得到当政府给予的惩罚值 P_1、P_2 满足：$\begin{cases}P_1>S_1+\alpha C-n_3r_1-T_1\\P_2>S_2+(1-\alpha)C-kn_3r_2-T_2\end{cases}$，且同时满足 $P_1>S_1+\alpha C-h\Delta nr_1$ 和 $P_2>S_2+(1-\alpha)C+h\Delta nr_2-T_2$ 便可以将市场稳定点调整到唯一的进化稳定策略点(1,1)，稳定性分析表如表 5.3 所示，演化相位图如图 5.1 所示。

表 5.3 系统平衡点局部稳定性分析表

均衡点	tr $\boldsymbol{J}$	det $\boldsymbol{J}$	稳定性
(0,0)	+	+	不稳定点
(0,1)	±	-	鞍点
(1,0)	±	-	鞍点
(1,1)	-	+	ESS

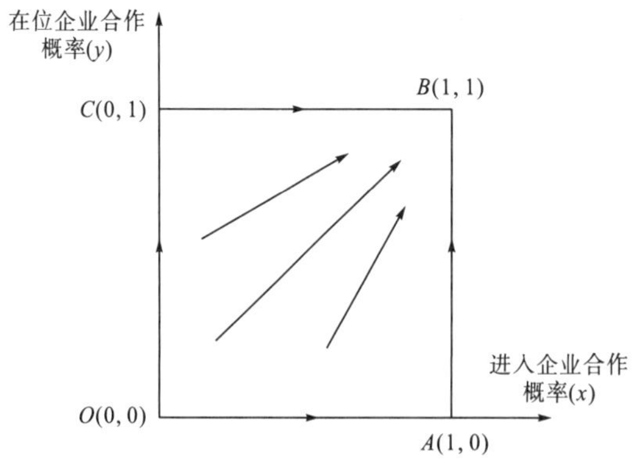

图 5.1 系统的演化相位图

5.2.3 基于委托代理的激励性监管模型构建

1. 委托代理关系分析

在实际中，互联网信息服务企业作为市场竞争中的行为主体，直接参与市场活动，具有显著的信息优势；政府中的相关管制部门，不直接参与市场活动，从而无法准确把握企业生产经营状况和行业相关信息，同互联网信息服务企业及其经营者相比，处于信息劣势。然而，委托代理理论旨在解决参与人之间的信息不对称问题。因此，通过委托代理契约，理清委托代理关系，有助于政府实现有效监管。因而考虑将政府监管部门作为委托人，企业作为代理人。

1) 政府监管部门的目标分析

政府的目标是追求更多的社会福利。因此在与互联网信息服务业的委托代理关系中，政府监管部门不仅需要考虑自身的利益，还要确保企业能够正常积极地进行合作兼容，提高社会福利。所以在委托代理中，政府监管部门需要从两个方面考虑：第一，在激励企业进行合作兼容的过程中，如何有效地进行监管，确保企业的合作兼容行为能保障用户权益，创造社会福利；第二，在对企业提供有效激励的前提下，政府监管部门需要考虑监管成本和激励成本，保障自己的利益。在监管中，政府监管部门可以通过惩罚与激励并行的监管措施督促企业积极履行合同。

2) 互联网信息服务企业的目标分析

互联网信息服务企业以追求自身利益最大化为目标。在追逐利益的过程中，企业为了达成自己的目标，很可能采取类似恶意排斥、阻碍安装、恶意打压、排挤、诱导等不正当竞争手段或者以“偷懒”的方式来获得丰厚利益，进而影响行业秩序和用户权益，导致社会福利减少。因此，为了避免这些不正当竞争行为和消极的工作状态，需要设立一个激励性合同来促使互联网信息服务企业积极进行合作兼容，减少不正当竞争行为。其中合同的设计需要考虑参与约束和激励约束，在保证企业履行合同时的收入能够不低于其保留收入，且在企业越努力时收入越高，给委托人创造的收入也越高。

3) 监管部门与企业的利益冲突分析

政府的主要目标是通过互联网信息服务企业之间的合作兼容来实现更多的社会福利，互联网信息服务企业的目标是追求自我利益最大化。而对互联网信息服务企业而言，采取合作兼容并不一定会产生更多收益，故导致互联网企业在实行合作兼容时会缺乏一定的积极性。因此政府的目标会与互联网企业进行跨领域竞争扩大收益的目标有所冲突，影响到激励性策略的实施。此外，政府与互联网信息服务企业间存在信息不对称的情况，针对企业的努力状况，政府不能完全清楚，所以企业为了降低努力成本，可能存在“偷懒”的情况，企业选择通过降低自己的努力水平来降低努力成本，进而引发了“道德风险问题”。为了促进企业努力积极地执行政府的委托任务，需要建立有效的委托代理合同，达到政府的期望目标。运用委托代理模型能够较好地解决政府与企业间的利益冲突及信息不对称等问题，实现政府对互联网信息服务企业实施合作兼容的激励，减少不正当竞争的发生，从而实现更多的社会福利。

2. 激励监管模型构建及求解

在激励监管模型中，互联网信息服务企业作为代理人接受委托人的委托，在政府监管部门的期望下实施合作兼容行为，从而提高社会福利，对于从事互联网信息服务的企业来说，当采取合作兼容模式带来的收益高于因合作兼容所付出的成本时，企业才会选择接受合同。而政府管制部门作为委托方，以最大化社会福利为目标。本节在参与约束与激励相容约束的条件下，构建委托代理模型来阐释如何实现政府效用的最大化。

1) 基本假设及参数说明

在学者 E.S.Lee 提出的“推拉理论”中强调正面激励和负面激励的双重作用，通过正面满足物质奖励需求，以及将监管和惩罚作为负面激励更有助于激励对象付出更多努力。本部分从企业的正面激励——固定补贴和经济产出分享效益以及负面激励——政府监管和产出效益转出两个方面着手，基于委托代理理论分析框架，设计以政府为委托人、企业为代理人的激励性合同，并研究在以委托人收益最大化为目标的前提下激励代理人实施合作兼容的激励性监管问题。

假设 1：代理人履行合作兼容契约时将付出努力成本 $C(b)$，其成本函数可表示为 $C(b)=\frac{1}{2}mb^2$，其中 b 表示代理人实现产品合作兼容的努力水平，是代理人的一维努力变量；m 代表代理人实施合作兼容方式时所产生的成本系数，m 越大表示在相同努力水平下产生的代理成本越多。

假设 2：当代理人越努力地进行兼容时，与其他企业间的合作兼容程度将会越高，由此可以得到代理人的努力水平与合作兼容程度 n 成正比关系，函数表达式为 $n=sb$，s 表示企业实施合作兼容时的边际效率，代表每单位的努力水平下体现的合作兼容程度。

假设 3：代理人实行合作兼容会给政府带来收益 y，表示政府监管部门观测到的代理人实施合作兼容的产出效益值。设产出效益值 y 与企业合作兼容程度呈线性关系，则当代理人的合作兼容程度越高时，产出值越大，其函数表达式为 $y=kn+\gamma$。其中，γ 是市场随机变量，代表代理人进行合作兼容时的外生不确定性因子，该随机变量服从 $N(0,\delta^2)$ 分布；k 表示企业合作兼容程度的产出系数，即产出边际效益，k 越大，单位兼容程度的产出值越大。

假设 4：委托人在设计激励契约时主要关心代理人的合作兼容效益产出，对代理人的合作兼容效益存在一个评判标准 $\bar{y}$，即委托人估计的行业平均产出效益值，也代表着奖惩分界点。基于此，委托人设计线性激励合同 $H(y)$，其函数表达式为 $H(y)=\alpha+\beta[y+d(y-\bar{y})](0\leqslant\beta\leqslant 1)$。其中，$\alpha$ 表示代理人从委托人处得到的固定收入，可视作委托人给代理人的固定补贴；β 表示委托人给予代理人一定的激励系数，当 $\beta=0$ 时代理人不需要承担任何风险，而当 $\beta=1$ 时代理人将会承担所产生的全部风险。在式中，代理人的可供分享总效益值包含了代理人自身的产出效益值 y 以及转移效益值 $d(y-\overline{y})$。其中，d 表示代理人的产值转移系数，将企业的产出效益值 y 与某段时期内行业的平均产出效益值 $\overline{y}$ 的差 $y-\overline{y}$ 按 d 比例进行转移，作为代理人的额外可供分享效益值；当 $y<\overline{y}$ 时，意味着代理人的产出效益低于行业平均产出效益，会有 $d(y-\overline{y})$ 部分产出值转出，减少代理人的可供分享效益总值；相反，如果 $y>\overline{y}$，则意味着代理人产出效益值高于行业产出效益值，将会有 $d(y-\overline{y})$ 部分努力效益值转入，委托人将会给予多的 $d(y-\overline{y})$ 可供分享总值。

在代理人合作兼容时委托人将会进行监管，则委托人的监管成本 $C(a)$ 的函数为 $C(a)=\frac{1}{2}m_0a^2$，此时委托人的收益为代理人创造的产出值与委托人支付的合同报酬、监管成本之差。当委托人的风险承受力是中性时，得到委托人的效用函数 v，则期望收入为

$$\begin{aligned}Ev[y-H(y)-C(a)]&=Ev\left\{-\alpha+[1-\beta(1+d)]y+\beta d\overline{y}-\frac{1}{2}m_0a^2\right\}\\&=-\alpha+[1-\beta(1+d)]ksb+\beta d\overline{y}-\frac{1}{2}m_0a^2\end{aligned}$$

假设 5：代理人接受委托后获得的货币收入 z 为委托合同收入与实施合作兼容而付出的努力成本间的差值，函数表达式为

$$z=H(y)-C(b)=\alpha+\beta[y+d(y-\overline{y})]-\frac{mb^2}{2}$$

假设 6：假设代理人是风险规避的，代理人的效用函数 u 具有不变绝对风险规避特征，则代理人的效用函数表达式为 $u(z)=-\mathrm{e}^{-\rho z}$，根据 Arrow-Pratt 测度，$\rho$ 表示代理人的风险规避程度：$\rho(z)=-\frac{u(z)''}{u(z)'}$，$\rho>0$ 表示代理人是规避风险的；$\rho=0$ 表示代理人是风险中性的，此时 $\beta=1$，最优合同要求代理人承担全部风险；$\rho<0$ 表示代理人喜好风险。

通过假设 3 和假设 5 可得到代理人的实际货币收入 z 服从正态分布 $N\left(\alpha+\beta[kbs+d(kbs-\overline{y})]-\frac{mb^2}{2},\beta^2\delta^2\right)$，则代理人的期望效用函数为

$$\begin{aligned}Eu(z)&=\int_{-\infty}^{+\infty}-\mathrm{e}^{-\rho z}\cdot\frac{1}{\sqrt{2kbs\beta\delta}}\mathrm{e}^{-\frac{\left\{z-\alpha+\beta[kbs+d(kbs-\overline{y})]-\frac{mb^2}{2}\right\}^2}{2\beta\delta}}\cdot\mathrm{d}z\\&=-\mathrm{e}^{-\rho\left\{\alpha+\beta[kbs+d(kbs-\overline{y})]-\frac{mb^2}{2}-\frac{\rho\beta^2\delta^2}{2}\right\}}\end{aligned}$$

所以代理人的实际期望效用等价于确定性等价(certainty equivilence)收入。

$$Ez-\frac{1}{2}\rho\beta^2\delta^2=\alpha+\beta[ksb+d(ksb-\overline{y})]-\frac{mb^2}{2}-\frac{1}{2}\rho\beta^2\delta^2\tag{5.9}$$

式(5.9)中 Ez 表示代理人的期望收入，而 $\frac{1}{2}\rho\beta^2\delta^2$ 是代理人接受激励合同所承担的风险成本，当 $\beta=0$ 时，其风险成本为零，代理人将会完全规避风险。

2)模型构建

在满足约束条件(IR)和(IC)的情形下，委托人将以最大化自己的期望收益为目标，通过选择不同的(α,β)激励合同来激励代理人积极主动地合作兼容。本部分从完全信息和不完全信息下建立激励模型，分析在两种不同情况下委托人和代理人的行动选择。

令$\overline{z}$表示代理人在不接受合作兼容契约的情况下能够得到的保留收入，$\overline{z}$为常数，只有当代理人的确定性等价收入不小于于$\overline{z}$时，代理人才会选择接受激励合同，否则代理人会选择拒绝，因此代理人的参与约束条件(IR)为

$$\alpha+\beta[ksb+d(ksb-\overline{y})]-\frac{1}{2}mb^2-\frac{1}{2}\rho\beta^2\sigma^2\geqslant\overline{z}$$

代理人会从个人利益最大化的角度思考，所以只有当委托人给予的激励合同(α,β)的收益不小于代理人选择其他任何合同(α_1,β_1)的收益时，代理人才会接受激励合同，则代理人的激励相容约束条件(IC)为

$$\alpha+\beta[ksb+d(ksb-\overline{y})]-\frac{1}{2}mb^2-\frac{1}{2}\rho\beta^2\sigma^2\geqslant\alpha_1+\beta_1[ksb+d(ksb-\overline{y})]-\frac{1}{2}mb^2-\frac{1}{2}\rho\beta_1^2\sigma^2$$

最终激励代理人合作兼容的委托代理模型为

$$\max Ev=-\alpha+[1-\beta(1+d)ksb+\beta d\overline{y})]-\frac{1}{2}m_0\alpha^2 \tag{5.10}$$

$$\text{s.t.(IR)}\alpha+\beta[(1+d)ksb-d\overline{y}]-\frac{1}{2}mb^2-\frac{1}{2}\rho\beta^2\sigma^2\geqslant\overline{z} \tag{5.11}$$

$$\text{(IC)}\alpha+\beta[ksb(1+d)-d\overline{y}]-\frac{1}{2}mb^2-\frac{1}{2}\rho\beta^2\sigma^2\geqslant\alpha_1+\beta_1[ksb(1+d)-d\overline{y}]-\frac{1}{2}mb^2-\frac{1}{2}\rho\beta_1^2\sigma^2 \tag{5.12}$$

在现实情况中，委托人与代理人之间信息通常是不对称的，委托人如果无法观测到代理人的努力水平b，代理人就有可能选择“偷懒”，进而影响委托人的收益，所以进一步研究激励合同在不完全信息下能否实现帕累托最优，并且激励代理人去努力实现合作兼容是很必要的。

在不完全信息条件下，代理人将会选择不同的努力水平b，其目的是最大化自己的确定性等价收入，即

$$\begin{aligned}&\frac{\mathrm{d}\left(Ez-\frac{1}{2}\rho\beta^2\sigma^2\right)}{\mathrm{d}b}\\&=\frac{\mathrm{d}\left(\alpha+\beta[(1+d)ksb-d\overline{y}]-\frac{1}{2}mb^2-\frac{1}{2}\rho\beta^2\sigma^2\right)}{\mathrm{d}b}\\&=\beta(1+d)ks-mb=0\end{aligned}$$

得到代理人的激励相容约束为$b=\frac{\beta(1+d)ks}{m}$，此时激励问题是确定(α,β)组合的最优化问题。

$$\max Ev = -\alpha + [1-\beta(1+d)ksb + \beta d\overline{y}] - \frac{1}{2}m_0\alpha^2$$

$$\text{s.t.(IR)}\alpha + \beta[(1+d)ksb - d\overline{y}] - \frac{1}{2}mb^2 - \frac{1}{2}\rho\beta^2\sigma^2 \geqslant \overline{z} \tag{5.13}$$

$$\text{(IC)}b = \frac{\beta ks(1+d)}{m}$$

3. 模型求解

1) 完全信息下模型求解

在完全信息下，可以观测得到代理人的努力程度，委托人此时只需按照观测到的努力程度付给代理人相应最低的 $\overline{z}$ 即可，无需支付更多的报酬给代理人，则可将 $\alpha = -\beta[(1+d)ksb - d\overline{y}] + \frac{1}{2}mb^2 + \frac{1}{2}\rho\beta^2\delta^2$ 代入式(5-10)中，得最优化问题如下：

$$\max Ev = ksb - \frac{1}{2}mb^2 - \frac{1}{2}\rho\beta^2\delta^2 - \overline{z} \tag{5.14}$$

求解激励系数的最优化的一阶条件：

$$\frac{\mathrm{d}(Ev)}{\mathrm{d}\beta} = \frac{\mathrm{d}\left(ksb - \frac{1}{2}m_0a^2 - \frac{1}{2}mb^2 - \frac{1}{2}\rho\beta^2\delta^2 - \overline{z}\right)}{\mathrm{d}b} = \rho\beta\delta^2 = 0$$

所以

$$\beta^* = 0 \tag{5.15}$$

$$\frac{\mathrm{d}(Ev)}{\mathrm{d}b} = \frac{\mathrm{d}\left(ksb - \frac{1}{2}m_0a^2 - \frac{1}{2}mb^2 - \frac{1}{2}\rho\beta^2\delta^2 - \overline{z}\right)}{\mathrm{d}b} = ks - mb = 0\text{，}\quad b^* = \frac{ks}{m} \tag{5.16}$$

由式(5-11)和式(5-16)得代理人的固定补贴：

$$\alpha^* = \overline{z} + \frac{1}{2}mb^2 = \frac{(ks)^2}{2m} + \overline{z} \tag{5.17}$$

由此得到在完全信息下的帕累托最优合同。因为委托人是风险中性的，代理人为风险规避的，所以帕累托最优风险分担要求代理人实施合作兼容时不承担风险($\beta^* = 0$)。通过式(5.17)可看出代理人得到的固定收入等于代理人的保留收入 $\overline{z}$ 加上自己实施合作兼容的努力成本，代理人的努力成本或保留收入越高，则要求委托人给予的固定收入越多。

将式(5.10)对努力水平 b 求导得委托人的边际利润 $MR = [1-\beta(1+d)]ks$，此时 $\beta^* = 0$，得到努力的边际利润为 $MR{=}ks$；将企业合作成本 $C(b)$ 对努力水平 b 求导得努力的边际成本 $MC{=}mb$，因为 $b^* = \frac{ks}{m}$，得到 $MR{=}MC$，即边际利润等于边际成本，达到了最优努力水平的充要条件。

在完全信息下，委托人通过付出较少的监管成本可观测到代理人的努力水平 b，当观测到代理人的努力水平 $b < \frac{ks}{m} = b^*$ 时，委托人会支付固定货币 $\overline{z} < \alpha^*$，因此代理人为了获

得更多收益就一定会选择$b=\frac{ks}{m}=b^*$。所以在完全信息下委托人可以通过观测到的数值来付出最低的成本激励企业付出不小于b^*的努力水平实现合作兼容。

2）不完全信息下模型求解

通过求解不完全信息下的激励合同模型（5.13），可得

$$\max Ev=\frac{\beta k^2s^2(1+d)}{m}\left[1-\frac{\beta(1+d)}{2}\right]-\frac{1}{2}m_0a^2-\frac{1}{2}\rho\beta^2\delta^2-\bar{z} \tag{5.18}$$

对β求一阶导，得

$$\frac{\mathrm{d}(Ev)}{\mathrm{d}\beta}=\frac{\mathrm{d}\left(\frac{\beta k^2s^2(1+d)}{m}\left[1-\frac{\beta(1+d)}{2}\right]-\frac{1}{2}m_0a^2-\frac{1}{2}\rho\beta^2\delta^2-\bar{z}\right)}{\mathrm{d}\beta}$$
$$=\frac{k^2s^2(1+d)}{m}-\frac{\beta k^2s^2(1+d)^2}{m}-\rho\beta\delta^2=0$$

因此，最优一阶条件为

$$\beta^*=\frac{k^2s^2(1+d)}{k^2s^2(1+d)^2+m\rho\delta^2}\ (0<\beta<1) \tag{5.19}$$

将式（5-19）代入（5-13）中，求解最优努力水平：

$$\begin{aligned}b_2^*&=\frac{\beta_2^*ks(1+d)}{m}=\frac{k^2s^2(1+d)}{k^2s^2(1+d)^2+m\rho\delta^2}\frac{ks(1+d)}{m}\\&=\frac{k^3s^3(1+d)^2}{m[k^2s^2(1+d)^2+m\rho\delta^2]}\end{aligned} \tag{5.20}$$

因为$m\rho\delta^2>0$，所以$\frac{k^2s^2(1+d)^2}{k^2s^2(1+d)^2+m\rho\delta^2}<1$，故

$$\frac{k^3s^3(1+d)^2}{m[k^2s^2(1+d)^2+m\rho\delta^2]}<\frac{ks}{m}$$

即

$$b_2^*<b^*=\frac{ks}{m} \tag{5.21}$$

通过式（5.13）、式（5.20）得到在不完全信息下的代理人的固定收入：

$$\begin{aligned}\alpha_2^*&=-\beta_2^*[(1+d)ksb_2^*-d\bar{y}]+\frac{1}{2}mb_2^{*2}+\frac{1}{2}\rho\beta_2^{*2}\delta^2+\bar{z}\\&=-\frac{k^2s^2(1+d)}{k^2s^2(1+d)^2+m\rho\delta^2}\left\{(1+d)ks\frac{k^3s^3(1+d)^2}{m[k^2s^2(1+d)^2+m\rho\delta^2]}-d\bar{y}\right\}+\\&\quad\frac{1}{2}m\left\{\frac{k^3s^3(1+d)^2}{m[k^2s^2(1+d)^2+m\rho\delta^2]}\right\}^2+\frac{1}{2}\rho\delta^2\left[\frac{k^2s^2(1+d)}{k^2s^2(1+d)^2+m\rho\delta^2}\right]^2+\bar{z}\\&=\frac{[(1+d)k^2s^2]^2\{m\rho\delta^2-[(1+d)ks]^2\}}{2m[(1+d)^2k^2s^2+m\rho\delta^2]^2}+\frac{(1+d)k^2s^2d\bar{y}}{(1+d)^2k^2s^2+m\rho\delta^2}+\bar{z}\end{aligned} \tag{5.22}$$

在不完全信息情况下，$\beta_2^*>0$，表示代理人在进行合作兼容时将会承担一部分风险，

无法达到帕累托最优；在式(5.21)中，不完全信息条件下代理人的努力水平小于在完全信息情况下代理人的努力水平，意味着在委托人观察不到代理人的努力水平下，代理人会选择通过减少努力水平来节约努力成本，进而获取更多利益；通过式(5.22)，发现代理人固定收入 α_2^* 不仅受到其努力成本和保留收入的影响，还受到风险成本和激励分享系数的影响，当代理人进行合作兼容所付出的努力成本、风险成本及保留收入越多时，要求更多的固定收入作为收益保障，但是代理人分享到的报酬越多，则其固定收入会适当地减少。

4. 结果分析

通过完全信息和不完全信息下的激励模型，可发现在不同情况下企业会选择不同的风险规避态度和努力值来寻求自身利益最大化。接下来，将从完全信息和不完全信息下的成本差值、不完全信息下委托人收益以及代理人成本(收益)3 个方面进行分析，研究不同因素的变化对总代理成本、委托人和代理人的收益、成本的影响，并通过在不同因素的影响下委托人和代理人成本、收益的变化趋势，找出委托人激励代理人实施产品合作兼容的有效途径，旨在为政府提供对互联网行业竞争进行监管的理论基础及政策建议。

1)总代理成本分析

结论 1：不完全信息下总代理成本大于零。

相比于完全信息下，委托人激励代理人实现合作兼容在不完全信息下具有两种代理成本，其一是由于无法达到帕累托最优风险分担而导致的风险成本；其二是由于较低努力水平所导致的期望产出的净损失与节约努力成本之差，简称激励成本。

其存在的风险成本为

$$\Delta RC = \frac{\rho\sigma^2\beta_2^{*2}}{2} = \frac{\rho\sigma^2}{2}\left[\frac{k^2s^2(1+d)}{k^2s^2(1+d)^2+m\rho\sigma^2}\right]^2 > 0$$

通过式(5.21)可知，在不完全信息下代理人付出的努力水平严格小于在完全信息下代理人付出的努力水平。所以期望产出的净损失为

$$\begin{aligned}\Delta E(y) = \Delta y = ks(b^* - b_2^*) &= ks\left\{\frac{ks}{m} - \frac{k^3s^3(1+d)^2}{m[k^2s^2(1+d)^2+m\rho\sigma^2]}\right\}\\ &= \frac{k^2s^2\rho\sigma^2}{k^2s^2(1+d)^2+m\rho\sigma^2} > 0\end{aligned}$$

努力成本的节约为

$$\begin{aligned}\Delta C = C(b^*) - C(b_2^*) &= \frac{1}{2}m\left(\frac{ks}{m}\right)^2 - \frac{1}{2}m\left\{\frac{k^3s^3(1+d)^2}{m[k^2s^2(1+d)^2+m\rho\sigma^2]}\right\}^2\\ &= \frac{(ks)^2\rho\sigma^2[2k^2s^2(1+d)^2+m\rho\sigma^2]}{2[k^2s^2(1+d)^2+m\rho\sigma^2]^2} > 0\end{aligned}$$

所以激励成本为

$$\Delta E(y)-\Delta C=\frac{k^2s^2\rho\sigma^2}{k^2s^2(1+d)^2+m\rho\sigma^2}-\frac{(ks)^2\rho\sigma^2[2k^2s^2(1+d)^2+m\rho\sigma^2]}{2[k^2s^2(1+d)^2+m\rho\sigma^2]^2}$$
$$=\frac{k^2s^2m\rho^2\sigma^4}{2[k^2s^2(1+d)^2+m\rho\sigma^2]^2}>0$$

最后得到总代理成本为

$$AC=\Delta RC+(\Delta E(y)-\Delta C)=\frac{\rho\sigma^2}{2}\left[\frac{k^2s^2(1+d)}{k^2s^2(1+d)^2+m\rho\sigma^2}\right]^2+$$
$$\frac{k^2s^2\rho\sigma^2}{k^2s^2(1+d)^2+m\rho\sigma^2}-\frac{(ks)^2\rho\sigma^2[2k^2s^2(1+d)^2+m\rho\sigma^2]}{2[k^2s^2(1+d)^2+m\rho\sigma^2]^2}$$
$$=\frac{\rho\sigma^2}{2}\left[\frac{k^2s^2(1+d)}{k^2s^2(1+d)^2+m\rho\sigma^2}\right]^2+\frac{k^2s^2m\rho^2\sigma^4}{2[k^2s^2(1+d)^2+m\rho\sigma^2]^2}$$
$$=\frac{k^2s^2\rho\sigma^2}{2[k^2s^2(1+d)^2+m\rho\sigma^2]^2}>0$$

故在不完全信息条件下互联网信息服务企业的总代理成本 $AC>0$，说明在不完全信息条件下，因为风险成本和激励成本的增加将会大幅度地提高总代理成本，影响激励合同的实行。

结论 2：总代理成本与风险规避度、方差、产出收益系数、合作兼容边际效率呈正相关关系，而与其他系数呈负相关关系。

因为

$$\frac{\partial AC}{\partial\rho}=\frac{\partial\left(\dfrac{k^2s^2\rho\sigma^2}{2[k^2s^2(1+d)^2+m\rho\sigma^2]}\right)}{\partial\rho}>0$$
$$\frac{\partial AC}{\partial\sigma}=\frac{\partial\left(\dfrac{k^2s^2\rho\sigma^2}{2[k^2s^2(1+d)^2+m\rho\sigma^2]}\right)}{\partial\sigma}>0$$
$$\frac{\partial AC}{\partial k}=\frac{\partial\left(\dfrac{k^2s^2\rho\sigma^2}{2[k^2s^2(1+d)^2+m\rho\sigma^2]}\right)}{\partial k}>0$$
$$\frac{\partial AC}{\partial s}=\frac{\partial\left(\dfrac{k^2s^2\rho\sigma^2}{2[k^2s^2(1+d)^2+m\rho\sigma^2]}\right)}{\partial s}>0$$
$$\frac{\partial AC}{\partial d}=\frac{\partial\left(\dfrac{k^2s^2\rho\sigma^2}{2[k^2s^2(1+d)^2+m\rho\sigma^2]}\right)}{\partial d}<0$$
$$\frac{\partial AC}{\partial m}=\frac{\partial\left(\dfrac{k^2s^2\rho\sigma^2}{2[k^2s^2(1+d)^2+m\rho\sigma^2]}\right)}{\partial m}<0$$

总代理成本随着代理人的风险规避度 ρ 、方差 σ^2 、产出边际收益 k 、合作兼容边际

效率 s 的增加而增加，而随着奖惩转移系数 d 和代理人努力成本系数 m 的增加而减少。

当风险规避度 ρ 较大时，说明代理人对合作兼容呈现消极倦怠的态度，这是因为持有高风险规避度的代理人接受合作兼容带来的收益可能比不接受委托时的收益少，这时要求委托人给予更多的激励或补贴，提高了总代理成本。如果兼容时市场不稳定，如各种商誉侵权等不正当竞争案件的频繁发生以及相关法律的不完善等，则会给代理人的合作兼容带来很大干扰，造成外界不确定因子方差较大，提高总代理成本。如果产出边际收益和合作边际程度越大，代理人的产出值越大，则委托人给予的激励值越大，也会造成总代理成本提高。

当代理人的努力成本系数减小或奖惩转移系数减小时，委托人给予的激励分享总值降低，代理人将会寻找其他的方式追求自身利益最大化，委托人则会付出更多的代理成本激励代理人选择合约，总代理成本提高。

2) 委托人策略分析

因为 $\beta_2^* = \dfrac{k^2s^2(1+d)}{k^2s^2(1+d)^2 + m\rho\sigma^2}$，$b_2^* = \dfrac{k^3s^3(1+d)^2}{m[k^2s^2(1+d)^2 + m\rho\sigma^2]}$，可得委托人在不完全信息下的确定性等价收入：

$$
\begin{aligned}
Ev &= ksb_2^* - \frac{1}{2}mb_2^{*2} - \frac{1}{2}\rho\beta_2^{*2}\sigma^2 - \frac{1}{2}m_0a^2 - \overline{z} \\
&= ks\frac{k^3s^3(1+d)^2}{m[k^2s^2(1+d)^2 + m\rho\sigma^2]} - \frac{1}{2}m\left\{\frac{k^3s^3(1+d)^2}{m[k^2s^2(1+d)^2 + m\rho\sigma^2]}\right\}^2 \\
&\quad - \frac{1}{2}\rho\sigma^2\left[\frac{k^2s^2(1+d)}{k^2s^2(1+d)^2 + m\rho\sigma^2}\right]^2 - \frac{1}{2}m_0a^2 - \overline{z} \\
&= \frac{k^4s^4(1+d)^2}{2m[k^2s^2(1+d)^2 + m\rho\sigma^2]} - \frac{1}{2}m_0a^2 - \overline{z}
\end{aligned}
$$

结论 3：政府的收益与转移系数、产出效益系数、合作兼容边际效率呈正相关关系。因为

$$
\frac{\partial Ev}{\partial d} = \frac{\partial\left(\dfrac{k^4s^4(1+d)^2}{2m[k^2s^2(1+d)^2 + m\rho\sigma^2]} - \dfrac{1}{2}m_0a^2 - \overline{z}\right)}{\partial d} > 0
$$

$$
\frac{\partial Ev}{\partial k} = \frac{\partial\left(\dfrac{k^4s^4(1+d)^2}{2m[k^2s^2(1+d)^2 + m\rho\sigma^2]} - \dfrac{1}{2}m_0a^2 - \overline{z}\right)}{\partial k} > 0
$$

$$
\frac{\partial Ev}{\partial s} = \frac{\partial\left(\dfrac{k^4s^4(1+d)^2}{2m[k^2s^2(1+d)^2 + m\rho\sigma^2]} - \dfrac{1}{2}m_0a^2 - \overline{z}\right)}{\partial s} > 0
$$

意味着委托人最终的确定性等价收入随着代理人产出效益系数 k、奖惩转移系数 d 以及合作兼容边际效率 s 的增大而增大；当产出效益系数和合作兼容边际程度越大时，在同等努力水平下的合作兼容产出值越大，委托人的确定性等价收入越多。当奖惩转移系数增

大时，转移激励效益值越大，则会从正面激励或负面激励代理人付出更多努力，进而创造更多产出效益值。所以委托人可以根据对代理人的合作兼容产出值进行估计，以此赋予代理人不同的奖惩转移系数来激励代理人努力合作兼容。

结论 4：企业相关成本的增加将会减少政府的收益。

$$\frac{\partial Ev}{\partial m}=\frac{\partial\left(\frac{k^4s^4(1+d)^2}{2m[k^2s^2(1+d)^2+m\rho\sigma^2]}-\frac{1}{2}m_0a^2-\overline{z}\right)}{\partial m}<0$$

$$\frac{\partial Ev}{\partial \rho}=\frac{\partial\left(\frac{k^4s^4(1+d)^2}{2m[k^2s^2(1+d)^2+m\rho\sigma^2]}-\frac{1}{2}m_0a^2-\overline{z}\right)}{\partial \rho}<0$$

$$\frac{\partial Ev}{\partial \sigma^2}=\frac{\partial\left(\frac{k^4s^4(1+d)^2}{2m[k^2s^2(1+d)^2+m\rho\sigma^2]}-\frac{1}{2}m_0a^2-\overline{z}\right)}{\partial \sigma^2}<0$$

代理人的成本系数m、规避程度ρ、外界不确定因子方差σ^2与代理人的努力成本、风险成本相关，故这 3 个影响因子与委托人确定性等价收入成反比，意味着外界的不确定因子影响越大，代理人付出的成本越高，则越是表现出风险规避，进而减少合作兼容的产出收益。因此，委托人可以提供代理人各种优惠政策来降低代理人的风险成本，如降低税收或提供融资便利等，以此营造一个较为稳定的经营环境，激励代理人努力完成合作兼容。

结论 5：政府收益随着政府监管力度的增大及企业的固定补贴和保留收入的提高而减少。

$$\frac{\partial Ev}{\partial m_0}=\frac{\partial\left(\frac{k^4s^4(1+d)^2}{2m[k^2s^2(1+d)^2+m\rho\sigma^2]}-\frac{1}{2}m_0a^2-\overline{z}\right)}{\partial m_0}<0$$

$$\frac{\partial Ev}{\partial a}=\frac{\partial\left(\frac{k^4s^4(1+d)^2}{2m[k^2s^2(1+d)^2+m\rho\sigma^2]}-\frac{1}{2}m_0a^2-\overline{z}\right)}{\partial a}<0$$

$$\frac{\partial Ev}{\partial \overline{z}}=\frac{\partial\left(\frac{k^4s^4(1+d)^2}{2m[k^2s^2(1+d)^2+m\rho\sigma^2]}-\frac{1}{2}m_0a^2-\overline{z}\right)}{\partial \overline{z}}<0$$

委托人的收益随着监管的成本系数m_0、监管努力水平a和企业的保留收入$\overline{z}$的增加而减少。对于一些保留收入较高的或不积极努力合作兼容的代理人，委托人将会付出更高的监管成本以及固定支付成本激励代理人实行合作兼容，导致委托人的收益减少。

3）代理人策略分析

代理人的确定性等价收入为

$$f(z)=a_2^*+\beta_2^*[ksb_2^*+d(ksb_2^*-\overline{y})]-\frac{1}{2}mb_2^{*2}-\frac{1}{2}\rho\beta_2^{*2}\sigma^2$$

$$=a_2^*+\frac{k^4s^4(1+d)^2[k^2s^2(1+d)-m\rho\sigma^2]}{2m[k^2s^2(1+d)^2+m\rho\sigma^2]^2}-\frac{k^2s^2(1+d)^2d\overline{y}}{k^2s^2(1+d)^2+m\rho\sigma^2}$$

从代理人的确定性等价收入中可以发现：代理人会从激励分享值、固定收入、努力成本、风险成本等方面思考制定相应策略来获取利益。

结论 6：政府给予的奖惩转移系数及企业产出边际和合作兼容边际效率越高，企业越努力。

$$\frac{\partial b}{\partial d}=\frac{\partial\left(\dfrac{k^3s^3(1+d)^2}{m[k^2s^2(1+d)^2+m\rho\sigma^2]}\right)}{\partial d}>0$$

$$\frac{\partial b}{\partial k}=\frac{\partial\left(\dfrac{k^3s^3(1+d)^2}{m[k^2s^2(1+d)^2+m\rho\sigma^2]}\right)}{\partial k}>0$$

$$\frac{\partial b}{\partial s}=\frac{\partial\left(\dfrac{k^3s^3(1+d)^2}{m[k^2s^2(1+d)^2+m\rho\sigma^2]}\right)}{\partial s}>0$$

代理人的努力水平 b 与系数 d 、 k 、 s 成正比，说明代理人接受契约后的奖惩转移系数、产出效益系数、合作兼容边际效率越大，将会付出更多的努力接受委托，进行兼容合作。其中， k 、 s 主要是由代理人自身条件决定，一般情况下， k 、 s 系数较大的互联网企业市场占有率高，对产品、业务等扩展普及较快，在付出相同的努力合作兼容水平下，将会得到较高的合作兼容程度和产出值，而委托人可以考虑的是通过增大奖惩转移系数来激励企业付出更多努力。

结论 7：当企业面临的成本越高时，将会呈现越低的努力水平。

$$\frac{\partial b}{\partial m}=\frac{\partial\left(\dfrac{k^3s^3(1+d)^2}{m[k^2s^2(1+d)^2+m\rho\sigma^2]}\right)}{\partial m}<0$$

$$\frac{\partial b}{\partial \rho}=\frac{\partial\left(\dfrac{k^3s^3(1+d)^2}{m[k^2s^2(1+d)^2+m\rho\sigma^2]}\right)}{\partial \rho}<0$$

$$\frac{\partial b}{\partial \sigma^2}=\frac{\partial\left(\dfrac{k^3s^3(1+d)^2}{m[k^2s^2(1+d)^2+m\rho\sigma^2]}\right)}{\partial \sigma^2}<0$$

代理人的成本系数、风险规避度、外界不确定因子方差越高，代表其努力成本和风险成本越高，而此时 3 个影响因子与代理人的努力水平成反比，意味着代理人面对较高的外界不确定影响因素时，其付出的风险代理成本越高，越是持有风险规避态度，就越不愿意努力兼容。在合作兼容时具有较小的成本系数、风险规避度和外界不确定因素方差的代理人将会拥有较低的代理成本，为了快速地发展产品抢占市场，一般情况下，其产品具有较好的兼容性，更愿意付出努力实现兼容。

结论 8：较高的激励程度能够激励企业承担更多风险实现合作兼容。

$$\frac{\partial\beta}{\partial k}=\frac{\partial\left(\dfrac{k^2s^2(1+d)}{k^2s^2(1+d)^2+m\rho\sigma^2}\right)}{\partial k}>0$$

$$\frac{\partial\beta}{\partial d}=\frac{\partial\left(\dfrac{k^2s^2(1+d)}{k^2s^2(1+d)^2+m\rho\sigma^2}\right)}{\partial d}>0$$

$$\frac{\partial\beta}{\partial s}=\frac{\partial\left(\dfrac{k^2s^2(1+d)}{k^2s^2(1+d)^2+m\rho\sigma^2}\right)}{\partial s}>0$$

当产出效益系数、奖惩转移系数和合作兼容边际效率越大时，代理人越愿意承担较大的风险接受委托。因为k、d、s三个系数越大，意味着代理人合作兼容的产出值越大，可供分享的总值越大，得到的分享激励收入越多，代理人就越愿意承担较大的风险。

结论 9：企业的风险规避度与其面对的成本成反比。

$$\frac{\partial\beta}{\partial m}=\frac{\partial\left(\dfrac{k^2s^2(1+d)}{k^2s^2(1+d)^2+m\rho\sigma^2}\right)}{\partial m}<0$$

$$\frac{\partial\beta}{\partial\rho}=\frac{\partial\left(\dfrac{k^2s^2(1+d)}{k^2s^2(1+d)^2+m\rho\sigma^2}\right)}{\partial\rho}<0$$

$$\frac{\partial\beta}{\partial\sigma^2}=\frac{\partial\left(\dfrac{k^2s^2(1+d)}{k^2s^2(1+d)^2+m\rho\sigma^2}\right)}{\partial\sigma^2}<0$$

$$\frac{\partial\beta}{\partial\rho^2}=\frac{\partial\left(\dfrac{k^2s^2(1+d)}{k^2s^2(1+d)^2+m\rho\sigma^2}\right)}{\partial\rho^2}>0$$

外界不确定因子方差越大，代理人的风险成本越高，越是持有风险规避态度，就越不愿意承担风险，并且其风险规避的敏感度也会越高。所以，委托人可以考虑降低外在风险来激励代理人实施合作兼容。

结论 10：当企业具有较低的合作兼容边际效率、产出效益边际及奖惩值时更趋向于获取固定补贴。

$$\frac{\partial\alpha_2^*}{\partial k}=\frac{\partial\left(\dfrac{[(1+d)k^2s^2]^2\left\{m\rho\sigma^2-[(1+d)ks]^2\right\}}{2m[(1+d)^2k^2s^2+m\rho\sigma^2]^2}+\dfrac{(1+d)k^2s^2d\overline{y}}{(1+d)^2k^2s^2+m\rho\sigma^2}+\overline{z}\right)}{\partial k}<0$$

$$\frac{\partial\alpha_2^*}{\partial s}=\frac{\partial\left(\dfrac{[(1+d)k^2s^2]^2\left\{m\rho\sigma^2-[(1+d)ks]^2\right\}}{2m[(1+d)^2k^2s^2+m\rho\sigma^2]^2}+\dfrac{(1+d)k^2s^2d\overline{y}}{(1+d)^2k^2s^2+m\rho\sigma^2}+\overline{z}\right)}{\partial s}<0$$

$$\frac{\partial\alpha_2^*}{\partial d}=\frac{\partial\left(\dfrac{[(1+d)k^2s^2]^2\left\{m\rho\sigma^2-[(1+d)ks]^2\right\}}{2m[(1+d)^2k^2s^2+m\rho\sigma^2]^2}+\dfrac{(1+d)k^2s^2d\overline{y}}{(1+d)^2k^2s^2+m\rho\sigma^2}+\overline{z}\right)}{\partial d}<0$$

代理人得到的固定收入与产出效益系数、合作兼容边际效率、奖惩转移系数成反比。表示当这 3 个系数越大时，代理人的可供分享激励总值越大，进而得到更多的分享收入，此时，委托人自己将会减少相应的固定补贴以期望降低自己的代理成本。

结论 11：企业获取的固定补贴与其承担的成本成正比。

$$\frac{\partial\alpha_2^*}{\partial m}=\frac{\partial\left(\dfrac{[(1+d)k^2s^2]^2\left\{m\rho\sigma^2-[(1+d)ks]^2\right\}}{2m[(1+d)^2k^2s^2+m\rho\sigma^2]^2}+\dfrac{(1+d)k^2s^2d\overline{y}}{(1+d)^2k^2s^2+m\rho\sigma^2}+\overline{z}\right)}{\partial m}>0$$

$$\frac{\partial\alpha_2^*}{\partial \rho}=\frac{\partial\left(\dfrac{[(1+d)k^2s^2]^2\left\{m\rho\sigma^2-[(1+d)ks]^2\right\}}{2m[(1+d)^2k^2s^2+m\rho\sigma^2]^2}+\dfrac{(1+d)k^2s^2d\overline{y}}{(1+d)^2k^2s^2+m\rho\sigma^2}+\overline{z}\right)}{\partial \rho}>0$$

$$\frac{\partial\alpha_2^*}{\partial \sigma^2}=\frac{\partial\left(\dfrac{[(1+d)k^2s^2]^2\left\{m\rho\sigma^2-[(1+d)ks]^2\right\}}{2m[(1+d)^2k^2s^2+m\rho\sigma^2]^2}+\dfrac{(1+d)k^2s^2d\overline{y}}{(1+d)^2k^2s^2+m\rho\sigma^2}+\overline{z}\right)}{\partial \sigma^2}>0$$

代理人的固定收入与努力边际成本系数、风险规避度、外界不确定因子方差成正比。意味着当外界不确定因素影响较大时，代理人会付出较高的努力成本，越是持有风险规避的态度。在这种情况下，委托人要想激励代理人付出更多努力，则需要付出更多的固定补贴。

结论 12：当企业面临较高的行业平均产出值及保留收入时要求获得更多的固定补贴。

$$\frac{\partial\alpha_2^*}{\partial \overline{y}}=\frac{\partial\left(\dfrac{[(1+d)k^2s^2]^2\left\{m\rho\sigma^2-[(1+d)ks]^2\right\}}{2m[(1+d)^2k^2s^2+m\rho\sigma^2]^2}+\dfrac{(1+d)k^2s^2d\overline{y}}{(1+d)^2k^2s^2+m\rho\sigma^2}+\overline{z}\right)}{\partial \overline{y}}>0$$

$$\frac{\partial\alpha_2^*}{\partial \overline{z}}=\frac{\partial\left(\dfrac{[(1+d)k^2s^2]^2\left\{m\rho\sigma^2-[(1+d)ks]^2\right\}}{2m[(1+d)^2k^2s^2+m\rho\sigma^2]^2}+\dfrac{(1+d)k^2s^2d\overline{y}}{(1+d)^2k^2s^2+m\rho\sigma^2}+\overline{z}\right)}{\partial \overline{z}}>0$$

当行业平均产出效益值越高或代理人的保留收入越高时，要求越多的固定收入。因为行业平均产值越高，代理人得到的转移分享总值越少，为了获得更多利益，代理人就希望从委托人那里得到更多的固定收入。代理人保留收入越高，一般说明其具有较高的其他业务收入的机会成本或市场占有率，能够赚取的利益也越多。所以，为了激励保留收入较高的代理人接受契约，需要委托人付出更多的固定补贴。

5.3 互联网信息服务业竞争秩序监管的制度优化

5.3.1 社会主体参与的多元共治格局

1. 竞争秩序监管制度的设计目标

1) 完善现有法律法规

随着互联网信息技术的高速发展，互联网信息服务业领域内不正当竞争行为类型也日益增多，目前这些分类还不能完全囊括所有类型，在处理案件时只能对照各自分类的原则进行相应的判别。从上面对当前我国互联网信息服务业法律法规体系的梳理可以看出，目前针对互联网领域竞争秩序的相关法律，绝大部分的出发点是维护互联网信息服务业能够基本正常运行，其中条文设计相对粗大，偏向于对基本问题的解决，虽对不正当竞争行为进行了划分，但并未按照行为特质进行有效分类，难以涵盖所有不正当竞争行为，以应对日益复杂、快速变革的互联网信息服务业竞争秩序的监管问题[10]。因此本部分设计互联网信息服务业竞争秩序监管制度的首要目标旨在完善现有监管制度，弥补现有监管制度的不足，规范互联网信息服务业市场竞争秩序。

2) 激励合作兼容

互联网信息服务企业的发展在带动经济的同时，也呈现出更多依靠跨领域竞争来实现产品多元化的行为，由此产生诸多产品间不兼容的不正当竞争案。例如，腾讯与 360 的权益之争，360 强行卸载金山网盾，苹果公司下架 360 产品，以及百度手机助手与 360 手机助手相互屏蔽等，这一系列缺乏合作兼容的行为易引发不正当竞争，给产品的创新开发、消费者的利益及行业的健康发展带来不良影响，甚至对我国经济的发展产生消极影响。

3) 促进行业可持续发展

作为拉动中国经济的巨大动力，互联网信息服务业的市场环境尤为重要，健康有序的市场发展环境，可以使互联网企业得到更好的发展。互联网竞争监管是一个综合、复杂的监管过程，而依靠传统的监管手段去应对新型的、复杂的被监管对象则难以有效地发挥作用[11]。由于原有的监管制度与互联网行业现实情境之间存在一定程度的不匹配现象，因此将传统竞争监管手段简单套用在互联网领域将会影响监管的有效性、竞争的公平性，达不到理想的监管效果，进而影响行业的可持续发展。

2. 竞争秩序监管制度的设计思路

1) 现有监管制度的不足

现阶段我国对互联网信息服务业的市场竞争秩序监管还存在诸多问题。首先，我国对互联网行业拥有监督职权的政府部门众多，且相互之间存在职能交叉的现象，成为影响互联网信息服务业监管效果的重要因素。由于互联网行业在技术及相关应用上的复杂性和多样性，使得对互联网市场的监管涉及许多政府执法部门，既包括一般性的传统执法部门，又包括针对互联网管理的有关部门，这一现实情况，必然会导致监管职能上的权力交叉。

其次，现有法律对执法部门权力的界定不足使得互联网信息服务业监管部门难以充分发挥作用。例如，互联网行业主管部门虽然在技术和知识上拥有较大的专业优势，具有较强的监管能力和有效的监管手段，但法律赋权的缺失让行业主管部门陷入无法可依的困境。

最后，由于监督途径有限，使得政府在获取产品不兼容等不正当竞争信息时存在一定滞后性。目前的监管体系由政府主导，而公众与行业的参与度较低，使得不正当竞争信息的反馈不够及时，容易造成不正当竞争行为难以及时被制止，并造成进一步的损失。合作兼容的监管改进方向，不仅需要政府引导，还需要社会多方力量的参与，才能够对不正当竞争行为进行有效的遏制。

2) 国外监管经验的借鉴

互联网起源于西方国家并得到长足发展，在互联网的监管方面也积累了大量的实践经验。通过对西方国家监管思路和措施的梳理分析，我们可以发现其所制定的政策通常具有以下两个特点：一是为了维护国家和社会的信息安全，打击网络犯罪；二是保护未成年人的隐私权，因此国外对互联网行业的监管重点主要放在网络资源和网络内容两个方面。

(1) 美国。

美国互联网监管政策的基本方向是保证互联网市场的活力，以确保互联网产业的繁荣发展，比如极力促进互联网行业的发展，保持市场活力，维护市场竞争秩序，并努力推行互联网技术的全面普及。同时，鼓励家庭安装软件过滤、拦截系统，以保护未成年人的成长环境，建立发展、协调机制，确保互联网安全；保护国家网络基础设施，防范并打击恐怖分子破坏等。

(2) 德国。

在宏观制度设计上，德国紧紧依据维护国家安全、保障社会秩序和促进行业发展等价值目标，从联邦、各州和行业协会 3 个层面对与互联网监管相关的立法和机构设置进行明确的调整，并确立了以行政部门为主导的互联网监管体制。在具体操作上，德国会根据行业的发展对相关立法进行及时修正和补充，同时设立了权责分明的监管机构来加以实施。

(3) 英国。

英国在长期的互联网监管实践中形成了一套完善、有效并且有自身特色的互联网监管体系和监管机制，在对我国的互联网监管体系进行设计时，可以对其经验进行参考借鉴，以提升我国互联网监管水平。英国在立法、行政和其他配套监管措施方面不断完善、优化。总的来说，英国对互联网的监管特点主要体现在将监管权力充分地赋予行业协会，运用行业协会的自律性来实现互联网市场的稳定、持续发展。

(4) 日本。

日本对于互联网监管的态度是在政府统一引导下，强化行业自律和动员公众力量共同监督，具体分为以下三个方面。

①强调政府监管。日本颁布了多项法律来规范互联网行业的市场环境，其中具有代表性的是《电信业法》《反黑客法》《反垃圾邮件法》《个人信息保护法》，同时设立政府“网络监督日”，定期对互联网企业的行为进行检查，并对查出的违规企业进行相应的惩处。

②强化行业自律。日本政府主动邀请互联网市场中的主要成员，包括运营商、软件开发企业及消费者代表来共同组成自律性组织，同时采取分级管理制度，将部分事件处理权限放给协会，给予行业协会充分的自由和权力，并最终实现行业自律。

③鼓励社会力量积极参与监督。面对复杂的市场环境，政府的监管能力可能会受到一定程度的限制，日本政府鼓励社会各个成员、组织参与到互联网行业的监管中来，协助政府提升监管效果，共同维护行业发展环境。

3）我国监管制度优化思路借鉴

通过对我国现有监管制度存在的问题以及国外互联网监管制度的分析，互联网监管制度的设计应调动社会多方力量参与监管，协调好政府、行业协会和公众之间的关系，充分发挥各主体优势，形成完善的互联网监管政策和原则，进而推动互联网行业的健康发展，具体如下。

⑴制定相应的法律法规，形成完善的互联网监管环境。首先，要处理好政府监管与网络自由的关系，全面统筹，协调好各方关系，准确把握网络立法的方向。其次，要采取法律法规与社会准则相结合的治理模式，广泛听取网络社会中各个参与主体的意见，充分调动各方积极性。最后，总结和梳理国外互联网监管的有效经验，建立起一套既符合国际管理准则又适应我国国情的互联网监管体系。

⑵完善机构设置和监管机制。政府应当对参与互联网监管的诸多主体进行明确的权责划分，构建统一的监管框架，加强各监管部门之间的信息沟通和交流，避免出现职责交叉的现象；要建立主管责任部门为主，相关部门为辅的管理体制，实现互联网行业的更优化管理。

⑶强化行业协会的自律作用。政府需要给行业组织提供相对独立的发展空间，并给予适当的权力，使其成为互联网监管的重要参与者，通过行业协会的自身作用，督促企业自觉遵守相关法律法规的规定，形成自我管理的意识，以加快推进我国互联网行业的组织建设和健康发展。

⑷重视社会监督的重要性。首先，政府需要把对互联网行业的监管与社会治理有机结合起来，形成整体来共同推进治理政策，积极指引和领导网络舆论的方向，促使公众成为协助政府监管的重要力量。其次，要充分保障公众参与和社会监督的实现，政府需要开通多种渠道，以获取公众的意见，鼓励公众参与监督，使公众更好地发挥自身作用。

3. 多元共治格局的参与主体分析

1）参与主体作用分析

设计监管制度首先需要明确监管参与者。在互联网信息服务企业竞争秩序监管体系中所涉及的监管参与者中不仅只有政府，行业与公众都应参与监管协助政府发挥作用，各方具体情况如下。

(1) 政府。

政府监管机构是指根据相关的法律法规，通过相应的标准以及合法的行政程序对市场主体的经济活动以及社会问题进行规范和控制的行政机构。政府是监管主体中十分重要的一部分。一方面需要建立相关的规章制度来约束企业的竞争行为，保证市场竞争秩序的健康有序。另一方面要实施监管行为，客观实地地考察企业是否有不正当竞争行为[12]。

我国政府对于互联网信息服务业的监管是由多个部门共同参与负责的，因此要在国家法律的层面赋予互联网行业主管部门执法权，对互联网市场管理进行专门立法，规范主体行为，明确行为边界和监管对象，避免出现监管空白、监管重叠的现象，使政府监管部门切实有效地发挥自身行政职能。

(2) 行业协会。

当一个市场开放和竞争达到一定程度时，在政府的帮助和指导下，一些具有中介性质的行业自律机构就会自发形成，成为沟通政府与行业、行业与用户以及行业内部的中介组织[13]，行业协会在政府监管过程中的作用主要体现在：它可以帮助政府监管部门更好地对互联网信息服务企业进行监管，同时可以发挥自身在技术、知识方面的专业优势，督促企业遵守自律规范。由于行业内普遍存在的数据信息不共享、准入门槛低的问题，导致行业内企业之间的不正当竞争时有发生，从而对行业的正常秩序造成了非常消极的影响，而行业协会作为行业内自发组织的第三方机构，相比于政府监管部门具有更多技术和专业上的优势，可以通过制定行业规范、组织企业间交流等多种方式，倡导市场提升发展意识，加强企业自觉遵守行业规范，促进全行业健康、有序发展。

(3) 公众。

公众参与主要是互联网用户通过政府设置的各种举报渠道或者依靠消费者权益保护协会参与企业市场秩序监管。当发生不正当竞争时，受害者不仅包括其中的涉事企业，还包括单独的消费者。消费者在某些时候会比政府这种官方监管主体更快察觉到企业间的不正当竞争行为，及时举报能够更快速地发挥政府的监管作用，以控制不正当竞争。公众权益保护和维护良性市场秩序是根本出发点，因此在建立监管制度时需从用户角度出发提供保护，对市场中企业所采取的行为进行约束，防止无序行为所带来的损害，以保障用户在权益受损时能够获得最有效的帮助。

2) 参与主体间的关系分析

由于竞争秩序监管设计相关主体复杂，监管行为牵扯面大，必须通过构建一套由政府主导、协会协助、公众参与的科学、合理、多元的监管体系，以实现社会合力协同市场监管的目标。创新监管中多元主体的市场监管体系包括政府、行业协会、社会公众等主体，他们各自发挥不同的作用，具体来说，政府是监管实施的主导者，行业协会是监管的辅助力量，社会公众是监管的参与者和反馈者，他们之间的关系如图 5.2 所示。

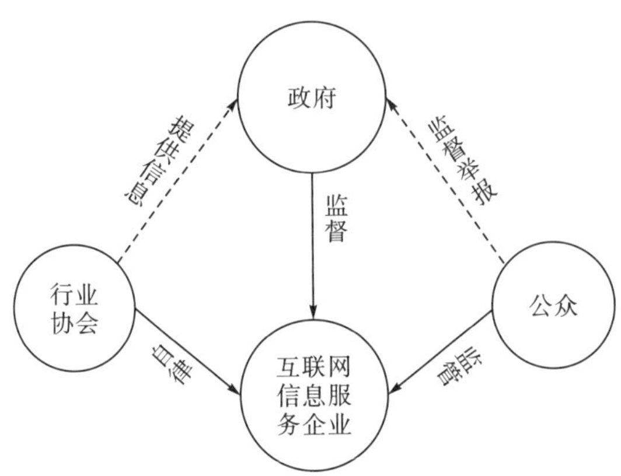

图 5.2 互联网监管参与主体关系图

5.3.2 协作框架构建及监管制度设计

1. 竞争秩序协作框架构建

为了更好地发挥政府部门、行业协会、企业和公众 4 个参与主体的作用，本部分构建互联网信息服务业监管体系(图 5.3)，厘清各个参与主体间的职能和相互联系，为监管制度的制定建立基础。

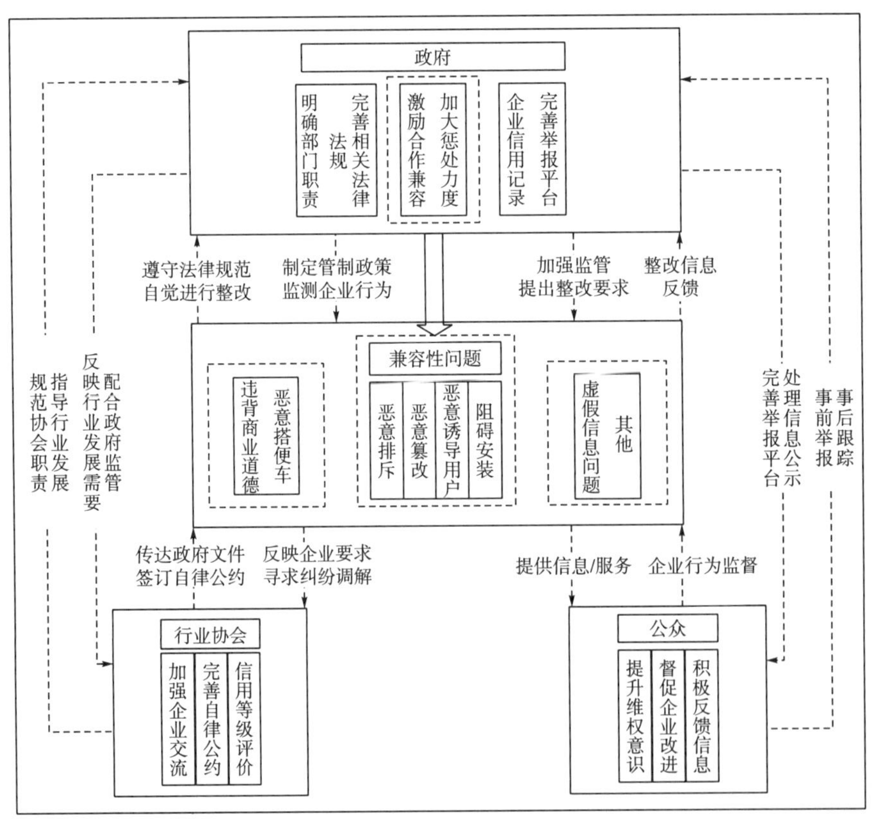

图 5.3 互联网信息服务业竞争秩序监管体系

从图 5.3 可以看出各个参与主体的功能和相互联系。

1) 各个参与主体之间的功能

(1) 政府作为市场竞争秩序的直接监管主体，在监管过程中起主导作用，主要通过相关监管政策的制定，包括政府各监管部门的权责划分、不正当竞争类型的判定标准与监管制度的执行等，对互联网信息服务业进行监管。

(2) 行业协会与公众在竞争秩序监管过程中协助政府部门进行监督，起补充与辅助的作用。行业内部通过成立行业协会制定相关章程，自主协调行业内有关事宜，促进行业内企业自觉遵守法律法规，维护行业健康发展。公众作为第三方参与主体，对互联网信息服务企业起监督作用。

(3) 公众作为消费者可以比较直接地察觉到企业的不正当竞争行为，可以及时地向政府提供信息，避免出现政府监管不到位的现象，使政府监管部门可以及时地对企业采取措施，有效减少由于企业的不正当竞争所造成的损失，同时对政府的监管效果进行准确、有效的反馈，促使政府不断提升、优化监管手段。

2) 各个参与主体之间的相互联系

监管体系中涉及政府、行业协会、公众 3 个监管参与主体，实现多方共同管理。中央和地方立法同步进行，形成多层次的法律体系，既有中央层面的立法，也有地方性法规、规章等地方性立法，共同成为我国互联网法律体系的重要组成部分，同时考虑互联网信息服务业事件发生的全过程，将四大参与主体——政府、行业协会、企业及公众按照信息流的传递连接起来，统筹分析各参与主体应承担的职责，提升政府监管效率，增强互联网信息服务业竞争秩序监管体系的稳定性。

2. 竞争秩序监管制度设计

本节构建的互联网信息服务业竞争秩序监管体系将政府、行业协会、公众与企业联系在一起，体现出监管的整个信息传递流程及各参与主体在监管过程中应发挥的作用。监管体系的有效运作有赖于完善的制度保障，下面将以有效激励企业实现产品间合作兼容，减少行业内不正当竞争为中心，设计互联网信息服务业竞争秩序的监管制度。

1) 法律法规的适时改、立制度

互联网信息服务业中的企业竞争行为相较于传统行业更加复杂，原有的监管法律在实际运用过程中容易出现不匹配的现象，从而影响政府监管效果。因此，针对传统法律法规中不适用的部分，需要适时地进行修改，以确保更好地发挥监管作用，同时根据行业出现的新情况进行专门立法，以完善监管法律体系，该制度具体表现在如下四个方面。

(1) 界定政府各部门权责范围。在今后对互联网信息服务业竞争行为进行监管时，政府部门应综合考虑互联网信息服务业整体情况，出台相应法律法规对政府监管部门执法权限进行清晰划分，确定行动优先等级，确保不正当竞争事件发生时，政府部门可以快速做出反应，并对相关法律法规进行适时修改，以更好地适应新情况，做到有法可依、有效监管，维护互联网信息服务业健康的竞争秩序。

(2) 明确行为性质判定标准。当前学者在进行研究时，大多将传统行业中不正当竞争行为的分类沿用到互联网信息服务业中，但互联网信息服务业由于其自身的特点，行业内所发生不正当竞争行为与传统行业相比，存在较大差别。所以，不正当竞争的判定标准对于政府部门的监管至关重要，政府需对互联网信息服务业中的不正当竞争行为公布明确的判定标准，方便政府行政部门进行监管。

(3) 鼓励、引导企业实现合作兼容。由于互联网信息服务企业之间业务领域的交叉、重叠，为了抢夺市场份额，企业间甚至出现不正当竞争的现象，其中最突出的便是产品间的不兼容问题。因此，政府在对互联网信息服务业进行监管时，需要采取多种措施来激励互联网信息服务企业实现产品、服务的兼容。

(4) 加大违法、违规企业惩处力度。政府相关监管部门应结合行业实际情况，在不降低行业发展活力的前提下，适当调整对不正当竞争案件涉事企业的处罚力度，对互联网信息服务企业产生足够的警示作用，从根本上缓解当前不正当竞争案件频发的现象。同时，通过对现有法律体系进行适时的修改及完善，使得政府监管部门更好地发挥自身职能，企业违法、违规成本更高，并且通过政策引导企业行为选择，让合作兼容成为互联网信息服务企业的优先选择，从而减少行业内不正当竞争事件的发生。

2) 开放的协同监管制度

互联网信息服务业的高技术性使得企业间竞争行为呈现复杂性、隐蔽性的特点。政府监管部门作为监管的主导者，面对这一复杂现状仅依靠自身力量难以实现对互联网信息服务企业的有效监管，需要借助行业协会与公众的自身优势多方参与，构成多元协同的行业监管模式，具体表现在如下四个方面。

(1) 督促协会制定自律规范。行业协会应充分发挥自身在技术和信息方面的专业优势，根据互联网行业的具体情况自定本行业内的行业规范，相比于政府制定的法律法规，行业内的规范更贴合行业实际，更适合行业的发展，实际上是在建立行业内的“法律”秩序，让成员企业自觉遵守，共同对互联网的治理负责。

(2) 引导协会开展企业间交流。当前互联网信息服务企业之间的摩擦不断，不仅会对行业、社会造成消极影响，对企业自身也会造成损失，行业协会作为直接接触互联网信息服务企业的组织，应主动发挥自身领导力，经常组织行业内具有话语权的企业进行交流、沟通，便于各企业对某一问题达成共识，减少冲突的发生，使企业之间增强互信，并引领和推动合作共赢不断发展，减少行业内不正当竞争的发生。

(3) 监督协会协调与解决争端。协调与解决争端是行业协会对有关协会内部事务或行业事务进行调解的一种方式，也是行业协会促进行业自律的重要手段之一。这种优势主要表现在 3 个方面：一是行业协会对行业具体情况更为了解，能够更具针对性地处理争议；

二是行业协会的协调是行业内部的处理，并不会对外界公开，一定程度上有助于保护企业的市场信誉；三是行业内自主协调争议，在解决争议的同时，也可以帮助企业之间沟通，从而促使各方共同维护正常的市场竞争环境。

(4) 积极宣传，鼓励公众参与。公众即互联网信息服务的消费者，是直接受行业内不正当竞争影响的群体，对企业的不正当竞争行为有直观感受，可以及时、准确地向政府监管部门反映企业行为信息，避免消极影响的扩大。政府应积极宣传，提升公众的维权意识，使得公众发现行业内不正当竞争现象时，及时向有关部门反映情况，协助政府及时对涉事企业进行监管，维护市场竞争秩序。

3) 信息披露及反馈制度

信息披露及反馈是政府监管获得企业行为信息的重要渠道，也是公众参与互联网信息服务业监管过程的主要途径，通过政府搭建的信息平台，公众可以及时地对企业侵权行为进行举报，协助政府进行监管，同时也是政府向公众公开执法情况的重要平台，提升政府的公信力。具体表现在如下两个方面。

(1) 完善监督举报平台。监督举报平台是政府了解群众意愿与诉求的重要途径，是维护消费者利益的重要基础。互联网行业的竞争行为繁多，每天发生的纠纷事件数量大，快速地了解、解决群众举报，一方面可以保护消费者权益，另一方面也可以使政府快速了解到行业内的不正当竞争现象，从而采取相应措施，维护市场秩序。政府应采取多种信息交流方式，设置举报信箱，开通举报电话、网上信箱等多种形式，鼓励消费者对企业的不正当竞争行为进行举报，最终妥善解决实际问题，维护消费者的合法权益。

(2) 建设信用评价体系。整个社会信用状况与市场竞争秩序监管关系密切，客观地说，整个社会信用状况决定着市场竞争秩序监管的难易。为此，应该由政府主导建立较为完整的信息管理平台，记录市场相关信息，包括企业通过工商部门在其市场主体准入、经营客体、参与市场竞争行为表现并反映出来的信息。建立企业的信用共享平台，逐步完善信用监督机制，包括强化来自政府、企业内部外部、自媒体及百姓的监督，不断完善信用奖惩机制，既让守信企业得到支持，又让失信企业受到惩罚。

5.4　本 章 小 结

本章系统地分析了互联网信息服务业市场监管存在的问题，同时提出合作兼容的监管改进方向，并在此基础上构建激励性监管模型，提出政府可通过税收优惠、投入互联网产品兼容鼓励金等政策激励企业合作兼容；将政府、公众、行业协会作为监管参与主体，优化竞争秩序监管体系，并提出相关监管政策建议，为监管部门提升互联网信息服务业竞争秩序监管效果提供理论依据和决策参考。

参 考 文 献

[1] 周文辉. 知识服务、价值共创与创新绩效——基于扎根理论的多案例研究[J]. 科学研究，2015，33(4):567-573.

[2] Juliet S A C. 质性研究概论[M]. 北京：巨流图书公司，1997.

[3] 刘建刚，张美娟，陈昌杰，等. 互联网平台企业商业模式创新影响因素研究——基于扎根理论的滴滴出行案例分析[J]. 中国科技论坛，2017(6):185-192.

[4] 姜奇平. 中国股市为什么容不下互联网股[J]. 互联网周刊，2011(9):27-28.

[5] 童金銮. 互联网广告不正当竞争行为的规制[J]. 中国工商管理研究，2011(12):16-20.

[6] 卢安文，王儒，吴晶莹. 中国互联网三巨头竞争互动研究[J]. 南方经济，2017(7):116-136.

[7] 帅旭，陈宏民. 市场进入与网络外部效应[J]. 系统工程，2003(3):47-52.

[8] 王玉燕，李帮义，申亮. 两个生产商的逆向供应链演化博弈分析[J]. 系统工程理论与实践，2008(4):43-49.

[9] Friedman D. Evolutionary Games in Economics[J]. The Econometric Society，1991，59(3):637-666.

[10] 周继红. 论我国《反不正当竞争法》存在的问题及完善对策[J]. 青海社会科学，2006(3):137-141.

[11] 李振华. 论我国信托监管法律机制的构建[J]. 经济问题，2005(10):56-58.

[12] 李小健. 让市场竞争更加公平有序——聚焦反不正当竞争法首次修正[J]. 中国人大，2017(5):12-13.

[13] 胡颖廉. 重构我国互联网药品经营监管制度——经验、挑战和对策[J]. 行政法学研究，2014(3):13-21.

第三篇　新兴信息消费的环境评估与治理研究

第 6 章　新兴信息消费的概念与环境演变

信息技术的快速发展，使得居民信息消费环境发生了巨大变化。本章以文献分析和逻辑推演方法为手段，结合客观实际首先提出了在新兴信息技术背景下新兴信息消费的概念，阐述了其内涵和特征，并对我国新兴信息消费形成的环境进行了界定，为后续指标体系构建及环境治理研究奠定了重要基础。

6.1　新兴信息消费的内涵与特征

6.1.1　新兴信息消费的内涵界定

随着社会经济的快速发展，居民信息消费规模不断扩大，信息消费逐渐发展成了居民消费的新潮流[1]。2013 年，国务院发布《国务院关于促进信息消费扩大内需的若干意见》（国发〔2013〕32 号），首次将信息消费提升至国家战略地位，为全国信息消费产业的快速发展奠定了重要基础。据统计，2016 年我国信息消费规模达 3.9 万亿元，实现同比增长 22%，增速远超社会消费品零售总额的平均增速，充分显示了我国信息消费的巨大潜力和空间①。2017 年，国务院常务会议再次强调扩大升级信息消费，进一步表明了信息消费对于我国经济增长的重要作用和我国发展信息消费的决心，2018 年工业和信息化部、国家发展和改革委员会发布了《扩大和升级信息消费三年行动计划（2018～2020）》，再次为推动信息消费向纵深发展，壮大经济发展内生动力指明了目标和实现的具体措施。

在信息技术的影响下，社会生产方式、企业交易模式、居民消费方式和生活方式都发生了巨大变化。在此过程中，新兴信息技术的迅猛发展，极大地促进了新兴信息产品的丰富和新兴信息消费市场的壮大。信息消费市场供给水平的整体提升，不仅优化了居民的信息消费渠道，还强化了居民信息消费的时间碎片化和选择多样化特征。另外，随着信息消费用户规模日益庞大，消费型社交平台也不断增多，居民信息消费的社交化特征也越加突显[2]。

根据国家信息产业发展相关战略，为不断壮大我国信息消费市场，促进产业结构升级，必须厘清新兴信息技术背景下的新兴信息消费内涵，通过内涵界定、特征研究和趋势分析，制定更加科学合理的引导政策，推动新兴信息消费全面快速发展。

信息技术的革新和飞跃式发展，推动了居民信息消费需求、消费对象和消费渠道的深刻变化。因此，基于社会发展现状，信息消费的内涵特征和概念界定必须做出相应调整。

---

① 中国新闻网. 经济观察：升级信息消费中国做强经济增长新引擎[EB/OL]. [2017-05-12]. http://www.chinanews.com/cj/2017/05-12/8221954.shtml.

本章研究将当前由技术发展带动的新信息消费统称为新兴信息消费，为对其内涵及特征进行准确界定，课题组在对前人相关研究进行梳理分析的基础上，于 2015 年 12 月就信息消费的内涵、发展变化、消费环境和消费治理等问题访谈了吕廷杰、陈金桥、宋彤等业内专家 10 余人。

访谈发现，符合时代发展的新兴信息消费概念受到了业内专家的广泛认同。以信息消费活动学说为基础，业内专家意见为指导，相关研究分析为参考，本章认为新兴信息消费是消费主体为满足生产和生活需要，以智能终端为载体，移动互联网为渠道，以大数据和云计算等新兴信息技术背景下的比特产品为主要消费对象的消费活动。

由于信息的无形性特征，要求居民在进行部分信息消费时，必须借助信息载体和终端。信息消费对象不仅包括信息服务还包括信息产品。因此，以市场供给为现实依据，相关政策和专家意见为分类指导，本书认为新兴信息产品包括新一代智能终端和新兴信息服务两类，其中智能终端以具备无线接入功能的智能手机、平板电脑和可穿戴设备为核心，新兴信息服务以移动互联网接入、新一代软件应用和内容服务为代表，如图 6.1 所示。

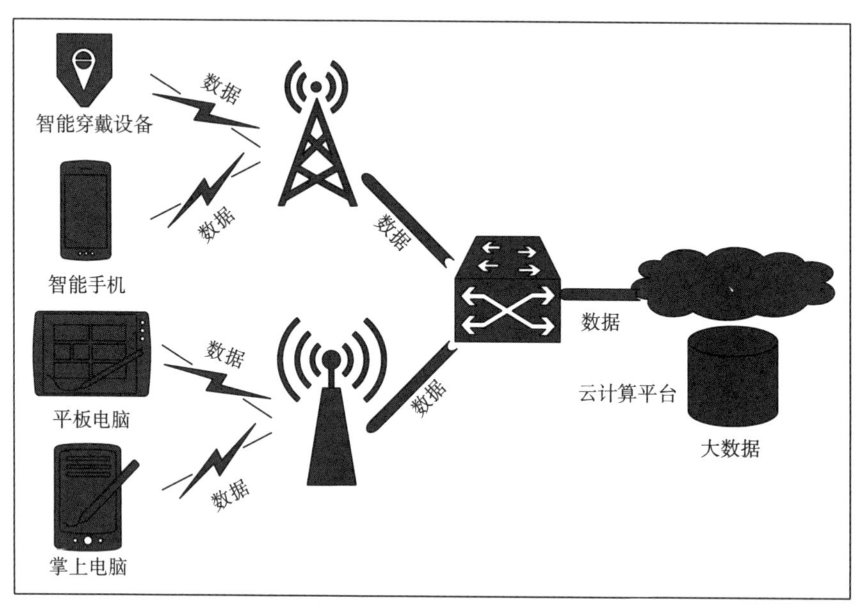

图 6.1　新兴信息消费过程示意图

6.1.2　新兴信息消费的特征分析

研究认为新兴信息消费以传统信息消费为基础演变而来，既融合了过去，又具备自身的独有特征，此观点得到了业内专家的广泛认同。基于新兴信息消费的基本内涵，课题组将从如下五个方面对其特征进行具体分析。

1. 信息内容：比特化、海量化和场景化

(1) 信息内容比特化。新兴信息消费的内容随时代发展呈现出极强的数字化特征。随着移动互联网的发展与信息化社会建设的不断推进，人们的娱乐、消费和社交等各方面都与比特流有较大关联，比如微博、微信、美团和滴滴等。

(2) 信息内容海量化。随着云计算、大数据和物联网等互联网技术的飞速发展，社会数据存量猛增。运用大数据技术，企业可以从海量数据中挖掘出用户行为特征，进而发挥数据潜藏的巨大商业价值。因此，各行各业越来越意识到数据对于企业发展的重要性，并竭尽所能地收集海量的消费者数据，然后通过针对性分析为企业发展提供决策参考。

(3) 信息内容场景化。这得益于社会整体的技术进步，虚拟现实技术近几年发展迅速，极大地丰富了信息场景，增加了居民信息消费的选择，促进了信息产业的发展。

2. 信息载体：智能化和泛在化

首先，信息设备的智能化对于促进我国新兴信息消费的快速发展具有重要作用，其中最重要的是智能手机的更新换代，显著推动了居民网络信息获取渠道从 PC 端向移动端的转移，通过智能手机使居民生活与信息技术高度融合。目前，居民已经能够通过智能手机对其生活、健康、运动和作息等进行监测。其次，平板电脑在消费者群体中的普及，在一定程度上打破了过往运营商对信息通信的约束，越来越多的居民能够通过无线网络接入，进行语音通信和信息传递。再次，可穿戴设备也不断发展丰富，逐步从以前的手表、手环向智能眼镜等体积轻巧、功能齐全的智能化设备转变。最后，车联网的发展，也使得人们可以通过智能硬件设备，获取更丰富的车辆及周边信息，实现更优的车辆控制和路径规划。可见，移动通信网络的发展全面推动了信息消费载体的移动化和智能化，居民信息消费的场景不再局限于传统，得到了极大的丰富，在一定程度上有力地促进了居民信息消费的增加，扩大了我国社会信息消费的总体规模。

3. 信息渠道：移动化

信息消费渠道由传统的 PC 端向移动端逐步转变，即信息消费渠道呈现出移动化的特征。2008 年以来，我国信息通信从 3G 到 4G 再到 5G 发展势头迅猛，越来越多的用户选择通过移动端 App 接入互联网。截至 2019 年 6 月，我国网民规模已达到 8.54 亿，互联网普及率达 61.2%，其中手机网民规模为 8.47 亿，我国网民使用手机上网的比例达 99.1%①。可见，随着社会信息化水平的提升，各类智能终端的推广，越来越多的居民偏好使用手机、平板电脑等智能设备进行信息消费，移动端信息消费规模不断上升。

4. 信息用户：碎片化、个性化和自媒体化

(1) 信息消费碎片化。用户的信息消费逐渐呈现出碎片化的特征。相关数据表明，70%

① CNNIC. 2019 年第 44 次中国互联网络发展状况统计报告[EB/OL]. [2019-09-01]. http://www.199it.com/ archives/931033.html.

左右的网民上网时间集中在晚上，大多网民会在睡觉前通过手机上网，40%左右的网民会在排队等车、喝咖啡和餐厅候餐等时间段使用手机上网[3]。

(2)信息内容个性化。随着信息内容的丰富，信息消费活动越加多样化，居民信息消费需求也不断突显出个性化和定制化的特征[4]。从早期的来电铃声定制，发展到当下的计算机、网站等各类产品和服务定制，充分反映了居民个性消费的需要和市场发展的趋势。

(3)自媒体化。基于移动通信网络和智能终端的快速发展，各类居民工作生活应用软件迅速发展，如美拍、微信和微博等，居民不知不觉间便成了网络信息内容的生产者和独立的自媒体人。

5. 信息环境：混沌、复杂化

目前，我国尚未对信息消费环境现状进行科学测度，信息消费环境到底处于何种态势仍是一个未知的问题。一方面，我国信息消费发展成果相较于以前进步明显，2018 年就形成约 5 万亿元的信息消费规模，占最终消费支出的比重达 10%①，极大地促进了我国新兴信息消费环境建设；另一方面，12321 网络信息举报中心数据显示，仅 2018 年 12321 举报中心共收到 App 举报数 53.2 万次，垃圾短信举报数达 10.4 万次，骚扰电话举报数 65.2 万次②，网络空间信息污染严峻，新兴信息消费环境建设前景不容乐观。

综上所述，以传统信息消费为基础，以信息化技术发展为推动衍生而来的新兴信息消费在信息内容、信息载体、信息渠道、信息用户与信息环境中都表现出新的特征，这些特征彼此关联且相互作用。本书运用系统动力学的理论研究工具，结合消费生态系统的相关理论和新兴信息消费的过程及相关概念，梳理得到新兴信息消费理论模型，如图 6.2 所示。

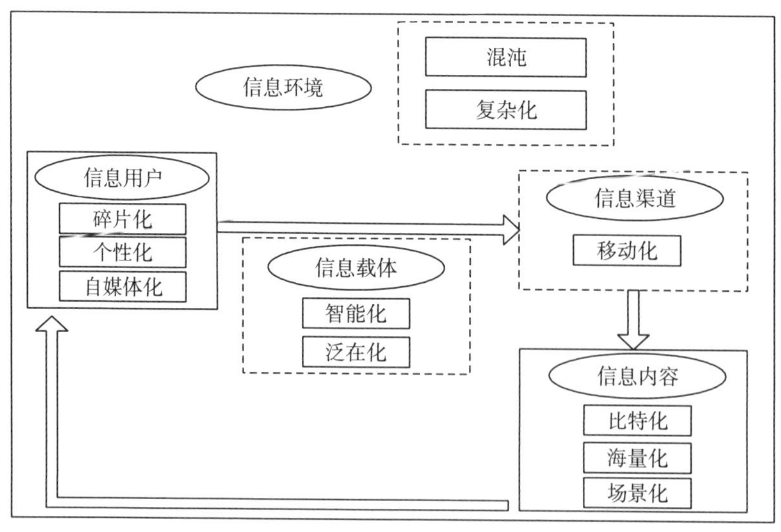

图 6.2 新兴信息消费理论模型

① CAICT. 2019 年中国信息消费发展态势及展望报告[EB/OL]. [2019-03-27]. http://www.199it.com/archives/850794.html.

② 12321 举报中心.《12321 举报中心工作情况月报(1-12)》[EB/OL]. [2019- 02-15]. https://www.12321.cn/report.

6.2　新兴信息消费的环境内涵

6.2.1　新兴信息消费的环境概念界定

回顾文献发现，目前学术界未对信息环境、信息生态、消费环境和信息消费环境进行系统的对比研究。此前，沙勇忠和刘焕成[4]、林艳华[5]等学者将信息环境与信息生态视作等同。本书认为此观点有待进一步商榷，因为信息环境主要是指影响居民信息消费选择的外部内容因素和媒介因素的集合。信息生态既包含了信息消费主体又包含了影响信息消费的各类因素，由信息人、信息、信息技术、信息基础设施和相关政策法规等共同构成。因此对比来看，信息生态内容覆盖更广泛，信息环境只是其中一个构成部分，两者不能等同。

此外，我们还必须注意到信息环境研究、信息生态研究和消费环境研究的属性差异，其中前两者研究多以消费个体为主，具备较强的个体属性；后者多以整体环境为主，具备更强的社会属性。具体来看，消费环境包含了影响居民信息消费偏好、选择和决策的各类自然因素和社会因素，其中以社会因素为主，包括居民宗教信仰、消费观点、消费习俗、道德规范等。由于信息消费的发展受到互联网技术的影响，因此信息消费环境不可避免地具备部分互联网特征，其中网络外部性成了信息消费环境区别于信息环境和信息生态的突出特征。

郑英隆[6]认为信息消费环境包含影响居民信息消费活动的全部因素，如社会经济发展、信息技术发展、居民科教文卫发展和相关政策法规制定等。对比来看，可将影响居民信息消费的因素划分为主体因素和客体因素，其中主体因素包括居民受教育情况、居民可支配收入和居民信息设备保有量等；客体因素包括国家及地区信息基础设施建设、信息技术发展及信息消费新产品和新服务研发等。

关于信息消费主体。有研究提出信息消费是针对信息产品和服务的消费。基于消费经济学相关理论，尹世杰[7]认为信息消费研究应聚焦于消费领域，不应将生产性信息消费也纳入其中。基于消费经济学和消费者行为学，王景艳和朱珍[8]认为信息消费主体应当是个人和不以营利为目的的单位，不包括营利性企业与政府。本书以前人研究为参考，经济学理论为指导，认为信息消费者中不应包含以投资为目的进行信息消费的营利性企业。

关于信息消费客体。尹世杰[7]认为信息消费的客体主要包括以基础应用和内容服务为主的信息产品。郑英隆[6]指出：虽然居民进行信息消费，是为了通过对信息内容的消费满足某种需求或达到某个目的，但在此过程中，支撑此消费顺利完成的信息载体也属于信息消费客体的构成部分。综上，本书整理得到信息消费的三要素内涵，见表 6.1。

表 6.1 新兴信息消费三要素内涵

要素	内涵
信息消费主体	居民个人、非营利组织
信息消费客体	信息产品服务、信息载体
信息消费环境	信息消费主体方、客体方环境和其他外部环境

6.2.2 新兴信息消费崛起过程中的环境演变与特征

自信息消费这一概念被郑英隆(1994)[9]提出以来，其已经得到了长足的发展。有学者将信息消费发展历程划分为 3 个阶段，分别是古代信息消费阶段、近代信息消费阶段和现代信息消费阶段。显而易见，这种划分过于宽泛，没有有效地结合时代特征对信息消费的发展进行梳理。信息技术作为推动社会信息消费环境演变的首要因素[4]，应当是我们进行信息消费发展历程划分的主要依据和重要指导。因此，本书以信息化建设过程中发生的 4 次信息技术革命为参考，将我国信息消费演变历程划分为如下四个阶段。

第一阶段 19 世纪中叶至 20 世纪 50 年代：起步阶段

随着科技的进步，电报和电话的发明，开启了以电信号为载体的信息沟通时代，人类信息的传递方式不再局限于传统的纸质载体，电话、电报等进一步满足了人们的基础性沟通需求。中国现代意义上的信息基础设施发端于西方列强入侵时期，因此中国信息发展相对落后，到 1949 年，我国电话的普及率仅为 0.05%，电话用户只有 26 万[10]。

由于该时期，世界战乱频发，社会环境动荡，且信息基础设施常被破坏，因此没能形成稳定的民间信息消费市场。当时的信息消费主体主要由以传递和收集情报为目的的军队和政府构成，面向居民的信息消费市场非常有限，仅局限于基础性电话、电报等。尽管当时信息消费规模微小，但在中国也开始得到发展。

第二阶段 20 世纪 50 年代中后期至 20 世纪 80 年代：徘徊阶段

1946 年，美国宾夕法尼亚大学研制了第一台电子计算机 ENIAC，其诞生标志着新一轮信息技术革命的开始，此后以美国为代表的西方发达国家信息消费迅速发展，规模不断壮大。由于我国当时正处于计划经济时期，故国内信息技术发展相对缓慢。直到 1978 年，我国城镇居民人均可支配收入也仅为 343.4 元，电话普及率仅为 0.38%，当时占世界 1/5 人口的中国拥有的话机总数不及世界话机总数的 1%，电话普及水平相比美国落后 75 年。

由于这一时期是我国经济发展史上的一个特殊时期，国内信息消费外部环境的建设并没有得到政府管理部门的重视，在一定程度上导致了我国信息基础设施建设远远落后于世界平均水平，制约了信息消费客体的供给。但随着时间的推进，信息消费的主体不再局限于军队和政府，居民的信息消费需求逐步得到释放，但由于该时期居民收入较低，消费能力不足，故消费需求释放相对缓慢且有限。

第三阶段　20 世纪 90 年代至 2008 年：快速发展阶段

改革开放后，我国经济迅速腾飞，信息基础设施建设日渐受到各方重视，各界投资力度不断加大。同时，由于国家经济的发展，居民收入水平和平均受教育水平都得到了极大提高，居民工作生活方式和消费观念发生了深刻变化，低水平的信息供给越来越难以满足居民日渐增长的信息消费需求。

为加快信息产业发展，国家采取了一系列相关举措。在信息消费政策方面，国家开始允许电信行业的企业化经营，其中最为典型的是 1994 年中国联通的成立，打破了信息通信行业长期由邮电局垄断的局面。在信息消费选择方面，我国同年接入了互联网的第一条 64KB/s 国际专线，使得信息消费客体在电报、电话和广播的基础上，增加了低速的互联网服务。由于社会环境的稳定和企业化运营的推广，我国信息消费主体开始真正从党、政、军部门特供转向普通群众，且随着居民人均可支配收入的增加，我国社会信息消费能力和规模迅速提升。

第四阶段　2009 年至今：高速发展阶段

本阶段以 2008 年我国电信市场重组和 3G 牌照发放为开端，以上举措对我国信息消费市场进行变革影响重大。这一时期，苹果、诺基亚、三星、HTC、华为、中兴等知名电子设备厂商纷纷推出智能手机，允许用户自由安装软件。21 世纪初，国外 Facebook、Twitter 等社交平台不断丰富，国内腾讯 QQ、新浪微博等社交平台也相继面世，信息消费大众化特征越加明显。居民信息消费已不再满足于基本的信息沟通、娱乐、交友等。信息需求正在不断被释放，极大地推动了信息应用范围的扩大和信息产业的发展。信息技术的突破和智能手机等信息设备的推广，带动我国居民越来越多地融入互联网，拥抱信息消费。截至 2019 年 6 月，我国网民规模已达到 8.54 亿，互联网普及率达 61.2%，其中手机网民规模为 8.47 亿，我国网民使用手机上网的比例达 99.1%[①]。网民规模的增长和信息设备使用群体的扩大，极大地反映出当下居民对信息应用的依赖和对信息消费的认同。

从客体环境来看，随着宽带中国等战略的推广实施，我国信息基础设施建设不断完善，逐步实现了信息进乡入户，大幅提升了居民信息接入水平，推动了信息产业的快速发展，促进了信息消费市场供给的丰富。从主体环境来看，随着国民经济水平和受教育水平的提高，各年龄段、各阶层的居民均开始拥抱信息消费，极大地拓宽了国内信息消费市场，扩大了信息消费用户规模，推动了信息消费增长。当下，我国已进入了以移动互联网、云计算和大数据等新兴信息技术为背景的新兴信息消费阶段，实现了从需求到结构、从内容到形式、从方式到手段的根本性变化。

① CNNIC. 2019 年第 44 次中国互联网络发展状况统计报告[EB/OL]. [2019-09-01]. http://www.199it.com/ archives/931033.html.

6.3 本章小结

随着新兴信息技术的出现与发展，信息消费在经济社会中占据越来越重要的地位，并呈现出独有的内涵和特征。针对这些变化，本章运用文献分析和逻辑推演的方法对相关文献资料进行了研究，研究结论如下。

一是结合已有学者对信息消费的相关研究，揭示了新兴信息消费在新时代下的新内涵和特征，完善了信息消费研究体系的相关内容。本章认为新兴信息消费是为满足生产和生活需要，以智能终端为载体，移动互联网为渠道，大数据和云计算等新兴信息技术背景下的比特产品为主要消费对象的消费活动。

二是通过对信息环境、信息生态和消费环境等概念的梳理和分析，探究信息消费发展的各个影响因素以及这些因素在新兴信息技术背景下呈现的特征，并根据这些因素将信息消费环境划分为信息消费主体环境、信息消费客体环境和其他外部环境三大类。

三是以信息技术的历史演进为线索，阐述和分析了各个时期信息载体和信息呈现形态的变化，指出在移动互联网、云计算、大数据等新兴行业支撑下的信息消费环境进入了一个全新的发展阶段。

第 7 章　国内外新兴信息消费的环境现状分析

本章从社会环境、供给环境、需求环境视角出发，通过对国内外文献、新闻报告等资料的分析梳理，总结了国内外新兴信息消费在基础设施建设、支撑政策、网民规模、居民消费等方面的现状，并剖析了国内在新兴信息消费环境建设过程中存在的主要问题。

7.1　国外新兴信息消费的环境现状

7.1.1　社会环境现状

1. 各国新兴信息消费发展相关政策布局

在新一代信息技术快速发展的背景下，世界各国纷纷加快在信息消费领域的谋篇布局。在产业发展方面，各国就云计算、大数据、人工智能等领域分别出台了相关意见；在信息环境建设方面，网络安全、数据安全等受到了各国的普遍重视，有关实施意见不断下发；在市场交易方面，数据交易相关规则制定、交易法规设计等领域指导方针则相对匮乏。根据收集到的信息整理发现，目前仅日本出台了有针对性的数据垄断监管政策，见表 7.1。为保证信息产业的健康发展，我国在制定产业政策的过程中，不仅需要注重产业发展指导，还需要加强产业相关规范设计，如交易规则设计、交易法规制定、交易统计设计等。

表 7.1　各国信息消费领域政策布局

政策布局	美国	英国	德国	法国	日本	韩国	新加坡	印度	中国
人工智能	•	•		•	•				•
机器人	•		•	•	•	•			•
云计算	•	•	•			•			•
信息安全	•	•	•	•	•	•	•	•	•
大数据	•	•		•	•	•	•		•
网络安全	•	•	•	•	•	•	•	•	•
数据垄断					•				
智能制造	•	•	•	•	•	•			•

2. 各国信息基础设施建设现状

随着信息技术的进步，全球信息社会建设稳步发展，2017 年全球信息社会指数为 0.5748，较 2016 年指数提升 2.96%。2011～2017 年，五大洲信息社会建设成效显著。亚洲扎实前行，非洲进步明显，美洲和欧洲稳步发展，大洋洲信息社会发展仍旧领先全球其他各洲。聚焦到国家层面来看，卢森堡信息社会建设成果显著，其国家信息社会指数位列全球第一，远远超过其他国家。而同年，中国信息社会指数仅为 0.4749，在全球 126 个样本国家中列第 81 位，较 2016 年上升 3 位；在 55 个“一带一路”国家中列第 35 位，较 2016 年上升 1 位；在亚洲 35 个国家中列第 19 位，较 2016 年上升 2 位。从反映居民信息消费生活的居民数字生活指数来看，中国数字生活指数仅为 0.5443，与美、英等国差距巨大[①]，如图 7.1 所示。由此可见，尽管近年来中国信息化发展水平快速提升，但整体社会信息化水平还较低，居民信息消费发展水平还相对较弱，国家亟待进一步优化居民信息消费环境，以推动国内信息消费发展。

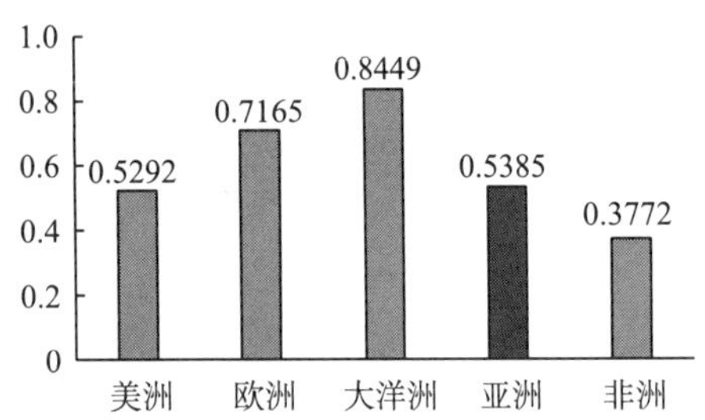

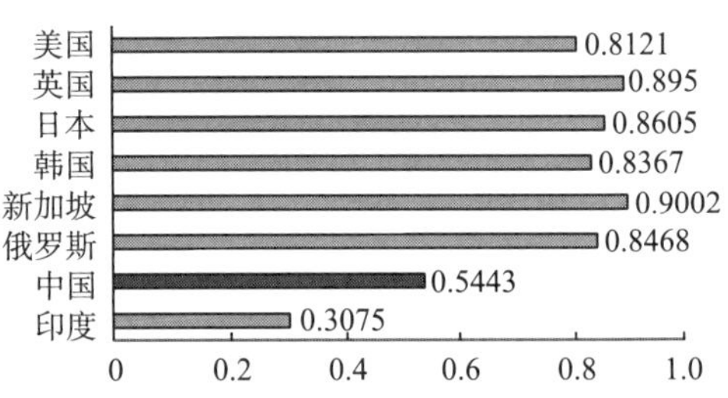

图 7.1 各洲信息社会指数及主要国家居民数字生活指数

7.1.2 供给环境现状

1. 新兴信息消费产业生态圈

1) 云计算产业

从整体来看，近年来全球云计算产业呈平稳增长态势，产业规模不断壮大。2018 年，IaaS、PaaS 和 SaaS 等领域的云服务市场规模已达到 2720 亿美元，预计到 2023 年全球产业规模将达到 6233 亿美元[②]。与美国等发达国家相比，我国云计算发展仍有较大空间。由于我国行业起步较晚，总体上企业机构对于云计算的投资占比不高。我国企业云计算相关支出占 IT 总支出的比例为 14.4%，该指标在美国则高达 29.1%。其中，我国企业对于公有云的投入仅占 6.5%，虽然较 2015 年接近翻倍，但距离美国的 23.9%仍有不小差距。因此，我国未来需进一步加强云计算产业发展，提升国际影响力和行业话语权。

2) 移动互联网产业

移动设施是移动互联网产业的重要支撑，图 7.2 显示了 2013～2018 年智能手机和可穿戴设备的出货量。居民移动设备普及率直接影响着移动互联网产业的发展，截至 2018 年，全球约有 50 亿人拥有智能移动设备，在所有发达经济体中，韩国成年人拥有智能手机的比例最高占 95%，以色列(88%)和荷兰(87%)分别位居第二、第三，而中国的智能手机普及率仅为 68%，排名第 15 位[③]，这将对中国移动互联网产业的发展有所制约。随着居

① 国家信息中心. 全球信息社会发展报告 2017 [EB/OL]. [2017-12-29]. http://www.199it.com/archives/669096.html.
② 中国产业信息. 2019 年中国云计算市场快速增长，SaaS 行业市场潜力巨大[EB/OL]. [2019-07-27]. http://www.chyxx.com/industry/201907/765705.html.
③ 搜狐. 全球智能手机普及率[EB/OL]. [2019-03-20]. http://www.sohu.com/a/302540929_99910469.

民收入的提升，2018 年全球可穿戴设备出货量已达到 1.72 亿台，但全球智能手机的出货量约为 14.05 亿台，虽较 2017 年有所下滑但仍旧可观(图 7.2)，亚洲作为移动信息产业重要的增长市场，未来发展潜力巨大，我国亟待加强市场研究和市场规范，通过合理布局推动我国移动信息产业快速发展壮大，实现从发展跟随到发展引领的突破。

3) 大数据产业

据预测，随着全球各领域大数据应用的全面展开，未来大数据产业将成为新的 IT 支出增长点。就全球趋势而言，2018 年大数据市场总体价值约为 420 亿美元①。当下，世界主流的大数据企业主要分为以大数据技术为主的公司和以数据库/数据仓储业务为主的公司。梳理发现，全球领先的大数据公司主要包括 IBM、惠普、Splunk、戴尔、Opower、Teradata、Oracle、微软、亚马逊、Google、SAO 和 EMC 等②，其中大多为美国企业，鲜见亚洲企业身影，可见相较欧洲、美洲等地区，亚洲大数据产业发展相对落后，仍处于探索、跟随阶段。可见，我国应加强大数据产业发展投资，打造一批具有国际影响力的领先企业，提升我国大数据产业整体发展竞争力。

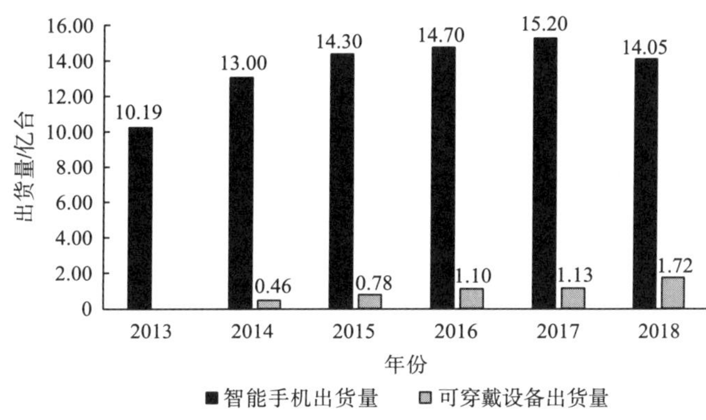

图 7.2　全球智能设备出货量

4) 物联网产业

根据 GSMA 智库发布的全球物联网市场报告来看，全球物联市场到 2025 年将达到 1.1 万亿美元，其中商业应用占据了整个物联网市场的半壁江山。GSMA 认为，中国是物联网技术的一个巨大市场，同时也是元器件等产品的主要供应商。中国作为世界工厂，是各种商品的主要制造商，其中包括世界上大部分的电子产品。事实上，中国制造了大部分的传感器、芯片及物联网的其他构成组件。据 GSMA 智库预测，到 2025 年全球范围内将会有 18 亿移动物联网(Mobile IoT)连接(总共 31 亿蜂窝物联网连接)。到 2025 年，将有 138 亿工业物联网连接，其中 63 亿在亚太地区和中国，占总数的 65%。近年来，中国物联网发展趋势向好，但未来仍需进一步加强物联网产业发展投资和企业培育，加快构建完

① 每经网. 《2018 全球大数据发展分析报告》[EB/OL]. [2019-05-12]. http://www.nbd.com.cn/articles/2019-05-12/1330660.html.
② CPDA 数据分析师. 全球大数据领先的公司[EB/OL]. [2018-10-25]. http://www.chinacpda.com/jishu/14922.html.

整的产业链[①]。

2. 各国新兴信息产品及服务创新能力

通过梳理以创新为导向的全球最值得关注的100家人工智能公司发现，目前人工智能企业在各领域均有布局，且取得了一定成果。深入比较发现，我国多数智能公司处于跟随阶段，整体创新能力和发展能力较发达国家的领先企业尚有较大差距[②]。本书进一步对标了各国的科技创新能力，从国家层面来看，美国拥有全球最强的创新影响力，约70多家人工智能公司来自美国；来自中国的人工智能公司占比为11%，与以色列并列第二位。综合来看，尽管当下中国创新型企业较美国差距甚远，但国内整体创新热情较高，未来大有可为。因此，国家应进一步发挥大众创业、万众创新相关政策的带动作用，激发全社会创新潜能和创业活力。

3. 全球网络空间安全

世界经济论坛指出，网络安全是全球各国领导最关注的问题之一。随着人类社会与互联网的联系日渐紧密，网络攻击对整个网络生态系统和全球经济生态的影响更加巨大，潜在的威胁不容小觑。2018年共检测发现受到DDoS攻击的IP数量为140万余个，境内DDoS攻击占90.60%，境外DDoS攻击占9.40%。其中，中国、美国和韩国既是DDoS攻击的主要来源国，也是主要被攻击国。中国更是全球第一被攻击国（图7.3），全球网络空间安全形势不容乐观，中国作为主要被攻击国，必须加快制定网络防御计划，提升网络空间安防能力，保障国家整体信息安全。

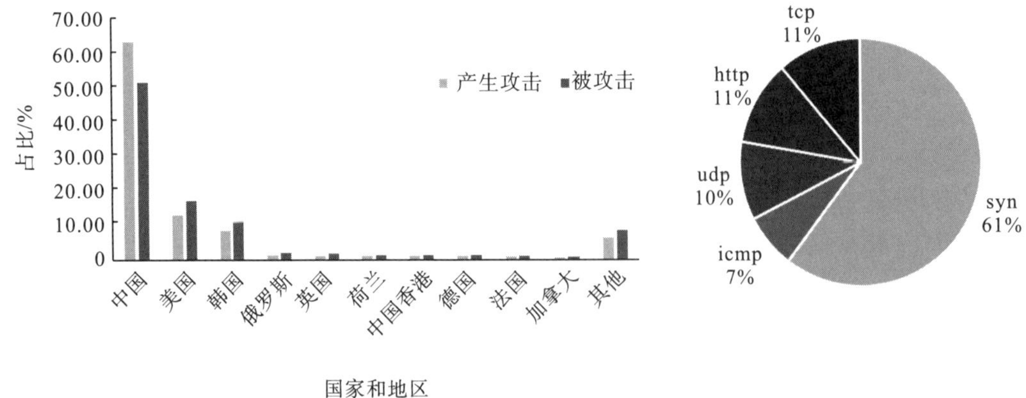

图7.3 攻击来源、攻击目标分布及攻击类型占比

① 物联网世界. 市场预测：2025年全球物联网市场规模将达1.1万亿美元[EB/OL]. [2018-10-11]. http://www.iotworld.com.cn/html/News/201810/d631068b6753a4fd.shtml.

② CB insights：2019年全球人工智能企业100强[EB/OL]. [2019-02-09]. http://www.199it.com/archives/831106.html.

7.1.3　需求环境现状

1. 各国居民信息素质

截至 2019 年 6 月 30 日，全球网民数量已达 44.22 亿，其中亚洲网民数量占比接近 50%，而中国和印度的网民数量增长迅猛，同时报告中还指出，互联网全球化浪潮已经走出美国中心。具体来说，这 44.22 亿全球网民中，亚洲排在第一位，数量达到 22 亿，占比为 49.8%，紧随其后的是欧洲，数量是 7.19 亿，占比为 16.3%，非洲数量是 5.25 亿，占比为 11.9%，而拉美网民数量是 4.47 亿，占比为 10.1%，包括美国在内的北美网民数量是 3.66 亿，占比为 7.4%，中东占比为 3.9%，大洋洲占比为 0.6%。亚洲中，中国网民数量为 8.29 亿(互联网普及率为 58.4%)，占比为亚洲网民的 37.8%，而紧随其后的是印度，网民数量为 5.6 亿，占比为 25.5%[①]，如图 7.4 所示。

可见，中国目前虽拥有庞大的网民规模，但整体移动网络渗透率仅近六成，较世界领先水平仍存在差距。在居民生活中，网络普及率直接影响着其信息接入能力和信息消费意识。由此，未来我国需不断加强网络基础设施建设和宽带进镇入乡工程实施，通过提升居民信息接入能力，激发居民信息消费需求，推动国内信息产业发展壮大。

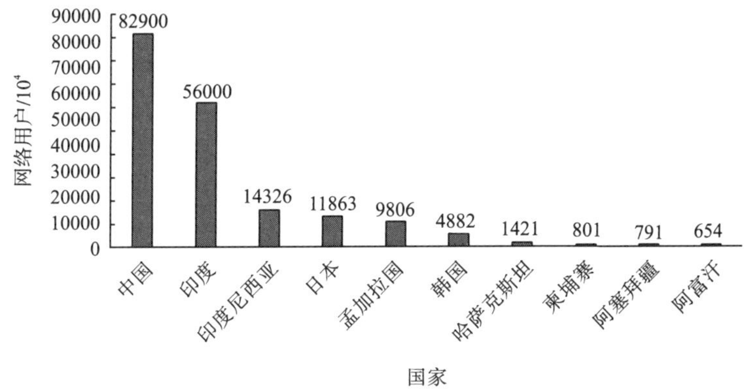

图 7.4　亚洲移动网民规模 TOP10

2. 各国居民信息消费能力

目前中国虽是世界第二大经济体，整体经济体量巨大，但根据 2018 年发表的世界银行人均 GDP 显示，全球人均 GDP 为 1.13 万美元，但到 2018 年我国人均 GDP 仅 0.98 万美元，排名世界 67[①]，如图 7.5 所示。根据凯恩斯消费理论，居民收入直接影响居民信息消费支出。可见，相较列支敦士登、卢森堡、瑞士、美国等人均 GDP 较高的国家而言，我国居民信息消费能力相对较弱，这在很大程度上抑制了国内居民的信息消费需要。因此，我国应进一步加大社会发展投入，通过社会经济发展带动居民收入提升，促进信息消费需求释放，推动国内信息消费发展壮大。

---

① 新浪网. 世界银行：2018 年全球 GDP 为 85.791 万亿美元，人均为 1.13 万美元[EB/OL]. [2019-07-02]. http://k.sina.com.cn/article_6862376589_199078e8d00100qpdq.html?from=news.

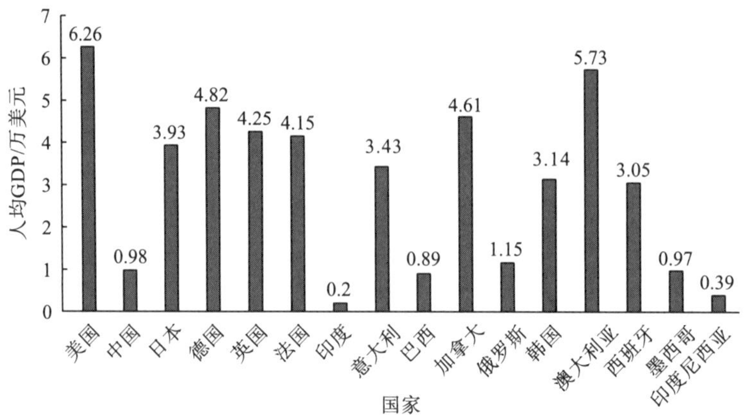

图 7.5　2018 年世界主要国家人均 GDP

3. 各国网络用户信息消费习惯

由于国家互联网发展水平和传统文化环境存在差异，因此，不同国家居民对于移动互联网产品及服务的应用偏好存在较大差异。在移动网络购物行业，中国网络用户规模庞大，但整体普及率仍较低；在移动社交行业，中国、美国、印度三国用户规模相对较大，但在用户普及率方面，印度明显落后于中国、美国；在移动网络视频行业，中国用户规模巨大，居民使用偏好明显；在新闻资讯行业，中国虽用户量较大，但较日本而言，用户使用偏好仍相对较低。综合来看，全球用户接受度最高的移动产业是移动社交产业和网络视频产业，中国居民对移动消费具有较高偏好，发展前景良好①，如图 7.6 所示。

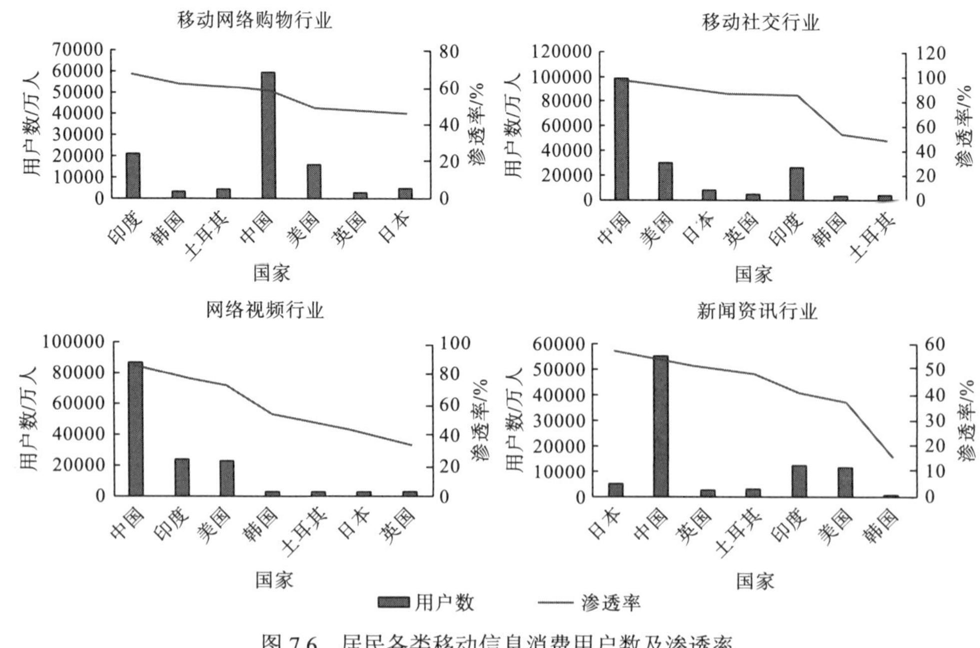

图 7.6　居民各类移动信息消费用户数及渗透率

① Useit 知识库. QuestMobile&APUS:2016 年全球移动互联网报告[EB/OL]. [2017-05-04]. http://www. useit.com.cn/thread-15231-1-1.html.

7.2　国内新兴信息消费的环境现状

7.2.1　社会环境现状

1. 主要省市新兴信息消费发展相关政策布局

国家及地区信息消费产业相关政策的发布，充分表明了国家发展壮大信息消费的决心，显示了经济总体增速下滑的背景下，加快发展信息消费，培育经济增长新动力、新引擎的必要性。从各省市就不同产业发布的各项政策来看(表 7.2)，北京、浙江、江苏、上海等省市作为国内经济发展的领先地区，对信息产业发展的布局规划相对更加全面和领先；重庆、四川、湖北、贵州等省市紧随其后，不断加大对信息产业的规划投资。综合来看，国内各省市对信息消费产业的发展规划存在较大的同质性，未能充分结合地方特色，推进差异化发展。以重庆为例，未来重庆应充分立足国家“一带一路”和长江经济带重要联结点，结合区域特色，布局通道经济、新生经济和服务经济，全面推动具有地方特色的信息消费产业发展。

表 7.2　主要省市信息消费相关政策布局

政策布局	北京	上海	广州	浙江	江苏	四川	湖北	贵州	重庆
人工智能	•	•		•	•	•	•	•	•
机器人	•	•	•	•	•			•	•
云计算	•	•	•	•	•	•	•	•	•
信息安全	•		•	•	•	•	•	•	•
大数据	•	•	•	•	•	•	•	•	•
智能制造	•	•	•	•	•	•	•	•	•
互联网+	•	•	•	•	•	•	•	•	•
两化融合	•	•		•	•	•			•

2. 主要省市信息基础设施建设现状

根据 2019 年发布的《数字中国建设发展报告(2018 年)》，比较各省市 2018 年基础设施建设指数发现，国内信息基础设施建设水平呈现出明显的东部领先，中西部跟随现象[①]，如图 7.7 所示。具体来看，东部地区浙江、上海、北京等经济强省(市)，基础设施建设成果显著，领先优势明显；中部地区的湖南省基础设施建设成效相对较弱；西部地区的重庆市基础设施建设成果相对较好，高于中部地区的湖南省；云南省基础设施水平显著落后。可见，国内各省区市之间存在明显的信息基础设施建设不均衡，为推进全国信息消费均衡发展，各

① 新浪科技. 国家网信办发布《数字中国建设发展报告(2018)》[EB/OL]. [2019-05-06]. https://tech.sina.com.cn/i/2019-05-06/doc-ihvhiqax6957206.shtml.

省区市急需立足地方环境，加强相关基础设施投资建设力度，推动区域信息流动机会均衡，缩小省区市之间、城乡之间的数字鸿沟。

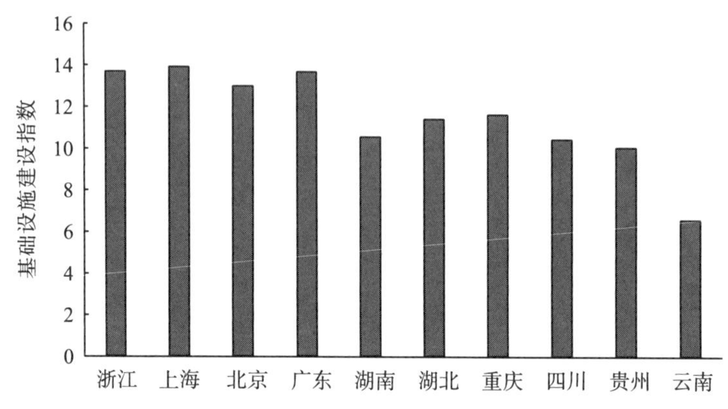

图 7.7 国内典型省市基础设施建设指数

3. 主要省市信息污染现状

参考腾讯安全管家相关统计数据发现，2019 年上半年，在垃圾短信方面，腾讯手机管家用户共举报垃圾短信近 10.75 亿条。垃圾短信类型中，以广告短信为主，占比达 91.78%，其次是诈骗短信(5.11%)和违法短信(3.11%)。2019 年上半年，用户举报垃圾短信最多的省份是广东省，占比为 18.37%。用户举报垃圾短信最多的城市分别为北京(5.71%)、深圳(4.12%)和成都(3.80%)；在骚扰电话方面，共举报 1.64 亿次，较上年同时期增长 14.83%，其中诈骗电话举报 2793.84 万次，同比减少 5.95%。2019 年上半年，iOS 用户标记骚扰电话和诈骗电话的高峰期是 4 月和 5 月，共标记骚扰电话 977.23 万次，其中诈骗电话 169.02 万次，占骚扰电话标记数的 17%。举报骚扰电话和诈骗电话数最多的城市是北京、上海、广州、深圳和部分新一线城市。2019 年上半年，腾讯安全实验室检测到恶意网址 1.04 亿次，拦截恶意网址 3010.05 亿次。在拦截的各类恶意网址中，色情网站排名第一，占比为 56.91%，博彩网站和信息诈骗网站紧随其后，占比分别为 34.78%和 6.86%①。可见，为构建清朗的网络空间环境，国家亟待加强网络污染监管、网络污染定责和网络违法惩处。

7.2.2 供给环境现状

1. 新兴信息消费产业生态圈

1) 云计算产业

基于运营商相关数据分析发现，我国云计算产业发展迅速，2020 年我国云服务产业

① 腾讯手机管家. 腾讯移动安全实验室 2019 年上半年手机安全报告[EB/OL]. [2019-07-18]. https://m.qq.com/security_lab/news_detail_517.html.

市场规模达到 2256.1 亿元，增速达 39.9%[①]，如图 7.8。虽然受疫情影响，多数线下业务发展受阻，导致很多建设周期长的云项目被迫延期，延缓了云市场的进一步发展。但线上娱乐到线上办公等需求显著增长，驱动泛互联网行业用云需求上升，带动公有云市场的逆势增长。在云存储领域，国内五大供给商分别为阿里云、天翼云、联通沃云、世纪互联和西部数码；在 CDN 服务领域，国内五大引领分别为阿里云、联通沃云、天翼云、腾讯云和蓝汛。尽管国内云服务产业迅速发展壮大，但其应用多集中于游戏类、电商类、金融类、视频类和手机类互联网企业，如图 7.9。疫情期间，音视频、短视频、互联网文娱产业流量增长迅速，进一步拉升对公有云资源的需求，公有云服务占据云服务市场主导地位。随着上云企业日益提升对云能力与企业业务创新能力结合的关注，更能支持大数据、人工智能等开发平台的公有云服务将获得长足的发展空间。

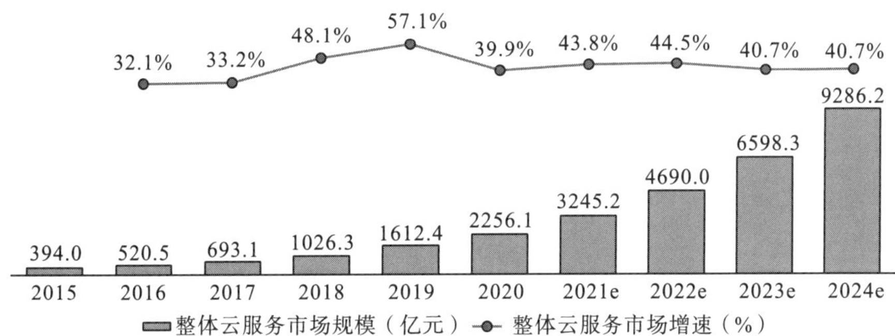

图 7.8　2015～2024 年中国云服务市场规模及增速

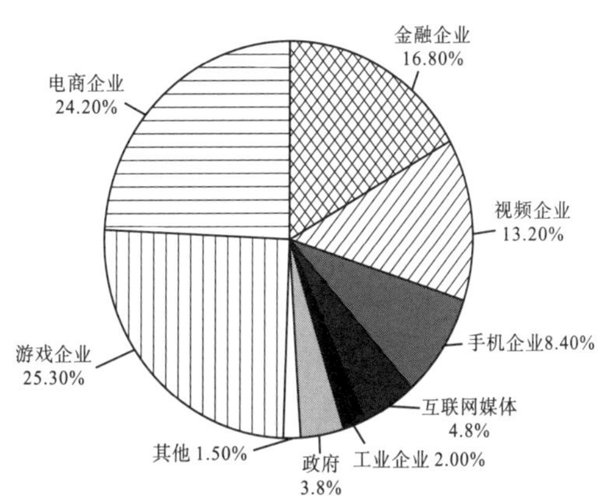

图 7.9　云服务主要应用领域

2）移动互联网产业

截至 2019 年 6 月，我国移动互联网月度活跃设备规模达到 11.4 亿台，尽管季度增速

① 艾瑞咨询. 2021 年中国基础云服务行业数据报告[EB/OL]. [2021-5-20]. https://www.iresearch.com.cn/Detail/report?id=3782&isfree =0.

放缓，但总量仍稳步在 11 亿台以上[①]，如图 7.10 所示。随着国民经济的发展，居民可支配收入的提升，居民移动智能设备普及率进一步提升，推动我国居民信息消费进一步扩大。具体来看，网络购物方面，2019 年上半年，全国网上零售额达 48161 亿元，同比增长 17.8%。其中，实物商品网上零售额为 38165 亿元，增长 21.6%，占社会消费品零售总额的比重为 19.6%[②]。移动支付方面，2019 上半年中国移动支付交易规模达到 166.1 万亿元，较 2018 年增长 24.2%，增长势头重回正轨[③]。国内信息消费发展一片向好，为尽快实现国内信息消费扩大升级，未来企业有待加大市场研究，增加新产品、新服务的研发供给，以满足居民不断发展的信息消费需要。

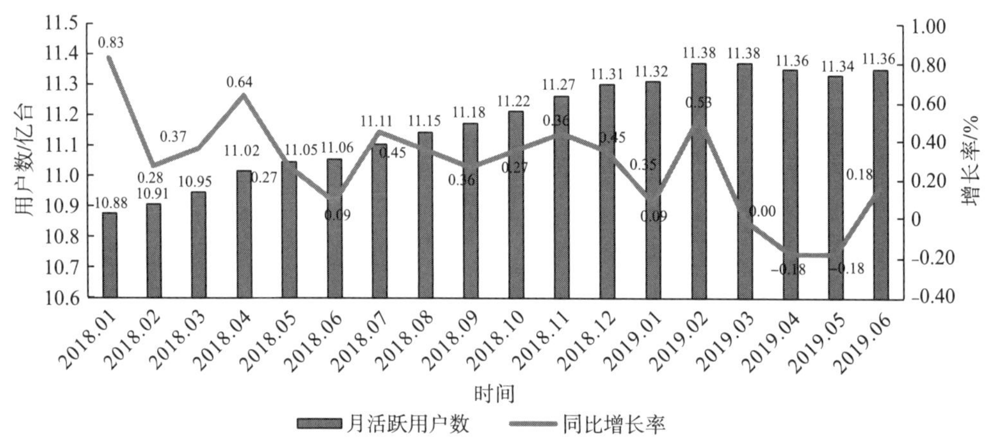

图 7.10 移动智能终端规模及增速

3) 大数据产业

大数据技术的快速发展，使得大数据在政务、金融、工业、农业、民生、医疗、交通等领域的应用持续深入，数据存储、数据计算、安全产品研发、解决方案设计等服务不断丰富。地方政策和投资界也不断加大对大数据产业的扶持和投资。根据赛迪顾问研究，中国大数据产业受宏观政策环境、技术进步与升级、数字应用普及渗透等众多利好因素影响，2020 年产业规模达到 6388 亿元，预计未来三年增速保持 15%以上，到 2023 年产业规模将超过 10000 亿元，持续促进传统产业转型升级，激发经济增长活力，助力新型智慧城市和数字化建设[④]，如图 7.11 所示。尽管大数据产业发展欣欣向荣，但当下仍存在政府数据资源开放程度不足、基础创新能力不强、数据资源流通交易机制缺乏、数据安全问题难以保障等问题。未来，相关政府部门及企业应进一步加强政务资源开放机制设计、数据交易规则设计、数据安全技术研发。

① QuestMobile. 中国移动互联网 2019 半年大报告[EB/OL]. [2019-07-24]. https://www.questmobile.com.cn/research/report-new/54.
② 中国经济网. 国家统计局：2019 年上半年全国网上零售额增长 17.8%[EB/OL]. [2019-07-15]. https://baijiahao.baidu.com/s?id=1639093605916419592&wfr=spider&for=pc.
③ 艾媒网. 2019 年上半年中国移动支付行业研究报告[EB/OL]. [2019-09-25]. https://www.iimedia.cn/c400/66161.html.
④ 网经社. 赛迪顾问：《2019 中国大数据产业发展白皮书》[EB/OL]. [2019-03-07]. http://www.100ec.cn/detail--6498821.html.

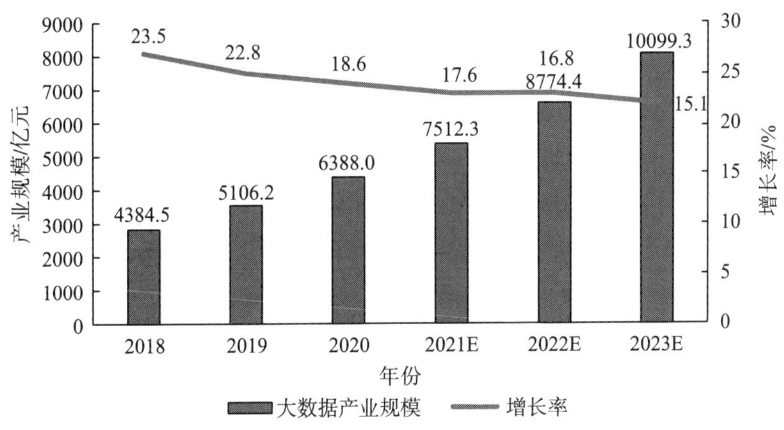

图 7.11　2018～2023 年中国大数据产业规模及预测

4) 物联网产业

随着互联网、大数据等信息技术的进步和国家相关政策的出台，物联网技术应用范围持续扩大，产业规模不断扩大。2020 年，我国物联网市场规模将突破 20000 亿元①，如表 7.3。当下，物联网发展已经进入快车道，成为社会经济发展的主要动力之一。在产业发展增速逐步放缓的背景下，为保障产业经济的平稳较快发展，国家、地方、企业有待进一步加强产业发展趋势分析和布局研究，以打造完整、健康的产业生态链。

表 7.3　2015～2021 年中国物联网市场规模及增速

年份	2015 年	2016 年	2017 年	2018 年	2019 年	2020 年 E	2021 年 E
中国物联网产业规模（亿元）	7500	9300	11500	14300	17732	22165	27706
同比增长率		24.00%	23.66%	24.35%	24.00%	25.00%	25.00%

2. 主要省市新兴信息产品及服务创新能力

随着国家创新驱动发展战略的发布和社会科技水平的进步，我国社会创新环境和整体创新能力得到了较大提升。从综合科技创新水平指数看，北京、上海、广东、江苏和浙江等省市综合得分高于全国平均水平（69.63 分），处于第一梯队。湖北、重庆、四川等地区综合科技创新水平指数在全国平均水平（69.63 分）和 50 分之间，处于第二梯队。其他省市创新能力相对较弱，综合科技创新水平指数在 50 分以下②，如图 7.12 所示。当下，国内创新资源投入和科技成果转换虽逐步呈现协同发展态势，但中西部地区创新发展水平较东部地区仍明显落后。未来各省市有待进一步系统性优化区域内创新创业生态环境，强化政策供给，充分释放地方创新创业潜能。

① 产业信息网. 2019-2025 年中国物联网行业市场竞争格局及未来发展趋势报告[EB/OL]. [2018-08-26]. http://www.chyxx.com/research/201808/665844.html.

② 东西智库.《中国科学技术发展战略研究所：中国区域科技创新评价报告 2018》[EB/OL]. [2019-11-09]. https://www.dx2025.com/archives/1312.html.

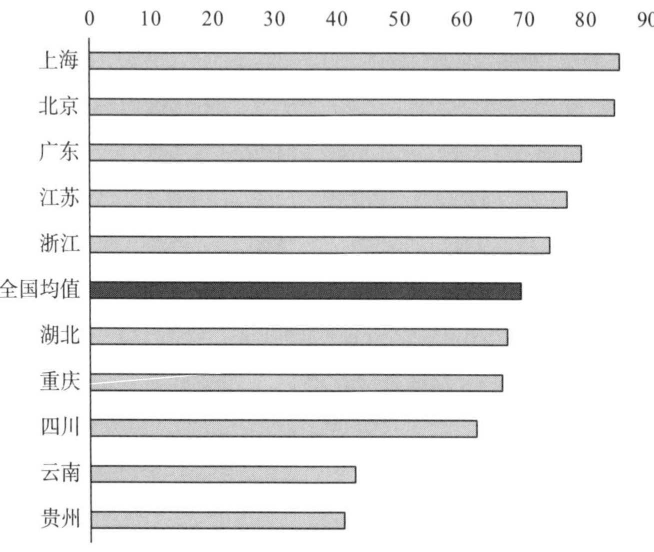

图 7.12 2018 年主要省市创新水平指数

3. 国内网络空间安全

随着全球信息化建设的推进，互联网全面渗透社会经济生活，病毒、木马、网络诈骗等信息风险也不断增加。据腾讯安全统计，2018 年国内最受病毒“欢迎”的省份为广东省。此外，深圳市、广州市及武汉市则为最受病毒“欢迎”城市的前三名。由此可见，互联网较为发达的地区用户中毒情况较多①。2015～2017 年病毒拦截次数持续增长，直到 2018 年首次出现回落(图 7.13)。可见整体病毒传播情况得到有效控制，病毒活跃度正在逐步收敛。但总体来看，我国网络空间信息安全现状仍旧不容乐观，急需加强相关行业规范和法规政策的制定。

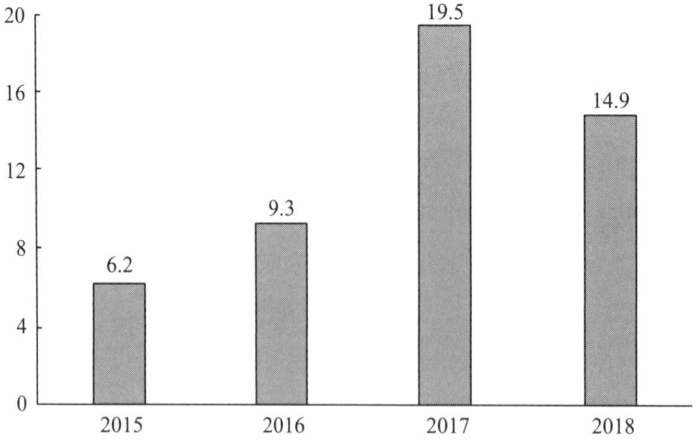

图 7.13 2015～2018 年全国病毒拦截次数

① 腾讯电脑管家. 2018 年度反病毒研究报告[EB/OL]. [2019-09-29]. https://guanjia.qq.com/act/brand/201901report/?ADTAG=innerenter.gj.luntan.

7.2.3　需求环境现状

1. 主要省市居民信息素质

居民信息能力方面，从全国来看，我国网民仍以中等学历群体为主，高等学历网民规模相对较小。截至 2019 年 6 月，初中、高中/中专/技校学历的网民群体占比分别为 38.1%、23.8%；受过大学专科、大学本科及以上教育的网民群体占比分别为 10.5%、9.7%[①]；从地区来看，除北京人力资源储备具备明显领先优势外，各省市教育投入、大学生人数等分布均相对均衡。在居民信息接入方面，通过比较各省市互联网普及率发现，由东向西区域互联网普及率呈明显下降趋势，可见部分区域居民信息接入能力相对较差，制约了地方居民信息意识的提升；从各省市网民规模增速来看，由东向西呈现明显上升趋势。可见随着信息技术的发展和信息基础设施建设的推进，西部地区网民数量将逐渐增加，区域内居民信息意识将不断提升，如图 7.14 所示。为加快居民整体信息素质提升进程，各省市应因地制宜，加强区域信息化建设。

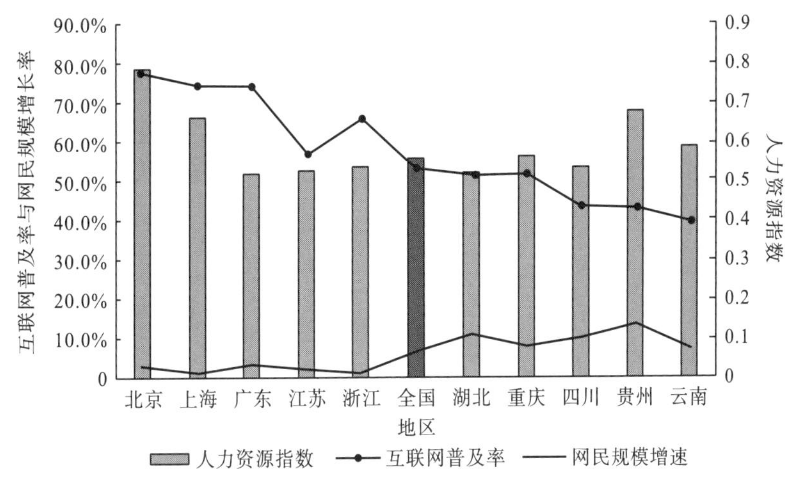

图 7.14　主要省市互联网普及率及人力资源指数

2. 主要省市居民信息消费能力

随着国家经济的发展，居民可支配收入水平不断提升，整体信息消费能力不断增加。通过比较各省市 2018 年的城乡居民可支配收入发现，我国区域经济发展存在较严重的不均衡现象。由东向西，居民人均可支配收入水平均逐步下降；由城市到农村，居民可支配收入大幅下跌，如图 7.15 所示。可见，经济发展水平在很大程度上限制了西部及农村地区居民信息消费需求的释放，抑制了国内信息消费的快速壮大。未来，国家有待进一步加

① 199IT 互联网数据中心. CNNIC：2019 年第 44 次中国互联网络发展状况统计报告[EB/OL]. [2019-09-01]. http://www.199it.com/archives/931033.html.

强西部及农村地区经济发展投资，通过区域经济发展带动居民收入提升，促进居民信息消费需要向信息消费行为转变，推动国内各区域信息消费均衡发展，整体信息消费规模扩大。

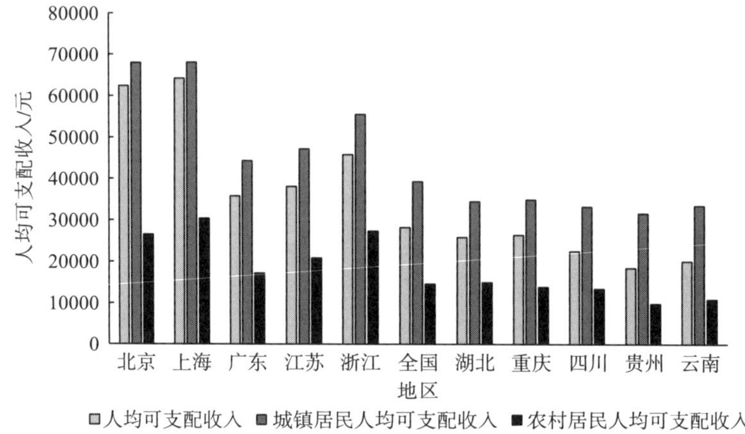

图 7.15　主要省市居民人均可支配收入

3. 国内网络用户信息消费习惯

根据国家互联网络发展统计数据分析发现，自 2008 年 3G 牌照发放后，我国互联网应用领域得到了飞速发展，以即时通信、搜索引擎为代表的信息应用用户规模迅速扩大，以网约车、共享单车、外卖等为代表的新兴信息应用不断产生并发展壮大，如图 7.16 所示①。进一步分析行业统计数据发现，我国城镇居民在网络影视、网络阅读、网络游戏、网络音乐、网络直播等领域表现出较高的同步性，其用户渗透率均高于全国平均水平，充分体现了未来我国一线、二线、三线城市居民的消费潜力，如图 7.17 所示。未来，国家应进一步加强三线、四线城市信息服务水平，促进小镇青年信息消费需求释放，推动我国信息消费市场进一步扩大。

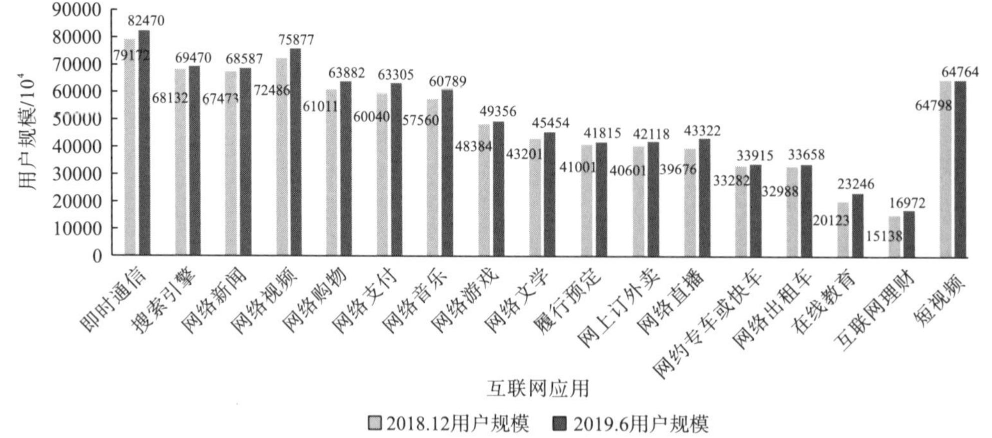

图 7.16　各类互联网应用用户规模

① CNNIC：2019 年第 44 次中国互联网络发展状况统计报告[EB/OL]. [2019-09-01]. http://www.199it.com/archives/931033.html.

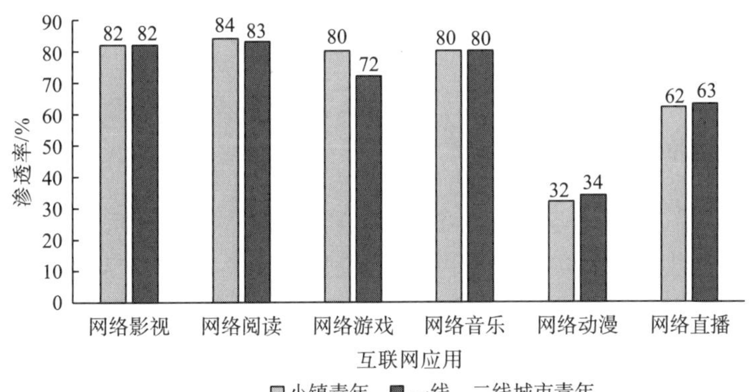

图 7.17　典型互联网应用小镇青年和一线、二线城市青年用户渗透率

7.3　我国新兴信息消费环境建设的问题

7.3.1　社会环境中存在的问题

1. 政策设计

为保障国内信息消费快速发展，我国各级部门针对云计算、大数据、人工智能等领域发布了较多政策，但与产业发展密切关联的高端人才储备、交易规则制定、网络诚信体系建设等仍显不足。我国亟待加强信息消费产业相关配套政策研究，通过激励和优惠政策的发布，加强人才汇聚，推动高端信息产品设计、开发应用；通过规则制定，规范市场交易，促进健康信息产业发展；通过诚信建设，优化网络秩序，保护各方权益，推动和谐信息消费建设。

2. 基础设施建设

近年来，我国信息基础设施建设取得了较大突破，但较日本、美国等发达国家而言，仍存在较大差距。信息通信设施作为信息产业发展的重要基础支撑，其建设与发展水平已成为衡量一个国家和地区综合实力的重要标志。我国需不断推动城乡信息基础设施建设统筹发展，减小城乡数字鸿沟，共同建设泛在先进的信息基础设施资源，完善海陆空一体化的信息基础设施体系，用基础硬件支撑信息消费产业平稳较快增长。

3. 信息污染治理

信息技术的快速发展，给人类生活带来便利的同时，也造成了网络垃圾信息的泛滥和个人企业隐私的泄漏，造成消费者的经济损失，同时给网络空间安全带来了极大威胁。未来，国家需要加强相关法律法规的制定，健全网络信息污染、网络信息违法的监控平台，明确违规行为惩处规则，充分利用现代信息技术手段和激励管理模式，准确锁定信息污染责任人、企业或组织，探索政府、企业以及信息生产和传播个体间的多方演化博弈机制，以构建健康、和谐的网络空间。

7.3.2 供给环境中存在的问题

1. 产业生态构建

当下，我国云计算、大数据、人工智能产业整体水平较世界发达国家仍差距较大，信息产品制造低端产能过剩，高端供给不足的问题仍较明显。可见，依靠资源要素投入和规模扩张的粗放式发展模式难以为继，信息消费产业结构调整、转型升级已刻不容缓。未来，国家及地方应进一步立足国情，准确把握信息产业发展规律，因势利导，引导信息产业循序渐进地转向高端发展。

2. 产品服务创新

从全球来看，中国虽具备较强创新潜力，但现有创新实力较美、英等国差距明显，许多产业仍处于全球价值链的中低端，一些核心关键技术受制于人的状况并没有根本改变。在新一轮信息技术浪潮下，要实现我国产业转型升级和经济提质增效，必须从国家层面瞄准国际市场，超前布局前沿和高科技领域企业发展战略，加大基础研究，形成梯形产业发展结构，以中小企业颠覆性创新推动龙头企业渐进性创新，全面改善国家创新环境，提升整体创新实力。

3. 网络空间安全

我国网民数量和网络规模已达到世界第一，维护好我国网络安全于自身和全球网络安全都十分重要。当下，我国作为全球网络主要攻击对象，网络空间安全形势不容乐观。如何处理大数据技术引发的数据利用新模式与数据安全之间的冲突、数据分享与数据泄漏之间的冲突已成为各级政府亟待解决的问题。为打造安全、开放的网络空间环境，必须尽快加强关键信息基础设施保护、网络文化建设、网络犯罪打击和网络治理体系设计。

7.3.3 需求环境中存在的问题

1. 居民信息素质

互联网接入能力及居民受教育水平是影响居民信息素质的重要因素。由于我国互联网发展起步较晚，且居民人口庞大，整体互联网普及率相对新加坡、韩国等较为落后。国内由于各地区信息基础设施建设的不平衡，城乡之间信息鸿沟差距明显。为全面提升国内居民整体信息素质，必须在加强居民素质教育的同时，提高农村地区信息接入能力，加快全体居民信息终端普及，通过消费体验、培训讲座等方式提高居民信息技能和需求培育，多方面共同促进居民信息素质提升。

2. 居民消费能力

居民可支配收入水平是影响居民信息消费能力的关键因素，由于区域经济发展的不均衡，城乡居民信息消费能力存在较大差异，整体呈现东部领先、中西部落后的态势。为进一步促进居民信息消费需求释放，壮大国内信息消费产业，应进一步加强区域经济发展投资，以经济发展带动居民收入增长，促进整体信息消费需求释放。

3. 居民消费习惯

随着新一代信息技术的迭代更新，信息消费领域新产品、新服务不断丰富，居民信息消费选择不断增加，信息产品及服务用户规模持续扩大。当下，信息消费用户多集中于城镇地区，农村地区居民由于信息意识和信息素质相对较弱，对信息产品选择仍较少。为进一步壮大信息消费产业，推动信息应用普及，应加大乡镇居民信息产品试用推广和信息服务体验消费，让居民先了解信息消费，再选择信息消费。

7.4　本 章 小 结

本章分别从社会环境、供给环境、需求环境 3 个方面分析了国内外新兴信息消费的环境现状，得出如下结论。

从全球来看，在新兴信息技术快速发展的背景下，各国对新兴信息消费产业的关注不断加强。社会环境方面，各国在新兴信息消费领域的发展布局持续推进，但相关政策多集中在产业规划方面，针对具体的交易规则设计、交易法规制定、数据安全管制相对匮乏。供给环境方面，全球云计算、移动互联网、大数据等产业市场规模不断壮大，但市场主导权多集中在欧美地区国家，其他地区国家整体创新能力和竞争力相对较弱。需求环境方面，由于国家经济发展和基础设施建设的差异性，居民可支配收入水平、信息接入能力等存在较大差别，相较美、日等国，中国居民信息消费能力落后明显。

从国内来看，为进一步扩大升级信息消费，各省市越加重视新兴信息消费环境构建。社会环境方面，各地方政府纷纷出台了新兴信息消费产业发展指导方针及实施意见，但各省市未能有效结合地方优势推进差异化、特色化发展，整体同质性较大。此外，针对严重的网络空间污染，当下未有省市制定明确的追责方案及惩处规则。供给环境方面，云计算、大数据、物联网等产业供给不断丰富，市场规模持续扩大，但相关领先企业多集中分布于东部沿海地区，区域发展及创新能力存在严重的不均衡现象。需求环境方面，由于区域经济发展不平衡和数字鸿沟的存在，各省市居民信息消费能力差异较大，其中农村地区居民由于经济支付能力和信息接入能力的限制，信息消费能力尤为不足。

从综合来看，当下全球网络空间垃圾信息泛滥、病毒攻击凶猛，对整体信息消费产业的健康发展造成了极大威胁，世界各国急需在分别推进信息产业发展的同时，协同促进网络安全建设和空间环境治理。其中，我国社会经济发展水平、信息基础设施建设水平、领先企业培育能力等较欧美等地区领先国家存在较大差距，未来亟待全方位加强信息消费社会环境治理、信息领域龙头企业培育和居民信息消费素质及能力提升，以提升全球竞争力和领域话语权。

第 8 章 新兴信息消费的环境评估指标体系设计与应用

新兴信息消费的环境建设对促进新兴信息消费的意义重大，但是目前对于新兴信息消费环境的相关研究还比较匮乏，尤其是在最基础的环境评估方面还是空白。本章以构建新兴信息消费的环境评估指标体系为目标，基于宏观经济学、消费经济学等理论研究，围绕供给-需求视角，梳理新兴信息消费的环境影响因素，从社会环境、供给环境和需求环境 3 个方面开展新兴信息消费的环境评估指标体系的构建，为建立新兴信息消费的环境治理体系奠定基础。

8.1 新兴信息消费的环境评估指标体系构建基础

8.1.1 新兴信息消费环境的界定

本书从供给-需求视角出发，依据宏观经济学、消费经济学及马克思主义消费理论将新兴信息消费环境定义为：影响以比特流为内容的信息产品和信息服务消费的所有因素的总和，消费者、信息服务和信息产品、国家政策法规等都是信息环境的重要组成。将影响供给数量和质量的相关环境因素归结为供给环境，侧重于从宏观层面衡量整个信息产业的发展及相关环境；而需求环境则解释为影响消费者需求数量和质量的相关环境因素，侧重于从微观视角衡量个体和组织信息消费的素质、能力及信息产品和服务的使用状况；社会环境指影响新兴信息产品和服务市场发展的政策及市场建设环境，主要从国家的相关政策和信息社会的发展状况进行衡量。供给环境和需求环境相互影响和制约，社会环境作为中间变量对新兴信息产品和服务的消费起调节作用。

8.1.2 指标体系构建原则与流程

在移动互联网、大数据和云计算等新兴信息技术广泛应用的背景下，以智能终端为载体，比特产品为主要信息消费对象，新兴信息消费环境更加复杂多变。因此在构建新兴信息消费环境的评估指标体系时，应该坚持科学性、客观性、独立性和可持续性的原则，对体系中的各级指标进行梳理、筛选和确定(图 8.1)。

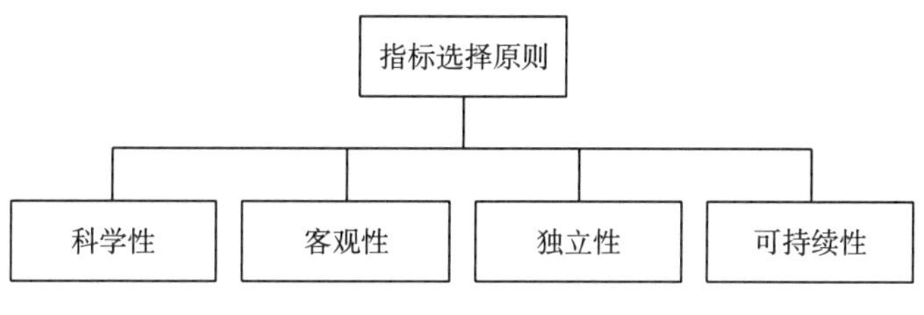

图 8.1　评估指标选择原则

新兴信息的消费环境评估指标体系的构建流程如下：第一步，对国内外现有信息消费环境评估的基本指标进行总结梳理，从中提取出新兴信息消费环境评估的基本指标；第二步，将提取的相关指标进行罗列，与行业内信息专家进行访谈，以对新兴信息消费环境的指标进行补充；第三步，从供给需求视角出发，将各指标进行分类整理；第四步，对初步形成的指标进行验证，通过问卷和实地调研，广泛收集数据；第五步，运用多元统计工具对指标进行分析；第六步，根据分析结果，按照指标构建科学性、客观性、独立性和可持续性的原则，进一步对指标进行筛选和优化，最终确定新兴信息消费环境评估指标体系，如图 8.2 所示。

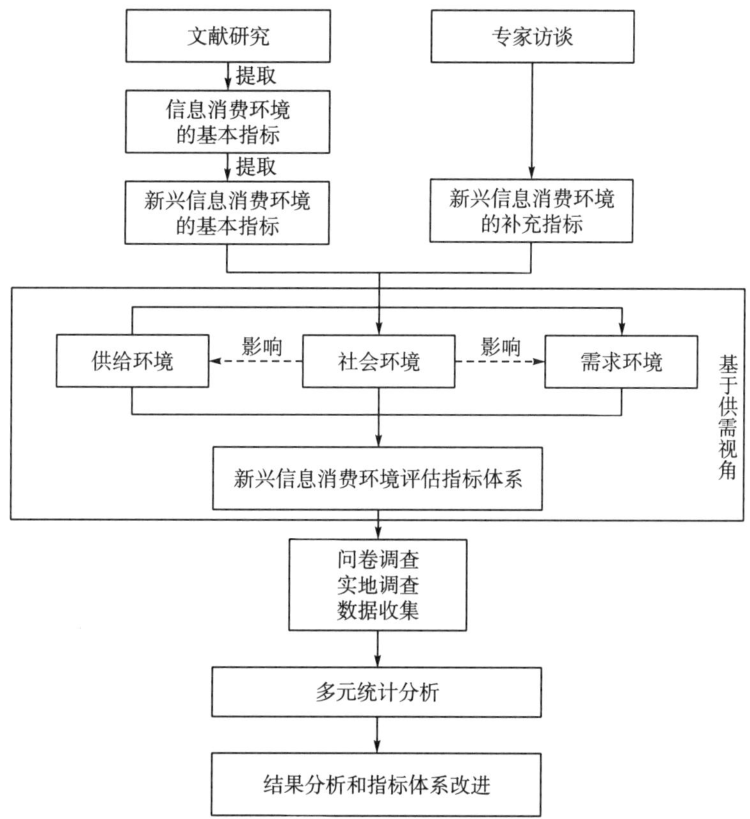

图 8.2　新兴信息消费环境评估指标体系构建流程图

8.2 新兴信息消费的环境评估指标体系设计

本书结合信息消费的发展情况，在衡量指标体系是否能够广泛推广的前提下，对标国家统计体系，选取最契合当前新兴信息消费发展阶段的关键性指标，参考专家意见，从定性定量分析的角度精简了新兴信息消费的环境评估指标体系，形成了 3 个一级指标，9 个二级指标，23 个三级指标。其中，①社会环境的政策支持维度：将初始指标体系中的价格政策、税收政策等统一归为信息消费市场政策，专项人才政策、专项资金政策、专项技术政策统一归为信息消费产业政策；②需求环境的信息素质维度：将初始指标体系中的信息工具使用能力、信息消费意识、信息技术知识程度统一归为信息能力(表 8.1)。

表 8.1 新兴信息消费的环境评估初选指标

一级指标	二级指标	三级指标
社会环境	政策支持	信息消费市场政策
		信息消费产业政策
	经济发展	人均 GDP
	基础设施	数字电视使用率
		固定宽带接入率
		移动高速(4G)网络接入率
	信息污染度	垃圾短信数
		骚扰电话数
		恶意程序数
供给环境	产业要素投入	信息产业固定资产投入
		信息产业就业人员数
		信息产业 R&D 经费投入
	产业发展效果	信息产业人均产值
		信息产业经济增加值占 GDP 比重
		每万人的发明专利拥有量
需求环境	个体信息消费能力	数字广播电视支付能力
		智能电话支付能力
		固定宽带支付能力
		人均周上网时长
		人均新兴信息消费支出
	个体信息素质	信息能力
	政府在线服务	各级政府网站绩效
		政府信息产品采购支出

8.2.1　社会环境指标

社会环境是信息消费市场的基础条件，主要反映各种信息政策和法规、经济发展状况和信息基础设施等基本情况。

1. 政策支持

信息政策和法规是按照规范标准调整信息活动中社会关系的人文因素。国家信息政策是各种社会信息活动的制度基础，从宏观上规定着信息产业的发展和信息市场的交易规则。经济学理论认为：政策支持指标是组织生产要素的有力工具，如国务院出台的《国务院关于促进信息消费扩大内需的若干意见》（国发〔2013〕32 号）就发挥了这一作用[①]。同时，各信息消费试点城市也有相应的地方性法规和制度出台。根据出台政策针对主体和范围的不同，本书选取以下指标：信息消费市场政策、信息消费产业政策。

2. 经济发展

国内生产总值(GDP)是宏观经济中最受关注的经济统计数据，是衡量国家或地区经济发展的一个重要的指标。社会经济发展程度也是决定信息消费能力的基本要素。因此，本书选取人均 GDP 作为衡量经济发展的指标。

3. 基础设施

现代信息技术作为信息基础设施的依托，是信息时代的社会基准结构，也是新兴信息消费社会体系的体现。国家多次提出应当加大中西部地区的信息基础设施建设，开展光进铜退、提速降费、光纤入户、三网融合等重大工程。考虑新兴信息消费不同场景下不同的网络需求，选取以下 3 个指标衡量基础设施条件：数字电视使用率、固定宽带接入率和移动高速 4G 网络接入率。

4. 信息污染度

互联网时代，信息存在海量性、快捷性、交互性等明显的特点，12321 网络不良与垃圾信息举报受理中心统计的2018年数据显示[②]，2018年网民举报恶意程序共计532012次、举报垃圾信息共计 104159 次、举报骚扰电话共计 652000 次，因恶意程序、垃圾信息、诈骗信息等遭受的经济损失巨大。一个地区的信息消费环境质量与其信息污染的程度息息相关，因此选取垃圾短信数、骚扰电话数和恶意程序数来对一个地区的信息污染程度进行衡量。

---

① 中央政府门户网站. 国务院关于促进信息消费扩大内需的若干意见[EB/OL]. [2013-08-14]. http://www.gov.cn/zhengce/2013-08/14/content_3307. htm.

②《2018 年举报受理情况播报》. https://www.12321.cn/report.

8.2.2 供给环境指标

对于信息消费供给方的企业而言，提高生产效率和信息产品服务质量，不断满足消费者的需求是在激烈的行业竞争中生存的唯一方法。因此，本书从生产要素投入和产业发展效果两个方面衡量信息消费供给环境。

1. 生产要素投入

生产要素投入和技术进步是决定一个国家和地区经济长期进步的主要因素，对信息产业也是如此。传统意义上的生产要素包括劳动、土地和资本 3 个类别，结合信息产业特征和数据的可获得性原则，选取以下指标：信息产业固定资产投入、信息产业就业人员数和信息产业 R&D 经费投入。

2. 产业发展效果

产业发展效果是生产要素投入的产出指标，若投入少而产出多，则说明效率高；反之，效率低。信息产业的发展效果可从财富增加和研发成果两个方面加以衡量。因此，选取以下 3 个指标：信息产业人均产值、信息产业经济增加值占 GDP 的比重和每万人的发明专利拥有量。

8.2.3 需求环境指标

需求环境反映了需求方的信息消费能力和消费结果。由于本章界定的信息消费需求方既包括个人居民也包括非营利性组织，其主体特征有所不同，故需要分别衡量。

1. 个体信息消费能力

从居民支付能力和实际使用情况两个方面衡量。支付能力重点反映居民使用信息技术的承受能力，也反映不同信息技术的价格水平。马哲明和李永和(2011)[11]基于经济学理论，证明了收入是影响居民信息消费行为的最主要因素，收入越高，支付能力越强，信息消费意愿也就越强烈。因此，从以下五个方面加以衡量：数字广播电视支付能力、智能电话支付能力、固定宽带支付能力、人均周上网时长和人均新兴信息消费支出。

2. 个体信息素质

针对居民信息素质高低对于信息消费总额的影响，本书主要从居民的信息能力角度予以考虑。

3. 政府在线服务

对于非营利性组织的信息消费，考虑数据的可获取性，本书主要考虑政府的信息消费，包括各级政府网站绩效和政府信息产品采购支出。

8.3　新兴信息消费的环境评估指标优化与权重确定

8.3.1　指标体系的优化原则

第一，指标体系建立必须要有科学依据，在一定约束条件限度内能合理地从信息社会环境、供给环境和需求环境 3 个方面对新兴信息消费的环境状态进行衡量。第二，评价指标应具有可测性、可比较性。第三，指标体系具有代表性，简明、概括。对于本书而言，新兴信息消费的环境指标应全面体现新兴信息消费的影响因素，以区别于传统信息消费。

8.3.2　指标体系的优化过程

本节采用基于熵权模糊语言对新兴信息消费的环境评估指标体系进行优化。首先，熵权模糊语言中对于模糊区间数存在以下四点定义。

定义 1　记 $a=\left[a^-,a^+\right]=\left\{x|a^-\leqslant x\leqslant a^+\right\}$，称 a 为一个区间数。

定义 2　设 $a=\left[a^-,a^+\right]$，称 a^-、a^+ 为区间 a 的左端点、右端点，$l_a=a^+-a^-$ 为区间 a 的长度。

定义 3　设 $a=\left[a^-,a^+\right]$，$b=\left[b^-,b^+\right]$，具有以下 4 点含义。

(1) 区间数的加法：$a+b=\left[a^-+b^-,a^++b^+\right]$；

(2) 数与区间数的乘法：$\lambda a=\left[\lambda a^-,\lambda a^+\right]$，其中 $\lambda\geq 0$；

(3) 区间数的除法：$a/b=\left[a^-/b^+,a^+/b^-\right]$；

(4) 若 $a^-<b^-,a^+<b^+$，则称 $a<b$。

定义 4　模糊语言标度 $S=\{$非常符合，比较符合，一般，不太符合，非常不符合$\}$，其对应区间数包括两部分，分别为非常符合 $=[0.8,1.0]$，比较符合 $=[0.6,0.8]$，一般 $=[0.4,0.6]$ 和不太符合 $=[0.2,0.4]$，非常不符合 $=[0,0.2]$。

其次，设 $X=\{x_1,x_2,\ldots,x_n\}$ 为指标集合，$G=\{g_1,g_2,\ldots,g_m\}$ 为属性集合，指标构建时需要遵循的原则为{科学性原则，可操作性原则，代表性原则}，共有 $D=\{d_1,d_2,\ldots,d_t\}$ 位专家对指标体系根据上述三个原则给出每个指标的模糊语言评价，并将第 k 位专家所给评价按照定义 4 转换为区间值构成的评价矩阵 $R=\left\{r^k{}_{ij}\right\}_{n\times m},k=1,2,\ldots,t$。

取每一区间标度的中间值构成新的矩阵 $S=\left\{s^k{}_{ij}\right\}_{n\times m},k=1,2,\ldots,t$，运用熵权法求出每位专家对各属性的相对重要程度判断 $\omega^k=\left[\omega_1^k,\omega_2^k,\ldots,\omega_m^k\right]^T,k=1,2,\ldots,t$。

对专家聚类，求群决策权数向量，步骤如下：

对矩阵 $\omega=\left[\omega^1,\omega^2,\ldots,\omega^k\right]$ 按列归一化，归一化公式为 $x_{ij}=\dfrac{\omega_{ij}}{max(w_j)}$，对归一化处理后

的矩阵用 $\boldsymbol{P}=\left[p_{ij}\right]_{t\times t}=\dfrac{\sum_{k=1}^{t}\left(x_{ik}\wedge x_{jk}\right)}{\sum_{k=1}^{t}\left(x_{ik}\vee x_{jk}\right)}$ 构造模糊相似矩阵。模糊相似矩阵 $\boldsymbol{P}$ 为对称矩阵，且对角线元素为 1；对矩阵运用传递闭包法 max-min 合成进行模糊聚类，设置新水平 $\lambda=0.8$；根据每类专家群体数占总专家数的比例对各专家权重加权，并归一化后得最终权数向量 ω^T。用算术均值法对 $R=\left\{r^k{}_{ij}\right\}_{n\times m},k=1,2,\ldots,t$ 集结公式为 $R^*=\left[r_{ij}\right]_{n\times m}=\frac{1}{t}\sum_{k=1}^{t}r^k{}_{ij}$，$i=1,2,\ldots,n;j=1,2,\ldots,m$。对指标选取方案进行信息集结：$\xi=R^*\omega^T$。按照定义 4 对 ξ_i 由大到小进行排序，指标的最优数目由 $\dfrac{\sum_{i=1}^{p}\xi_i}{\sum_{i=1}^{n}\xi_i}\geqslant H,h=min(p)$ 确定。一般情况下，H 取值越大，所选取的指标数越多，通常取 80%。

在指标预调研阶段，在课题组内选取了 14 名成员对指标体系按照科学性、可操作性和代表性三个原则进行模糊语言判断，下面分别对新兴信息消费的三个层面进行筛选。

首先对需求环境指标进行筛选。收集 14 名成员的模糊语言评价结果，求出权重矩阵，评价结果如表 8.2 所示，其中，G1、G2、G3 分别是对应专家对{科学性原则，可操作性原则，代表性原则}给出的模糊语言评价，X1～X8 代表“需求环境”中的 8 个三级指标。

表 8.2 模糊语言评价结果表

指标	*k*=1			*k*=2				*k*=14		
	G1	G2	G3	G1	G2	G3		G1	G2	G3
X1	比较符合	非常符合	非常符合	比较符合	比较符合	非常符合	…	非常符合	一般	非常符合
X2	一般	非常符合	非常符合	非常符合	比较符合	非常符合	…	比较符合	比较符合	非常符合
X3	不太符合	比较符合	非常符合	一般	一般	比较符合	…	一般	比较符合	比较符合
X4	一般	一般	一般	非常符合	比较符合	比较符合	…	不太符合	比较符合	比较符合
X5	一般	一般	比较符合	比较符合	比较符合	比较符合	…	一般	不太符合	一般
X6	一般	非常符合	一般	一般	一般	一般	…	比较符合	不太符合	比较符合
X7	不太符合	一般	不太符合	一般	不太符合	不太符合	…	不太符合	一般	一般
X8	一般	比较符合	不太符合	一般	比较符合	不太符合	…	比较符合	比较符合	不太符合

将模糊语言评价矩阵转换为模糊区间数，转换结果见表 8.3。

表 8.3　模糊语言对应的区间数

指标	k=1			k=2			…	k=14		
	G1	G2	G3	G1	G2	G3	…	G1	G2	G3
X1	0.6，0.8	0.8，1.0	0.8，1.0	0.6，0.8	0.6，0.8	0.8，1.0	…	0.8，1.0	0.4，0.6	0.8，1.0
X2	0.4，0.6	0.8，1.0	0.8，1.0	0.8，1.0	0.6，0.8	0.8，1.0	…	0.6，0.8	0.6，0.8	0.8，1.0
X3	0.2，0.4	0.6，0.8	0.8，1.0	0.4，0.6	0.4，0.6	0.6，0.8	…	0.4，0.6	0.6，0.8	0.6，0.8
X4	0.4，0.6	0.4，0.6	0.4，0.6	0.8，1.0	0.6，0.8	0.6，0.8	…	0.2，0.4	0.6，0.8	0.6，0.8
X5	0.4，0.6	0.4，0.6	0.6，0.8	0.6，0.8	0.6，0.8	0.6，0.8	…	0.4，0.6	0.2，0.4	0.4，0.6
X6	0.4，0.6	0.8，1.0	0.4，0.6	0.4，0.6	0.4，0.6	0.4，0.6	…	0.6，0.8	0.2，0.4	0.6，0.8
X7	0.2，0.4	0.4，0.6	0.2，0.4	0.4，0.6	0.2，0.4	0.2，0.4	…	0.2，0.4	0.4，0.6	0.4，0.6
X8	0.4，0.6	0.6，0.8	0.2，0.4	0.4，0.6	0.6，0.8	0.2，0.4	…	0.4，0.6	0.6，0.8	0.2，0.4

取每个模糊区间的中点构成新的矩阵，见表 8.4。

表 8.4　模糊区间中点矩阵

指标	k=1			k=2			…	k=14		
	G1	G2	G3	G1	G2	G3	…	G1	G2	G3
X1	0.7	0.9	0.9	0.7	0.7	0.9	…	0.9	0.5	0.9
X2	0.5	0.9	0.9	0.9	0.7	0.9	…	0.7	0.7	0.9
X3	0.3	0.7	0.9	0.5	0.5	0.7	…	0.5	0.7	0.7
X4	0.5	0.5	0.5	0.9	0.7	0.7	…	0.3	0.7	0.7
X5	0.5	0.5	0.7	0.7	0.7	0.7	…	0.5	0.3	0.5
X6	0.5	0.9	0.5	0.5	0.5	0.5	…	0.7	0.3	0.7
X7	0.3	0.5	0.3	0.5	0.3	0.3	…	0.3	0.5	0.5
X8	0.5	0.7	0.3	0.5	0.7	0.3	…	0.5	0.7	0.3

根据熵权法计算每位成员对 3 个评价原则的权重值，结果如下。

$$\boldsymbol{\omega}=(\omega^1,\omega^2,\cdots,\omega^{14})^{\mathrm{T}}=\begin{bmatrix} 0.227 & 0.216 & 0.557 \\ 0.212 & 0.329 & 0.459 \\ 0.386 & 0.490 & 0.123 \\ 0.410 & 0.410 & 0.179 \\ 0.257 & 0.508 & 0.236 \\ 0.226 & 0.348 & 0.426 \\ 0.260 & 0.481 & 0.260 \\ 0.431 & 0.309 & 0.260 \\ 0.386 & 0.305 & 0.309 \\ 0.133 & 0.485 & 0.382 \\ 0.279 & 0.283 & 0.438 \\ 0.202 & 0.399 & 0.399 \\ 0.464 & 0.303 & 0.233 \\ 0.513 & 0.316 & 0.171 \end{bmatrix}$$

基于传递闭包模糊聚类方法对 14 名评判员进行聚类，计算综合权重值。设置信水平

$\lambda=0.85$，截 t(R) 矩阵，14 位成员可据此聚为 6 类：$\{d_1\}$、$\{d_2, d_6, d_{11}, d_{12}, d_{14}\}$、$\{d_3, d_4\}$、$\{d_5, d_7\}$、$\{d_8, d_9, d_{13}\}$和$\{d_{10}\}$。

根据每类中的成员数量，可令 $m_1=1$，$m_2=m_6=m_{11}=m_{12}=m_{14}=5$，$m_3=m_4=2$，$m_5=m_7=2$，$m_8=m_9=m_{13}=3$，$m_{10}=1$。

由此计算出 14 位成员的权重分别为

$$\alpha^k=\frac{m_k}{\sum_{k=1}^{14}m_k}=(0.023,0.114,0.045,0.045,0.114,0.045,0.068,0.068,0.023,0.114,0.114,0.068,0.023,0.114)$$

所以，综合权重为 $\omega^T=\sum_{k=1}^{14}\alpha^k w_j^k=(0.318,\ 0.355,\ 0.327)^{\mathrm{T}}$，根据公式 $R^*=[r_{ij}]_{nxm}=\frac{1}{t}\sum_{k=1}^{t}r_{ij}^k$ $(i=1,2,L,n;j=1,2,L,m)$ 对原模糊区间数矩阵进行集结得

$$\boldsymbol{R}^*=\begin{bmatrix}[0.64,0.84] & [0.59,0.79] & [0.67,0.87]\\ [0.63,0.83] & [0.63,0.83] & [0.61,0.81]\\ [0.54,0.74] & [0.57,0.77] & [0.61,0.81]\\ [0.61,0.81] & [0.56,0.76] & [0.63,0.83]\\ [0.60,0.80] & [0.51,0.71] & [0.66,0.86]\\ [0.53,0.73] & [0.47,0.67] & [0.61,0.81]\\ [0.36,0.56] & [0.33,0.53] & [0.41,0.61]\\ [0.43,0.63] & [0.41,0.61] & [0.40,0.60]\end{bmatrix}$$

根据公式 $\xi=\boldsymbol{R}^*\boldsymbol{\omega}^{\mathrm{T}}$ 进行信息集结，需求环境中的 8 个指标的综合评价区间值为

$$\xi=\boldsymbol{R}^*\boldsymbol{\omega}^{\mathrm{T}}=\begin{bmatrix}[0.632,0.832]\\ [0.623,0.823]\\ [0.574,0.774]\\ [0.599,0.799]\\ [0.588,0.788]\\ [0.535,0.735]\\ [0.366,0.566]\\ [0.413,0.613]\end{bmatrix}$$

将 $\xi_i,i=1,2,\cdots,7$ 由大到小排列得

$$\xi_1=[0.632,0.832]>\xi_2=[0.623,0.823]>\xi_4=[0.599,0.799]>\xi_5=[0.588,0.788]$$
$$>\xi_3=[0.574,0.774]>\xi_6=[0.535,0.735]>\xi_8=[0.413,0.613]>\xi_7=[0.366,0.566]$$

根据 $\frac{\sum_{i=1}^{p}\xi_i}{\sum_{i=1}^{n}\xi_i}\geqslant H$，$h=\min(p)$ 进行指标筛选，并取各区间中点：12.7%、28.6%、42.3%、58.1%、71.9%、84.9%、95.5%、105.1%，故第七个指标，即各级政府网站绩效可删除。用同样的方法，对供给环境初选指标进行筛选。

$$\xi=\begin{bmatrix}[0.619,0.819]\\ [0.595,0.795]\\ [0.642,0.842]\\ [0.600,0.800]\\ [0.573,0.773]\\ [0.522,0.722]\end{bmatrix}$$

将 $\xi_i, i=1,2,\cdots,6$ 由大到小排列得

$$\begin{aligned}&\xi_3=[0.642,0.842]>\xi_1=[0.619,0.819]>\xi_4=[0.600,0.800]\\&>\xi_2=[0.595,0.795]>\xi_5=[0.573,0.773]>\xi_6=[0.522,0.722]\end{aligned}$$

根据 $\dfrac{\sum_{i=1}^{p}\xi_i}{\sum_{i=1}^{n}\xi_i}\geqslant H$，$h=\min(p)$ 计算最终评价区间，并取各区间中点：15.9%、31.2%、46.6%、61.6%、76.5%、104.2%，故供给环境中 6 个指标均可保留。接下来，处理社会环境指标。

$$\xi=\begin{bmatrix}[0.371,0.571]\\ [0.579,0.779]\\ [0.556,0.756]\\ [0.513,0.713]\\ [0.552,0.752]\\ [0.592,0.792]\\ [0.543,0.743]\\ [0.562,0.762]\\ [0.567,0.767]\end{bmatrix}$$

将 $\xi_i, i=1,2,\cdots,9$ 由大到小排列得

$$\begin{aligned}&\xi_6=[0.592,0.792]>\xi_2=[0.579,0.779]>\xi_9=[0.567,0.767]>\xi_8=[0.562,0.762]\\&>\xi_3=[0.556,0.756]>\xi_5=[0.552,0.752]>\xi_7=[0.543,0.743]\\&>\xi_4=[0.513,0.713]>\xi_1=[0.371,0.571]\end{aligned}$$

根据 $\dfrac{\sum_{i=1}^{p}\xi_i}{\sum_{i=1}^{n}\xi_i}\geqslant H$，$h=\min(p)$ 计算最终评价区间，并取各区间中点：12.7%、25.1%、37.3%、49.4%、61.4%、73.4%、85.2%、96.4%、105.1%，故社会环境的 9 个三级指标中，第一个指标信息消费市场政策可删除。因此，最终指标体系如图 8.3 所示。

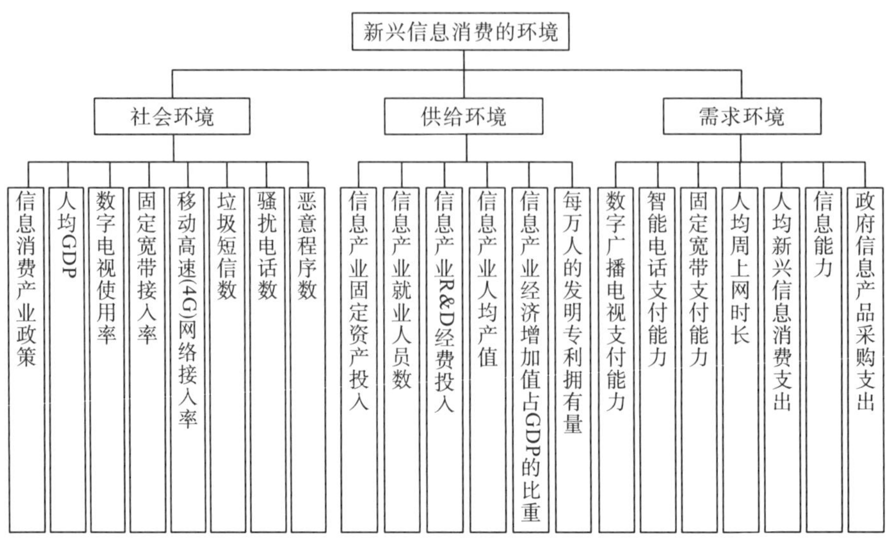

图 8.3 新兴信息消费的环境评估指标体系

8.3.3 指标体系的权重确定

新兴信息消费的环境评估分析主要包括以下 3 个部分：社会环境、供给环境和需求环境。通过政策支持、经济发展、基础设施建设、信息污染度、产业要素投入、产业发展效果、居民数字生活、信息素质以及政府在线服务 9 个维度对新兴信息消费环境的 21 个评价指标进行度量，测度评价体系见表 8.5。构造判断矩阵时，课题组在 2017 年第一季中国“经专对话”主题研讨会(ECICE 专题调研研讨会)上向 13 位信息经济领域的与会专家发放问卷，对各层级的指标按重要性进行评分。

表 8.5 新兴信息消费评价体系表

目标层	准则层	维度	指标层
新兴信息消费环境评估指标	社会环境 A	政策支持	A1 信息消费产业政策
		经济发展	A2 人均 GDP
		基础设施建设	A3 数字电视使用率
			A4 固定宽带接入率
			A5 移动高速(4G)网络接入率
		信息污染度	A6 垃圾短信数
			A7 骚扰电话数
			A8 恶意程序数
	供给环境 B	产业要素投入	B1 信息产业固定资产投入
			B2 信息产业就业人员数
			B3 信息产业 R&D 经费投入
		产业发展效果	B4 信息产业人均产值
			B5 信息产业经济增加值占 GDP 的比重
			B6 每万人的发明专利拥有量

续表

目标层	准则层	维度	指标层
新兴信息消费环境评估指标	需求环境 C	居民数字生活	C1 数字广播电视支付能力
			C2 智能电话支付能力
			C3 固定宽带支付能力
			C4 人均周上网时长
			C5 人均新兴信息消费支出
		信息素质	C6 信息能力
		政府在线服务	C7 政府信息产品采购支出

首先根据层次分析法（AHP 法）中提出的两两因素重要性比较的标度表，对社会环境、供给环境及需求环境进行两两因素的重要性比较。然后，根据专家评定打分的方法计算出相应的权重，见表 8.6。

表 8.6　专家权重汇总表

准则层	专家 1	专家 2	专家 3	专家 4	…	专家 10	专家 11	专家 12	专家 13
A	0.207	0.143	0.067	0.143	…	0.258	0.243	0.290	0.714
B	0.058	0.429	0.467	0.429	…	0.105	0.669	0.655	0.143
C	0.735	0.429	0.467	0.429	…	0.637	0.088	0.055	0.143

基于此原理，依次对分属于社会环境、供给环境和需求环境的指标进行两两比较判断，并将结果进行平均后得到最终的指标测度，见表 8.7、表 8.8。

表 8.7　新兴信息消费环境准则层指标权重

新兴信息消费环境评估指标	权重
A 社会环境	0.226
B 供给环境	0.314
C 需求环境	0.460

表 8.8　新兴信息消费环境指标层指标权重平均值

准则层	新兴信息消费环境评估二级指标	权重平均值
社会环境 A	A1 信息消费产业政策	0.273
	A2 人均 GDP	0.290
	A3 数字电视使用率	0.149
	A4 固定宽带接入率	0.092
	A5 移动高速（4G）网络接入率	0.072
	A6 垃圾短信数	0.021
	A7 骚扰电话数	0.039
	A8 恶意程序数	0.064

续表

准则层	新兴信息消费环境评估二级指标	权重平均值
供给环境 B	B1 信息产业固定资产投入	0.222
	B2 信息产业就业人员数	0.183
	B3 信息产业 R&D 经费投入	0.053
	B4 信息产业人均产值	0.168
	B5 信息产业经济增加值占 GDP 的比重	0.238
	B6 每万人的发明专利拥有量	0.136
需求环境 C	C1 数字广播电视支付能力	0.176
	C2 智能电话支付能力	0.054
	C3 固定宽带支付能力	0.121
	C4 人均周上网时长	0.087
	C5 人均新兴信息消费支出	0.062
	C6 信息能力	0.336
	C7 政府信息产品采购支出	0.164

8.4 典型区域新兴信息消费的环境评估分析

本书按照分区域、分产业的原则，选取上海、广东、重庆、山西和湖北 5 个地区的新兴信息消费环境进行数据采集(考虑统计数据集的完整性后，主要以 2017 年统计年鉴为基准)[①]，然后进行模型计算，得到区域新兴信息消费的环境评估结果，并提出相关建议。

课题组基于国家和地方统计局网站、统计年鉴、工信部网站、CNNIC 互联网发展报告等国内权威信息行业统计数据，同时结合赛迪、199IT、罗兰贝格等国内外大型咨询机构的数据，整合梳理出全国和案例地区新兴信息消费的环境中社会环境和产业环境指标数据。对于部分统计机构没有包括的数据，课题组通过向地方发展改革委、经信委调研和咨询的方式得到相关数据。另外，需要说明的是研究与试验发展(research and development，R&D)经费投入主要涵盖全社会实际用于基础研究、应用研究和试验发展的经费支出，从国家统计局获得的 R&D 经费支出数据难以根据行业进行剥离，鉴于本书采用 R&D 经费的投入这一指标反映地区的创新支持力度，课题组特向国家信息产业相关专家咨询，专家指出，在 ICT 行业的发展与各经济部门的融合不断加深的背景下，R&D 经费支出有很大一部分将用于支持地方 ICT 产业发展，因此可以使用研究与试验发展(R&D)经费投入强度来侧面反映地区 R&D 经费对创新的扶持力度。

① 数据来源：(1)国家和地方统计局网站、统计年鉴、工信部网站、CNNIC 互联网发展报告等国内信息行业统计数据的权威来源；(2)赛迪、199IT、罗兰贝格等国内外大型咨询机构的数据；(3)地方发展和改革委员会、经济和信息化委员会、通信管理局等行业主管部门；(4)专家打分。

由于新兴信息消费的环境中产业支撑政策、居民信息消费支付能力(数字广播电视、智能电话等)、政府信息产品采购支出等数据无法获取，课题组通过选取相关地区政府信息化主管部门(如重庆市发展和改革委员会、广东省经济和信息化委员会、上海张江高科技园区管理委员会等)、相关领域学者(陈禹、杨培芳、史炜、陈金桥等)、代表性大型企业(如山西等地通信运营商、上海贝尔、华为等)等作为调查对象，每个地区选择 11 位专家对相关无法量化的指标予以打分(满分 100 分)。按照统计数据、政府部门数据、咨询机构(研究所)数据、主观打分数据的优先顺序搜集数据，并对原始数据进行归一化处理，结果见表 8.9。

表 8.9　归一化后的数据集

指标	上海	广东	重庆	山西	湖北
A1 信息消费产业政策	17.407	17.812	15.687	14.960	15.969
A2 人均 GDP	29.190	19.094	14.714	9.870	14.132
A3 数字电视使用率	18.577	10.051	4.565	4.292	7.076
A4 固定宽带接入率	6.005	6.693	5.457	4.917	4.604
A5 移动高速(4G)网络接入率	5.977	5.476	3.792	3.274	3.163
A6 垃圾短信数	1.592	0.443	2.802	3.336	2.335
A7 骚扰电话数	2.401	2.873	2.619	1.764	2.362
A8 恶意程序数	10.291	1.403	8.125	5.937	4.980
B1 信息产业固定资产投入	8.872	33.935	7.021	7.269	9.545
B2 信息产业就业人员数	16.944	23.517	3.110	3.690	7.639
B3 信息产业 R&D 经费投入	5.497	3.640	2.314	1.533	2.800
B4 信息产业人均产值	4.801	16.928	13.140	2.043	13.391
B5 信息产业经济增加值占 GDP 的比重	15.134	25.395	12.078	2.744	16.079
B6 每万人的发明专利拥有量	20.130	12.810	3.202	1.544	3.082
C1 数字广播电视支付能力	11.166	11.133	10.345	10.047	10.109
C2 智能电话支付能力	3.506	3.545	3.147	2.845	3.152
C3 固定宽带支付能力	8.201	7.695	7.253	6.174	7.048
C4 人均周上网时长	5.517	5.660	5.418	4.655	4.770
C5 人均新兴信息消费支出	4.101	4.196	3.875	2.943	3.535
C6 信息能力	20.760	21.216	19.888	18.793	19.982
C7 政府信息产品采购支出	10.819	11.255	10.175	7.313	9.593

根据标准化后的数据集，进一步结合指标权重计算各地区和全国平均的新兴信息消费环境评估得分(表 8.10)。从选取的案例总体来看，整体的新兴信息消费环境广东最佳、上海次之、山西最差，新兴信息消费环境呈现出东部、南部好于中西部，中西部又好于北部的大趋势。

具体来看：①社会环境方面，上海的新兴信息消费社会环境更加完善，远高于排名第二的广东，本书选取上海作为案例时，充分考虑了其作为高度城市化地区，在政策体系、人均 GDP、信息基础设施等方面领先全国这一现实；②供给环境方面，广东具有发达的信息产业基础，新兴信息消费供给环境相对更加完备，华为、中兴、腾讯等一大批电子信息制造业、软件和信息服务业方面龙头企业集聚，带动相关产业规模、人才队伍、研发投入等都具备显著的优势；③需求环境方面，上海和广东的新兴信息消费需求环境更好，这与这两个地区居民较强的支付能力和良好的信息消费习惯密不可分。

表 8.10 新兴信息消费的环境评估得分

准则层	上海	广东	重庆	山西	湖北
社会环境	91.440	63.846	57.761	48.350	54.621
供给环境	71.377	116.225	40.866	18.821	52.537
需求环境	64.070	64.701	60.102	52.771	58.189
新兴信息消费的环境评估结果	72.551	80.695	53.530	41.106	55.607

8.4.1 新兴信息消费的社会环境具体指标

上海，在新兴信息消费社会环境治理方面全面领先。具体来看，上海在人均 GDP 和数字电视使用率方面相当领先，远高于案例中的其他省市；同时，上海的固定宽带接入率、移动高速(4G)网络接入率处于领先地位，并且在信息消费产业政策、固定宽带接入率方面不落下风；最后，在垃圾短信数、骚扰电话数和恶意程序数 3 个方面也低于大部分省份。总体上，上海在新兴信息消费社会环境治理上采取的措施较为有效(图 8.4)。

广东，在新兴信息消费社会环境治理方面优势突出。具体来看，其信息消费产业政策在选取的几个典型省市中相关政策是最为完善的；在固定宽带接入率和移动高速(4G)网络接入率方面，其信息基础设施已经较为完善。然而，作为经济大省，广东人口众多，人均 GDP 与上海还有较大差距；在数字电视使用率方面，广东的表现虽然优于中西部和北部地区，但与上海相比也存在较明显的差距；同时由于广东处于经济发达的东部地区，其垃圾短信数、骚扰电话数和恶意程序数远高于其他省份(图 8.4)。

重庆，在新兴信息消费社会环境治理方面较为薄弱。全市相关具体指标方面普遍低于案例省市的平均水平，但是由于地方政府对信息产业发展的重视，相关政策日趋完善、网络基础设施建设日益完备，具体表现在信息消费产业政策、固定宽带接入率、移动高速(4G)网络接入率、减少信息污染上领先中部和北部地区。同时，由于重庆市近几年经济发展水平日益增强，人均 GDP 已经超越湖北，与全国平均水平的差距在不断缩小(图 8.4)。

山西，在新兴信息消费的社会环境治理全面落后。尤其表现在相关政策方面远远落后于平均水平，而在信息基础设施建设方面同样还有待进一步发展，尤其是固定宽带接入率和移动高速(4G)网络接入率还需要提高。另外，由于全省经济发展相对滞后，因此人均 GDP 也非常落后(图 8.4)。

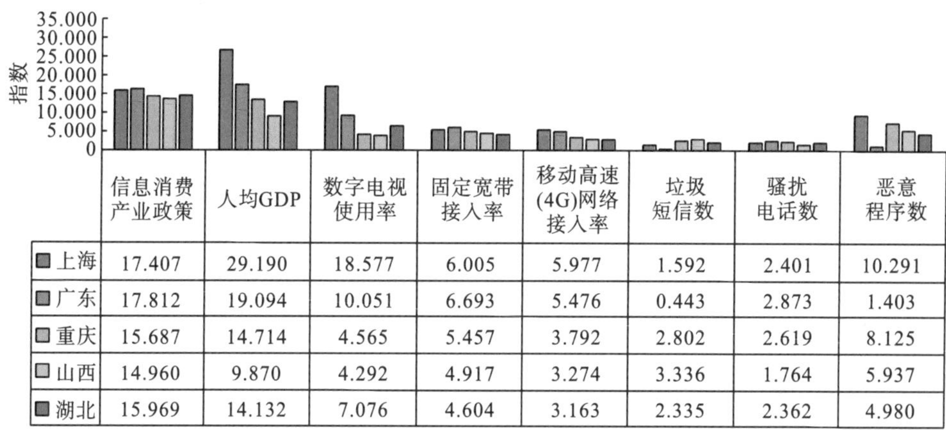

	信息消费产业政策	人均GDP	数字电视使用率	固定宽带接入率	移动高速(4G)网络接入率	垃圾短信数	骚扰电话数	恶意程序数
上海	17.407	29.190	18.577	6.005	5.977	1.592	2.401	10.291
广东	17.812	19.094	10.051	6.693	5.476	0.443	2.873	1.403
重庆	15.687	14.714	4.565	5.457	3.792	2.802	2.619	8.125
山西	14.960	9.870	4.292	4.917	3.274	3.336	1.764	5.937
湖北	15.969	14.132	7.076	4.604	3.163	2.335	2.362	4.980

图 8.4　新兴信息消费的社会环境具体指标分地区状况

湖北，在新兴信息消费的社会环境治理方面较为落后。基础设施方面的两项关键指标——固定宽带接入率和移动高速(4G)网络接入率均为案例省市中的末尾，而在其他 3 项指标上虽然表现很均衡，但依旧处于落后的水平，治理空间潜力巨大(图 8.4)。

整体来看，我国东部和南部的省市在新兴信息消费的社会环境关键指标上均好于其他地区；中西部地区新兴信息消费的社会环境中需要加大对于网络基础设施的进一步投入支持，构建更加完善的信息通信网络；而北方的以山西为代表的传统工业重镇、能源重镇在产业政策、基础设施建设方面依旧任重道远。

8.4.2　新兴信息消费的供给环境具体指标

上海，在新兴信息消费的供给环境上，长短板差异明显。上海在信息产业 R&D 经费投入、信息产业就业人员数、每万人口发明专利拥有量方面较为领先，充足的人才和创新氛围成为全市新兴信息消费的供给环境优化的长期动力。但存在信息产业固定资产投资不够、产业人均产值不足、信息产业占 GDP 比重小等短板，已成为阻碍上海新兴信息消费供给环境进一步优化的瓶颈(图 8.5)。

广东，在新兴信息消费的供给环境上，全面领先于平均水平。作为全国范围内信息产业高度发达的地区，非常重视信息产业发展，全市信息产业固定资产投入远远领先于其他省市(正是由于广东的信息产业固定资产投入巨大，拉高了案例省市的平均水平，使得其他 4 个省市小于平均水平值)。在大量龙头企业的带领下，信息产业已经成为广东经济发展的重要动力，并成为全国的信息产业人才集聚高地。但是，数据分析显示，广东的 R&D 经费投入尚落后于上海，需要进一步加强(图 8.5)。

重庆，在新兴信息消费的供给环境上，普遍落后于平均水平。在信息产业固定资产投入、信息产业就业人员数、信息产业 R&D 经费投入方面还需进一步增强，目前来说信息产业虽然已经在全市 GDP 中占据较高比重，但仍落后于平均水平，有待进一步发展(图 8.5)。

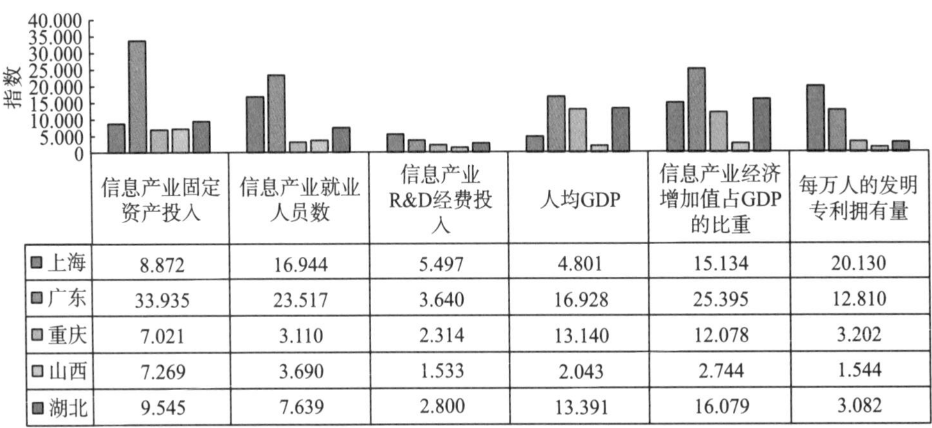

	信息产业固定资产投入	信息产业就业人员数	信息产业R&D经费投入	人均GDP	信息产业经济增加值占GDP的比重	每万人的发明专利拥有量
上海	8.872	16.944	5.497	4.801	15.134	20.130
广东	33.935	23.517	3.640	16.928	25.395	12.810
重庆	7.021	3.110	2.314	13.140	12.078	3.202
山西	7.269	3.690	1.533	2.043	2.744	1.544
湖北	9.545	7.639	2.800	13.391	16.079	3.082

图 8.5 新兴信息消费的供给环境具体指标分地区状况

山西，在新兴信息消费的供给环境上，全面落后于平均水平。在信息产业的产出指标(人均 GDP、信息产业经济增加值占 GDP 的比重)方面远远落后于平均水平，这与山西是传统老工业基地的现状是分不开的，全市信息产业还处于起步阶段，尚无法对经济发展做出较大的贡献。同时，山西的信息产业就业人员数和信息产业 R&D 经费投入的落后致使山西无法获得信息产业发展所急需的高素质人才，新兴信息消费的供给环境优化工作任重而道远(图 8.5)。

湖北，在新兴信息消费的供给环境上，普遍高于平均水平。信息产业已经成为促进湖北经济发展的重要部分，其信息产业经济增加值占 GDP 的比重已经超过全国平均水平。但是湖北在信息产业固定资产投入、信息产业就业人员数、信息产业 R&D 经费投入 3 个方面上与东部、南部的发达地区仍有一定差距，需要进一步优化(图 8.5)。

整体来看，我国新兴信息消费的供给环境与全国信息产业发展的整体态势较为吻合，南部领先，东部先进，中西部和北部省份相对落后。同时各地区需要进一步完善人才培养、创新研发等方面的相关机制，挖掘更大的发展潜力。

8.4.3 新兴信息消费的需求环境具体指标

上海，在新兴信息消费需求环境方面，全面领先于平均水平。上海人均新兴信息消费的支付能力非常强，尤其是在数字广播和固定宽带方面。居民对互联网的依赖程度(人均周上网时长)也比较高，人均新兴信息消费的支出和政府信息产品采购支出情况也比较理想，全市新兴信息消费的需求动力较为强劲(图 8.6)。

广东，在新兴信息消费的需求环境方面，全面领先于平均水平。广东人均新兴信息消费的支付能力非常强，但对固定宽带的支付不多，从侧面反映出广东相较于上海，其移动互联网应用更为广泛。同时，广东对互联网依赖程度高，人均新兴信息消费的支出和政府信息产品采购支出均领先全国平均水平。另外，广东居民的信息能力高于其他省份，较高的信息素质是广东需求环境良好的重要原因之一(图 8.6)。

重庆，在新兴信息消费的需求环境方面，长短板差异明显。重庆在新兴信息消费的需求环境方面的短板主要体现在居民对数字广播电视、智能电话、固定宽带的支付能力不强，这与重庆人均可支配收入不高是分不开的。但是重庆居民对网络的依赖度(人均周上网时长)及居民、政府在新兴信息消费上的支出均高于全国平均水平，重庆新兴信息消费的需求空间巨大(图 8.6)。

山西，在新兴信息消费的需求环境方面，全面落后于平均水平。山西新兴信息消费的需求环境中的几项主要指标均位于案例城市中的末尾，且与平均水平差距明显，居民信息消费支付能力不足、互联网依存度不高(人均周上网时长)、个人和政府信息消费的购买支出不足等问题全面制约了山西新兴信息消费的发展(图 8.6)。

湖北，在新兴信息消费的需求环境方面，整体落后于平均水平。湖北新兴信息消费的需求环境的指标显示，居民的互联网依存度不高(人均周上网时长)，居民在数字电视支付能力方面还需要进一步加强(图 8.6)。

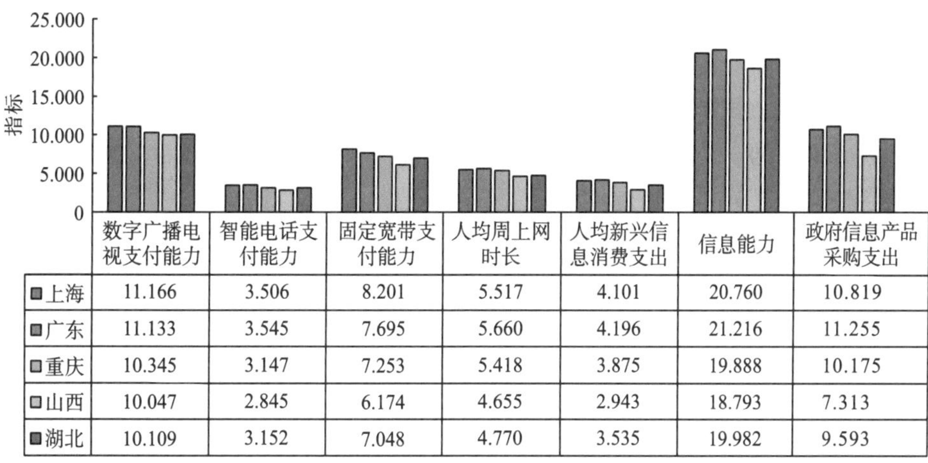

	数字广播电视支付能力	智能电话支付能力	固定宽带支付能力	人均周上网时长	人均新兴信息消费支出	信息能力	政府信息产品采购支出
上海	11.166	3.506	8.201	5.517	4.101	20.760	10.819
广东	11.133	3.545	7.695	5.660	4.196	21.216	11.255
重庆	10.345	3.147	7.253	5.418	3.875	19.888	10.175
山西	10.047	2.845	6.174	4.655	2.943	18.793	7.313
湖北	10.109	3.152	7.048	4.770	3.535	19.982	9.593

图 8.6　新兴信息消费的需求环境具体指标分地区状况

整体来看，新兴信息消费的需求环境中，东部和南部省市在各项指标中的表现均优于其他地区，尤其在支付能力方面优势显著。目前，在以上海和广东为代表的东部地区中，居民的互联网依存度(人均周上网时长)较高，西部、北部和中部地区仍需进一步加强。欠发达地区的居民和政府的新兴信息消费的购买力尚存在较大的挖掘空间。

8.5　本章小结

本章首先从供需视角，基于经济学的相关理论对新兴信息消费的环境的概念进行了界定，其次按照指标构建的原则构建了由 3 个一级指标，9 个二级指标，23 个三级指标构成的新兴信息消费的环境评估指标体系；然后运用熵权模糊语言、专家问卷、AHP 层次分析法对现有初期指标进行了优化，并量化了指标权重；最后对典型省市的新兴信息消费环境的重点治理方向进行了分析。

一是从指标体系构建的科学性、可操作性和代表性原则出发，通过比较分析，本书剔除了信息消费市场政策、各级政府网站绩效等指标，最终选取政策支持、经济发展、基础设施建设、信息污染度、产业要素投入、产业发展效果、居民数字生活、信息素质以及政府在线服务 9 个维度的 21 个指标对新兴信息消费的环境进行评价。

二是本书基于指标优化结果，在 2017 年第一季“经专对话”主题研讨会上收集了 13 位信息经济领域与会专家的意见，结合层次分析法对各指标权重进行了量化，结果表明供给环境和需求环境对新兴信息消费环境的影响明显大于社会环境。

三是本书基于指标权重、供给管理理论和供需理论等理论基础对新兴信息消费的整体环境进行了进一步梳理，并通过比较分析将新兴信息消费的环境治理方向划分为 3 个维度，分别是重点治理、强化治理和支撑治理。

四是基于研究提出的评价指标，按照分区域、分产业特征的原则，本书选取了分别代表东部、南部、西部、北部和中部的上海、广东、重庆、山西和湖北 5 个地区进行新兴信息消费的环境评估。整体来看，新兴信息消费的环境呈现出东部、南部好于中西部，中西部又好于北部的态势，欠佳地区主要存在的问题包括基础设施建设落后、产业创新动力不强、信息污染问题严峻、人口信息消费意识淡薄等。

第 9 章　新兴信息消费的环境治理模型研究

本章在前面章节对新兴信息消费的环境评估结果分析和治理方向的选取论证的基础之上，针对社会环境、供给环境、消费环境中的基础设施建设进度慢、信息污染严重、信息产品和服务供给不足、大数据发展应用不强和居民信息消费习惯差等突出问题，利用沙普利(Shapley)值法、演化博弈理论等方法构建新兴信息消费的环境治理模型，为新兴信息消费的环境治理政策建言以提供理论支撑。

9.1　信息基础设施合作共建模型

9.1.1　信息基础设施合作共建的研究背景

电信运营企业网络基础资源的争夺日益激烈，导致信息基础设施共建共享的进展十分缓慢。现有相关政策文件虽然对共建共享原则、技术方案等方面做出明确的规定，但在共建费用分摊方面仅仅指出共建费用应按成本进行分摊，造成信息基础设施共建费用难以落地，一定程度上阻碍了共建共享工作的顺利推进。对此，本节采用引入风险因子的 Shapley 值法对电信运营企业基础设施合作共建中的成本分摊进行了研究，旨在以推进信息基础设施合作共建为思路，提升网络基础能力。

9.1.2　信息基础设施合作共建的成本分摊模型

由理论概述可知，用 Shapley 值法进行动态联盟的成本分摊，避免了平均分配不公平的现象，体现了一定程度上的公平合理。信息基础设施共建中各个电信运营企业参与力度不一样，各自分担的风险也不同，风险成本越高的企业分摊成本越低，风险成本越低的企业分摊成本越高。

设风险因子为 R ，参与信息基础设施共建的企业分摊的风险均值为 $\overline{R}=\dfrac{1}{n}$ ，其中 n 为企业个数。基于以上分析，共建总成本为 $C(\mathbf{N})$ ，每个企业分摊的成本为 x_i ，考虑风险成本以后分摊的成本为 x_i' ，承担的风险成本为 R_i ， R_i 与 $\overline{R}$ 的差值为

$$\Delta R_i = R_i - \frac{1}{n} \tag{9.1}$$

其中， $\sum_{i=1}^{n} R_i = 1$ ， $\sum_{i=1}^{n} \Delta R_i = 0$ 。

由此，引入风险因子的成本分摊修正为$\Delta x_i = C(\mathbf{N})\Delta R_i$，引入风险成本后各企业分摊的实际成本为

$$x_i' = \frac{(|s|-1)!(n-|s|)!}{n!}\sum\left[C(s)-C(s/i)\right]+C(\mathbf{N})\Delta R_i \tag{9.2}$$

在具体分摊成本时，分摊原则如下。

(1) 当$\Delta R_i \geqslant 0$，即电信运营企业i参与共建承担的风险较高时，分摊的成本理应较低，电信运营企业i分摊的实际成本为$x_i' = x_i - |\Delta x_i|$。

(2) 当$\Delta R_i<0$，即电信运营企业i参与共建承担的风险较低时，分摊的成本理应较高，电信运营企业i分摊的实际成本为$x_i' = x_i + |\Delta x_i|$。

对于3家参与信息基础设施共建的电信运营企业而言，现阶段影响共建的风险因素主要有政策风险、技术风险、费用风险、建设进度风险和管理风险5个方面，具体内容如图9.1所示。

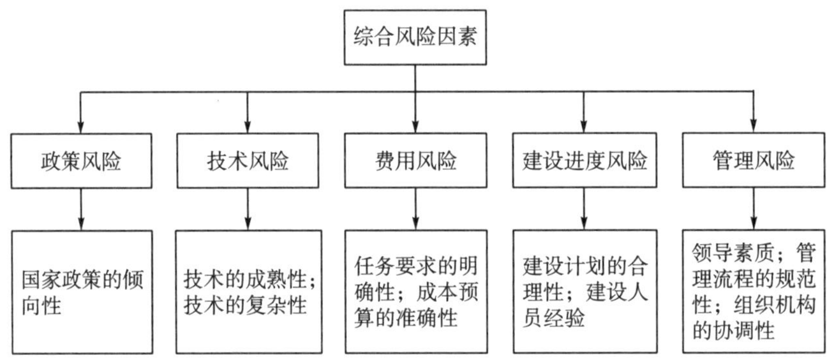

图9.1 信息基础设施共建的风险因素结构

在明确各个风险指标内容之后，需要对参与共建的电信运营企业所承担风险因子的大小进行确定。

9.1.3 信息基础设施合作共建的应用举例

下面以铁塔共建为例，详细说明上述所提的共建成本分摊方法。假设电信运营企业1、企业2、企业3单独建设铁塔花费的费用分别是10万元、10万元、10万元。企业1与企业2共建总成本为10万元，企业2与企业3共建总成本为11万元，企业1与企业3共建总成本为12万元，企业1、企业2、企业3共建总成本为13万元。

根据Shapley值法，参与共建的电信运营企业1、企业2、企业3构成联盟$\mathbf{N}(1,2,3)$。根据上述假设，可以得到：$C(\{1\})=10$，$C(\{2\})=10$，$C(\{3\})=10$，$C(\{1,2\})=10$，$C(\{2,3\})=11$，$C(\{1,3\})=12$，$C(\{1,2,3\})=13$。对于电信运营企业1，引入风险因子的Shapley值法得到的成本分摊见表9.1。

表 9.1　电信运营企业 1 分摊的成本计算

参数	{1}	{1,2}	{1,3}	{1,2,3}
$C(S)$	10	10	12	13
$C(S/i)$	0	10	10	11
$C(S)-C(S/i)$	10	0	2	2
$\lvert S\rvert$	1	2	2	3
$\frac{(\lvert S\rvert-1)!(n-\lvert S\rvert)!}{n!}$	1/3	1/6	1/6	1/3
$\frac{(\lvert S\rvert-1)!(n-\lvert S\rvert)!}{n!}[C(S)-C(S/i)]$	10/3	0	1/3	2/3

表 9.1 中，S 为可能参与共建的电信运营企业联盟 $\boldsymbol{N}$ 的子集，$C(S)$ 为联盟 S 中参与共建的电信运营企业的总成本，$C(S/i)$ 表示除电信运营商 i 以外参与共建的电信运营企业联盟所承担的总成本，$|S|$ 表示参与共建的企业数量，$\frac{(|S|-1)!(n-|S|)!}{n!}$ 表示企业 i 参与共建出现的概率，即加权因子。$C(S)-C(S/i)$ 表示电信运营企业 i 对联盟 S 的边际成本，即电信运营企业 i 对联盟 S 的贡献值。

从表 9.1 可知，3 家电信运营企业分摊的成本分别为 4.4 万元、3.8 万元和 4.8 万元。利用 AHP 层次分析法求得 3 家电信运营企业的风险因子分别为 $R_1=0.2$，$R_2=0.4$，$R_3=0.4$，可得 $\Delta R_1=-\frac{2}{15}$，$\Delta R_2=-\frac{1}{15}$，$\Delta R_3=-\frac{1}{15}$，因此，修正后的 Shapley 值法求得的成本为 $x_1'=x_1+|\Delta x_1|=4.9$（万元），$x_2'=3.6$（万元），$x_3'=4.5$（万元）。通过对比以上两种计算方法的结果可知，无论采用哪种方法求得的共建总成本均为 13 万元，即引入风险因子后的修正 Shapley 值法求得的分摊成本 x_i' 依然满足基本条件。由于电信运营企业 1 相对于企业 2、企业 3 来说的风险因子更小，因此电信运营企业 1 应该分摊的成本理应更大，而电信运营企业 2、企业 3 分摊的成本理应更小，即引入风险因子后的 Shapley 值法求得的成本分摊更加公平合理，有利于提高电信运营企业参与共建的积极性。

9.2　移动应用安全治理模型

9.2.1　移动应用安全治理的研究背景

移动互联网的快速发展，极大地推动了移动应用的增长。移动应用逐步涵盖了日常消费、娱乐和社交等各个方面，成为人们获取移动互联网信息服务的主要载体。各式各样的移动应用给用户带来便捷的同时也带来了众多安全隐患，诸如恶意吸费、诱骗欺诈、消费陷阱、隐私窃取、山寨应用等。各类网络信息污染问题层出不穷，严重损害了用户的合法权益，制约了移动应用市场的发展，社会反映强烈。对此，本节采用演化博弈理论对移动应用安全治理进程中政府部门和应用平台的策略选择进行分析，旨在以加强移动应用安全治理为抓手，降低网络信息污染。

9.2.2 移动应用安全治理的演化博弈模型构建

1. 问题描述

针对当前移动应用安全问题突显与政府部门监管不力的现实情况，将移动应用安全治理抽象简化为不完全信息下政府部门与应用平台的行为交互过程。选取的博弈参与主体为政府部门、应用平台、开发者以及公众，各主体简要界定如下：①政府部门，与移动互联网信息服务监管职责相关的行政执法部门；②应用平台，通过互联网提供应用软件浏览、搜索、下载或产品发布服务的平台，包括各类应用商店以及其他提供移动应用下载服务的互联网平台；③开发者，通过移动应用为公众提供互联网信息服务的所有者或运营者；④公众，通过移动应用获取互联网信息服务的消费者群体，是移动应用安全治理的第三方力量。各主体间的关系框架，如图 9.2 所示。

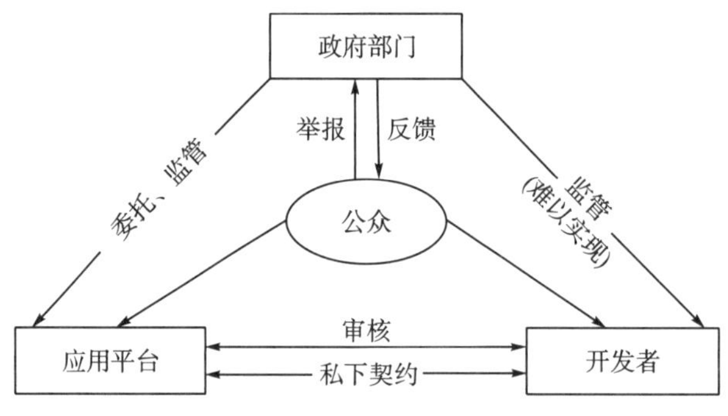

图 9.2 博弈参与主体的关系框架

应用平台具有与开发者签订私下契约的全部谈判力，契约缔结与否取决于应用平台的行为选择；引入参数公众参与度 $p(0\leqslant p\leqslant 1)$，表示公众参与移动应用安全治理的概率，与公众偏好(对移动应用安全的关注度及敏感性)及参与成本有关。由此，将移动应用安全治理抽象简化为公众参与下政府部门与应用平台之间的动态博弈过程。

2. 基本假设

演化博弈理论将各个博弈参与者定性为有限理性者，通常需要多次重复博弈才能确定最优策略。不完全信息下，委托人政府部门的行为集合 $\mathbf{S}_1$ 为{积极监管，消极监管}，代理人应用平台的行为集合 $\mathbf{S}_2$ 为{合规经营，违规经营}，双方行为集合构成 2×2 交互矩阵。构建模型之前，提出便于问题分析且符合现实的基本假设。

假设 1 博弈初期，政府部门群体积极监管的比例为 $x(0\leqslant x\leqslant 1)$，消极监管的比例为$1-x$；应用平台群体合规的比例为$y(0 \leqslant y \leqslant 1)$，违规的比例为$1-y$。

假设 2　应用平台的基本收益为 d，采取违规行为(即与开发者签订私下契约)付出的检测成本为 0，采取合规行为付出的检测成本为Δc(组建专业的检测团队、委托第三方机构完成检测工作等)，应用平台合规行为带来社会福利效益提升 m。

假设 3　应用平台选择违规行为时可从开发者处获得合谋收益Δd，包括下载收入分成、广告收入分成、付费内容分成等，同时带来社会福利损失v。若应用平台的违规行为被政府部门查处，则需支付罚金z和遭受社会责任成本、平台用户流失、声誉下降等潜在损失δ。

假设 4　政府部门积极监管的收益为 r，包括发布政策法规或实行相关措施带来的社会稳定效益、上级部门奖励、公信力提升等。监管成本为c，由固定监管成本和边际监管成本两部分组成。公众监管与政府部门监管之间具有一定的替代性，公众参与度越高，政府部门边际监管成本越低，用函数表示为$c(p,k)=c_0=(1-p)/k$，c_0为固定成本，k为常数，代表政府部门自身的监管能力。当公众参与度为$p=1$时，公众完全替代政府部门行使监管职能，此时政府部门只需付出一定的固定监管成本即可。

假设 5　政府部门查处应用平台违规行为的概率λ，λ反映出政府部门与应用平台间的信息不对称程度。公众参与下，政府部门与应用平台处于信息对称状态，此时$\lambda=1$。应用平台违规行为被查处的期望概率表示为$\mu=\lambda+p(1-\lambda)$。当公众参与而政府部门选择消极监管时，政府部门遭受的额外形象、公信力损失为n，支付矩阵见表 9.2。

表 9.2　政府部门与应用平台的行为交互支付矩阵

政府部门	应用平台	
	合规 y	违规 $1-y$
积极监管 x	$[r-c(p,k)+m,d-\Delta c]$	$[r-c(p,k)-v,d-\mu(z+\delta)+\Delta d]$
消极监管 $1-x$	$(m,d-\Delta c)$	$(-v-pn,d+\Delta d)$

3. 复制动态方程

基于演化博弈理论，若参与者采取某一行为所得到的收益大于群体平均收益，则该行为在群体中占据的比例就会增加，用如下方程表示[12]。

$$\frac{\mathrm{d}x_k}{\mathrm{d}t}=x_k\left[u(k,\mathbf{s})-u(\mathbf{s},\mathbf{s})\right],k=1,2,\cdots,n \tag{9.3}$$

式中，$\mathbf{s}$为群体的行为集合；k为$\mathbf{s}$中的一种行为；x_k为群体选择行为k的比例；$u(k,\mathbf{s})$为群体选择行为k的支付；$u(\mathbf{s},\mathbf{s})$为群体的平均支付；n为不同行为的总数。

由表 9.2 可知，若政府部门采取积极监管行为，获得的期望收益E_x为

$$E_x=y[s-c(p,k)+m]+(1-y)[s-c(p,k)-v] \tag{9.4}$$

若政府部门采取消极监管行为，则其获得的期望收益 E_{1-x} 为

$$E_{1-x} = ym + (1-y)(-v-pm) \tag{9.5}$$

同理，若应用平台采取合规行为，则其获得的期望收益 E_y 为

$$E_y = x(d-\Delta c) + (1-x)(d-\Delta c) \tag{9.6}$$

若应用平台采取违规行为，则其获得的期望收益 E_{1-y} 为

$$E_{1-y} = x\left[d - \mu(z+\delta) + \Delta d\right] + (1-x)(d+\Delta d) \tag{9.7}$$

根据马尔萨斯（Malthusian）方程，由政府部门积极监管行为与应用平台合规行为的复制动态方程组成的二维动力系统如下：

$$\begin{cases} \dfrac{\mathrm{d}x}{\mathrm{d}t} = x(1-x)\left[s - c(p,k) + pn - pny\right] & (9.8) \\ \dfrac{\mathrm{d}y}{\mathrm{d}t} = y(1-y)\left[-\Delta d - \Delta c + \mu(z+\delta)x\right] & (9.9) \end{cases}$$

根据微分方程的稳定性条件，可得政府部门与应用平台行为选择的4个均衡点：(0,0)、(1,0)、(0,1)、(1,1)，当 $0<x_0<1$，$0<y_0<1$ 时，(x_0, y_0) 也是均衡点。其中，

$$x_0 = \frac{\Delta c + \Delta d}{\mu(z+\delta)}, y_0 = \frac{s + pn - c(p,k)}{pn}$$

根据 Friedman (1991)[13]提出的雅可比矩阵求解法，系统 I 的雅可比矩阵(记为 $\boldsymbol{J}$)为

$$\boldsymbol{J} = \begin{bmatrix} \dfrac{\partial F(x)}{\partial x} & \dfrac{\partial F(x)}{\partial y} \\ \dfrac{\partial F(y)}{\partial x} & \dfrac{\partial F(y)}{\partial y} \end{bmatrix} = \begin{bmatrix} a_{11} & a_{12} \\ a_{21} & a_{22} \end{bmatrix} \tag{9.10}$$

其中，

$$a_{11} = (1-2x)\left[s - c(p,k) + pn - pny\right], \quad a_{12} = -x(1-x)pn$$

$$a_{21} = y(1-y)\mu(z+\delta)x, \quad a_{22} = (1-2y)\left[-\Delta d - \Delta c + \mu(z+\delta)x\right]$$

雅可比矩阵的迹和值需要满足一定的条件，求得的均衡点才是系统的演化稳定结果，如下所示。

$$\operatorname{tr}\boldsymbol{J} = a_{11} + a_{22} < 0$$

$$\det\boldsymbol{J} = \begin{vmatrix} a_{11} & a_{12} \\ a_{21} & a_{22} \end{vmatrix} = a_{11}a_{22} - a_{12}a_{21} > 0$$

因此，当 x_0、y_0 的取值范围发生变化时，演化稳定结果也将发生改变，具体分为6种情况。

(1) 当 $0<x_0<1$，$y_0<0$，即 $z \geqslant z_0$ 且 $0 \leqslant p < p_0$ 时，系统 I 的 ESS 为(0,0)。

(2) 当 $0<x_0<1$，$0<y_0<1$，即 $z \geqslant z_0$ 且 $p_0 \leqslant p < p_1$ 时，系统 I 不存在 ESS。

(3) 当 $0<x_0<1$，$y_0>1$，即 $z \geqslant z_0$ 且 $p \geqslant p_1$ 时，系统 I 的 ESS 为(1,1)。

(4) 当 $x_0>1$，$y_0<0$，即 $0 \leqslant z < z_0$ 且 $p_0 \leqslant p < p_1$ 时，系统 I 的 ESS 为(0,0)。

(5) 当 $x_0>1$，$0<y_0<1$，即 $0\leqslant z<z_0$ 且 $0\leqslant p<p_1$ 时，系统Ⅰ的 ESS 为 (1,0)。

(6) 当 $x_0>1$，$y_0>1$，即 $0\leqslant z<z_0$ 且 $p\geqslant p_1$ 时，系统Ⅰ的 ESS 为 (1,0)。

其中，$z_0=\dfrac{\Delta c+\Delta d}{\mu}-\delta$，$p_0=\dfrac{1-k(s-c_0)}{1+nk}$，$p_1=1-k(s-c_0)$。

证明：当变量满足情形 (3) 条件 $z\geqslant z_0$ 和 $p\geqslant p_1$ 时，其判别情况见表 9.3。

表 9.3　情形 (3) 系统的局部稳定性分析结果

均衡点	tr $\boldsymbol{J}$	det $\boldsymbol{J}$	稳定性
(0,0)	不定	−	鞍点
(0,1)	+	+	不稳定点
(1,0)	不定	+	鞍点
(1,1)	−	+	ESS

系统最终演化结果对应的均衡点及所满足的参数条件见表 9.4，6 种情形对应的演化相位图如图 9.3 所示。

表 9.4　演化稳定结果及参数条件

状态	均衡点	tr $\boldsymbol{J}$	det $\boldsymbol{J}$	条件 1	条件 2
状态Ⅰ	(0,0)	−	+	$0\leqslant p<p_0$	$0\leqslant z<z_0$ 或 $z\geqslant z_0$
状态Ⅱ	(1,0)	−	+	$p_0\leqslant p<p_1$ 或 $p\geqslant p_1$	$0\leqslant z<z_0$
状态Ⅲ	(1,1)	−	+	$p\geqslant p_1$	$z\geqslant z_0$
状态Ⅳ	无	−	+	$p_0\leqslant p<p_1$	$z\geqslant z_0$

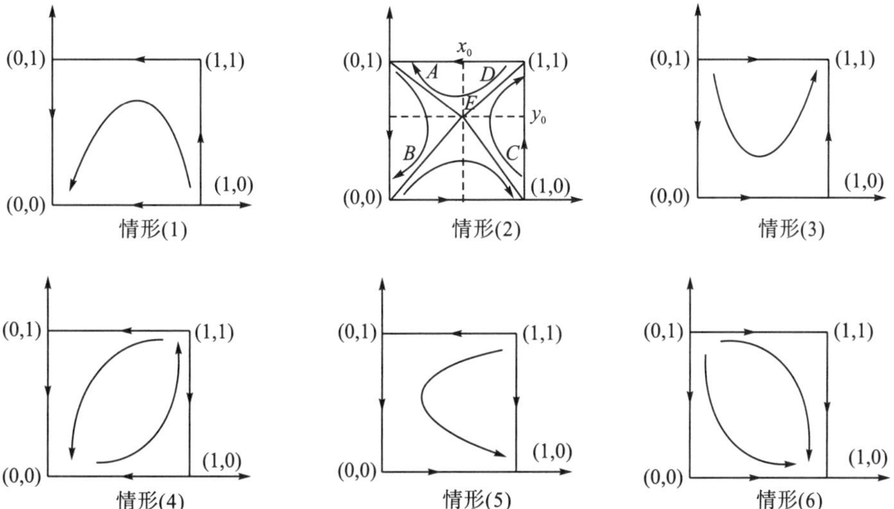

图 9.3　政府部门与应用平台行为选择的演化相位图

9.2.3 移动应用安全治理的演化博弈模型分析

1. 演化路径分析

基于表 9.4 和图 9.3，公众参与度 p 和惩罚力度 z 是影响系统演化稳定结果的两个关键参数，存在两个阈值 p_0、p_1 和一个阈值 z_0 使得演化稳定结果发生改变。根据各状态所满足的关键参数取值条件，可得如下结论。

结论 1 当 $0 \leqslant p < p_0$ 且 $0 \leqslant z < z_0$ 或 $z \geqslant z_0$ 时，状态 I 是系统的演化稳定结果。状态 I 不利于移动应用市场的健康发展，属于政府部门与应用平台互不作为的消极状态。

基于结论 1，当公众参与度较低时，不论政府部门对应用平台违规行为的惩罚力度处于何种水平，演化稳定结果均为政府部门群体选择消极监管，而应用平台群体选择违规。此种状态下，移动应用市场正处于发展初期，一方面由于移动应用的普及率较低，公众对移动应用安全问题不敏感、关注度不高；另一方面由于举报、投诉等公众参与机制不健全，公众维权时常常陷入投诉无门的困境，公众参与成本较高，导致公众参与度较低。由于政府部门在技术手段、人力等方面的限制，单一治理模式下选择积极监管付出的监管成本较高，选择消极监管的社会福利损失较小，因此消极监管成为政府部门群体的最优策略。由于不存在政府部门的外部监管，应用平台的违规行为不仅能节约一定的检测成本，还可以从开发者处获得额外的收益分成，利益驱动下的应用平台群体将普遍选择违规，此时系统向(0,0)方向演进。

结论 2 当 $p_0 \leqslant p < p_1$ 或 $p \geqslant p_1$ 且 $0 \leqslant z < z_0$ 时，状态 II 是系统的演化稳定结果。状态 II 相对符合当前我国移动应用安全治理的现实情况。

基于结论 2，当公众参与度高于一定水平，政府部门对应用平台违规行为的惩罚力度较低时，演化稳定结果为政府部门群体选择积极监管，而应用平台群体选择违规。此种状态下，随着移动应用市场规模的不断扩大，移动应用逐渐普及到人们日常生活的各个方面，公众对随之带来的安全问题也愈加关注。由于移动应用安全举报、投诉机制不断完善，一定程度上降低了公众的参与成本。相较于状态 I 而言，公众参与度有所提高，一是帮助政府部门分担了监管成本，减小了政府部门与应用平台间的信息不对称，二是增加了政府部门选择消极监管下的社会福利损失，进而提高了政府部门监管的积极性，当公众参与度高于一定阈值水平时，政府部门群体将选择积极监管。虽然政府部门不断加强对应用平台的监管力度，但由于缺乏对应用平台违规行为行之有效的惩罚机制（以 2016 年国家互联网信息办公室出台的《移动互联网应用程序信息服务管理规定》为例，该规定对于违规的开发者只是“视情采取警示、暂停发布、下架应用程序等措施”，并没有对违规的应用平台制定明确的惩罚机制，违规成本显然太低，并不能起到遏制和威慑作用），应用平台发现即使存在政府部门的外部监管，其违规行为带来的期望收益仍大于合规行为，因此应用平台群体往往会铤而走险，最终均趋于选择违规，此时系统由(0,0)向(1,0)演进。

结论 3　当 $p_0 \leqslant p < p_1$ 且 $z \geqslant z_0$ 时，系统不存在演化稳定结果，呈现一种周期性的随机状态。状态Ⅳ属于双方行为演化的过渡期。

基于结论 3，当公众参与度处于一定水平，且政府部门对应用平台违规行为的惩罚力度较大时，系统无演化稳定结果。此种状态下，虽然公众参与度有了一定提高，对政府部门的监管有一定替代作用，但这种替代作用有限，并不足以使政府部门的监管成本低于监管收益，但是已低于监管收益与社会福利损失之和，此时政府部门群体两种行为并存；同时，由于政府部门对应用平台违规行为的惩罚力度较大，应用平台选择违规行为的期望收益小于合规行为的期望收益，政府部门群体积极监管与消极监管并存，导致应用平台群体合规与违规并存。此时，政府部门群体和应用平台群体间的行为选择相互依赖，表现出一种特定的周期模式，即应用平台群体合规的比例与政府部门群体积极监管的比例变化趋势一致，出现政府公共治理中的“摇摆现象”。状态Ⅳ无法有效抑制移动应用安全问题带来的风险，需引入其他约束条件或改变参数的取值才能摆脱这种循环状态，此时系统无演化稳定结果。

结论 4　当 $p \geqslant p_1$ 且 $z \geqslant z_0$ 时，状态Ⅲ是系统的演化稳定结果，状态Ⅲ属于移动应用安全治理的理想状态。

基于结论 4，当公众参与度处于较高水平，且政府部门对应用平台违规行为的惩罚力度较大时，演化稳定结果为政府部门群体选择积极监管，应用平台群体选择合规。此种状态下，移动应用安全问题已引起公众的关注和政府部门的高度重视，公众对移动应用带来的安全风险反应强烈，由于公众参与机制的不断健全，公众参与成本降低，公众参与移动应用安全治理为政府部门的监管分摊了大量成本，当足以使得监管成本低于监管收益时，政府部门群体将选择积极监管。随着移动应用安全问题带来的社会福利损失越来越大，政府部门对应用平台违规行为的惩罚力度不断加强。直至应用平台违规行为的期望收益低于合规行为的期望收益时，应用平台群体将趋于选择合规行为，达到一种移动应用安全治理相对理想的状态，此时系统由(1,0)向(1,1)演化。

基于结论 1～4，随着关键参数 p 、z 取值的变化，系统Ⅰ的演化路径为(0,0)→(1,0)→随机状态→(1,1)。

2. 状态Ⅲ的模型参数分析

结论 5　其他参数取值固定，应用平台群体合规的比例越低，政府部门群体越是倾向于选择积极监管行为。同理，政府部门群体积极监管的比例越高，应用平台群体越是倾向于选择合规行为。

证明：由式(9.8)、式(9.9)复制动态方程可得

$$\frac{\mathrm{d}F(x)}{\mathrm{d}x} = (1-2x)[s - c(p,k) + pn - pny]$$

$$\frac{\mathrm{d}F(y)}{\mathrm{d}y} = (1-2y)[-\Delta d - \Delta c + \mu(z+\delta)x]$$

当 $y<\frac{s-c(p,k)+pn}{pn}$ 时，$\frac{\mathrm{d}F(x)}{\mathrm{d}x}|x=1<0$，此时 $x=1$ 为演化稳定结果ESS；当 $x>\frac{\Delta d+\Delta c}{\mu(z+\delta)}$ 时，$\frac{\mathrm{d}F(y)}{\mathrm{d}y}|y=1<0$，此时 $y=1$ 为演化稳定结果ESS。因此，应用平台群体合规比例 y 越低，政府部门群体积极监管比例 x 越高，更容易满足 $x=1$，$y=1$ 为ESS的条件，得证。

结论 6 其他参数取值固定，公众参与度 p 越高，惩罚力度 z 越大，合谋收益 Δd 越小，潜在损失 δ 越大，系统越容易向理想状态(1,1)收敛。

证明：由图9.3状态III的演化相位图可知，初始条件不同，系统的最终均衡结果也不同，区域 c 的面积为

$$S_c=\frac{(1-x_0)y_0}{2}=\left[1-\frac{\Delta c+\Delta d}{\mu(z+\delta)}\right]\frac{s+pn-c(p,k)}{pn}$$

(1)公众参与度 p。$\frac{\partial S_c}{\partial p}>0$ 表明，公众参与度 p 对系统向理想状态演化具有正向促进作用。当 p 增大时，鞍点 $E(x_0,y_0)$ 的数值变小，区域 c 的面积 S_c 变大，系统越容易向(1,1)收敛。作为移动应用的消费者，公众无法直接影响应用平台的行为选择，但公众参与有利于分担政府部门的监管成本，可促使政府部门行为由消极监管向积极监管转变，进而约束应用平台的机会主义行为。

(2)惩罚力度 z。$\frac{\partial S_c}{\partial z}>0$ 表明，应用平台违规行为所受的惩罚力度 z 越大，鞍点 $E(x_0,y_0)$ 越靠近点 $O(0,0)$，区域 c 的面积 S_c 越大，系统收敛于(1,1)的可能性增大。应用平台是移动应用的发布和下载平台，要有效治理移动应用安全问题、为公众营造安全的移动生活，从源头上把握至关重要。有限理性地应用平台，以实现自身利益最大化来制定行为决策，当其违规行为所得的额外收益不足以弥补其所支付的违规成本时，合规将成为应用平台群体较为现实的选择。因此，完善对应用平台违规行为的惩罚约束机制，有利于减小移动应用安全风险，促进移动应用市场的健康良性发展。

(3)合谋收益 Δd。$\frac{\partial S_c}{\partial \Delta d}<0$ 表明，合谋收益 Δd 越大，应用平台越倾向于选择违规行为，系统收敛于(1,1)的可能性减小。利益驱动是移动应用安全事故频发的根本原因，应用平台为谋取经济利益、提高市场份额而追求大且全的收录数量，主观上放松了对移动应用上架审核的尺度，导致很多不良移动应用充斥于市场。

(4)潜在损失 δ。$\frac{\partial S_c}{\partial \delta}>0$ 表明，潜在损失 δ 越大，应用平台越倾向于选择合规行为，系统收敛于(1,1)的可能性增大。潜在损失是指应用平台违规行为所支付的一系列隐性成本，包括社会责任成本、用户流失成本、声誉损失等。较为符合现实情况的是：市场占有率较高的应用平台发生移动应用安全事故的概率往往更低，因为这类平台的违规行为面临的潜在损失较大，考虑到平台自身庞大的用户群、声誉以及社会责任履行等，它们更

倾向于选择合规行为。因此，政府部门的监管政策可适当向市场占有率较低的小型应用平台倾斜。

9.3　信息服务外包激励模型

9.3.1　政府信息服务外包的研究背景

有效提升政府信息服务水平，满足社会的信息服务需求已成为服务型政府建设的重点内容[14]。构建以公众需求为导向的政府信息服务供给体制是加快转变政府职能、不断提高政府效能的有效途径。合同外包模式在各个领域的应用最为广泛，这为构建一套长效的政府信息服务供给机制、培育一批新兴信息消费服务提供了新思路。在外包过程中，由信息不对称引发的服务商道德风险是制约服务商自身努力水平的主要因素，作为委托方的政府如何设计一套合理的激励机制，以实现对服务商的有效激励是推行政府信息服务外包急需解决的问题。对此，本节将公众评价引入政府对服务商的信息服务外包激励契约中，旨在降低服务商道德风险，以扩大政府信息服务外包，带动培育一批新兴信息消费服务。

9.3.2　政府信息服务外包激励模型构建

假定参与政府信息服务外包的主体包括政府和一个服务商，政府需要拟定外包合同并对外招标，中标的服务商根据事先同政府签订的合同向社会提供信息服务，整个外包流程如图 9.4 所示。

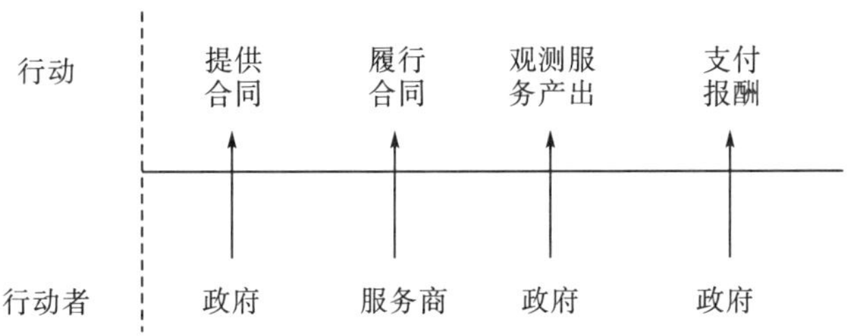

图 9.4　政府信息服务外包流程图

假设 1　信息服务外包项目产出用 π 表示，取决于服务商的能力水平、努力水平，同时还受到外界不确定性因素的共同影响。函数形式表示为

$$\pi(x,\theta)=kx+\theta \tag{9.11}$$

式中，$k>0$ 表示服务商的能力水平；x 是服务商努力水平的一维变量，表示在信息服务外包项目上投入的技术、时间、精力等；θ 是均值为 0、方差为 σ^2 的正态分布随机变量，即 $\theta \sim N(0,\sigma^2)$，代表外界不确定性因素。

假设 2　在信息不对称条件下，政府无法观测到服务商的真实努力水平，只能根据服务产出π进行激励，激励合同取线性形式：

$$S(\pi)=\alpha+\beta(kx+\theta) \tag{9.12}$$

式中，$S(\pi)$为政府对服务商的激励性支付；α为固定支付部分，与服务产出无关；$\beta(0\leqslant\beta\leqslant1)$为收益共享系数，表示对服务商的激励强度。

假设 3 政府为风险中性者，期望收益为U_g。服务商为风险规避者，期望收益为$U_s=-\mathrm{e}^{-\rho w}$，其中$w$表示服务商的实际收入，$\rho>0$表示服务商的风险规避程度。

假设 4 服务商成本包括两部分内容：①努力成本，记为$C(x)=C_0+cx^2/2$，其中C_0为固定成本，$c>0$表示服务商的边际努力成本；②风险成本，根据阿罗·普拉特（Arrow - pratt）的结论，服务商的风险成本ΔRC可表示为$\Delta RC=\rho\beta^2\sigma^2/2$。

假设 5 政府事先在合同中设定服务产出标准π_0来对服务商进行约束，根据观测到的服务产出π与π_0的差值来决定是否对服务商进行惩罚，若服务产出达到或者超过π_0将不会受到惩罚；反之，若未达到π_0，则政府会采取一定的惩罚措施，惩罚值为$f(\pi_0-\pi)$，惩罚函数表示如下：

$$F(\pi)=\begin{cases}pf(\pi_0-\pi), & \pi<\pi_0\\ 0, & \pi\geqslant\pi_0\end{cases} \tag{9.13}$$

式中，$f\geqslant0$为惩罚因子，表示政府对服务商的惩罚力度；由于信息服务具有无形性、难以测度的特点，导致服务商的机会主义行为不一定被政府发现，因此引入变量$p(0\leqslant p\leqslant1)$表示政府对服务商的监督水平(即服务商“机会主义行为”被发现的概率)，政府采取监督措施必然要付出一定的成本，设政府监督成本函数为$C(p)=mp^2/2$，其中$m>0$为边际监督成本。

至此，我们可以得到未引入公众评价的激励监督模型，作为委托方的政府是风险中性者，期望收益为

$$U_g=kx-(\alpha+\beta kx)+Pf(\pi_0-kx)-\frac{mp^2}{2} \tag{9.14}$$

由于服务商风险规避的特性，在追求自身收益最大化时须将风险成本考虑在内，其期望收益为

$$U_g=a+\beta kx-C_0-\frac{cx^2}{2}-\frac{\rho\beta^2\sigma^2}{2}-pf(\pi_0-kx) \tag{9.15}$$

假设服务商的保留收入为U_0，则构建的委托代理模型P_1如下：

$$\mathrm{P}_1:\ \underset{(\beta,p)}{\mathrm{Max}}\ U_g \tag{9.16}$$

$$\text{s.t. } IR: U_s\geqslant U_0 \tag{9.17}$$

$$IC: x=\arg\max_x\ U_s \tag{9.18}$$

在P_1中，式(9.16)为政府期望收益的目标函数，式(9.17)为服务商的参与约束，式(9.18)为服务商的激励相容约束。对服务商激励相容约束求x的一阶条件可得服务商最优努力

水平：$x=\frac{k(\beta+pf)}{c}$。最优情况下，政府支付给服务商的报酬恰好等于保留收益U_0，即式(9.17)取等式，此时可求出固定支付α的表达式，将α代入政府期望收益U_g并作一阶优化可得收益共享系数β和政府监督水平p，最优结果如下。

$$x=\frac{k(\beta+pf)}{c} \tag{9.19}$$

$$\beta=\frac{mk^2}{mk^2+\left(mc+k^2f^2\right)\rho\sigma^2} \tag{9.20}$$

$$p=\frac{k^2f\rho\sigma^2}{mk^2+\left(mc+k^2f^2\right)\rho\sigma^2} \tag{9.21}$$

假设 6　接下来，我们引入公众评价的激励监督模型。作为信息服务的消费主体，公众对信息服务水平的评价会通过影响服务商收益的方式而影响激励契约。公众评价同服务商的服务产出间具有一定的相关关系，公众对服务商的信息服务水平评价取决于服务商提供的信息服务真实水平，较高的信息服务水平可以获得公众认可，提高企业竞争力和社会声誉、与政府缔结长期合作关系，增加自身潜在效益。用函数$S_1(\pi)=\varphi(\pi-S_0)$表示这部分收益，其中$S_0$为公众对信息服务水平的预期，$\varphi$为公众评价系数，表示公众评价对服务商收益的作用效度，当信息服务产出未达公众期望S_0a时，服务商获得的收益为负。

根据假设 6，政府期望收益不变，服务商期望收益U_s'变为

$$U_s'=\alpha+\beta kx+\varphi(kx-S_0)-pf(\pi_0-kx)-C_0-\frac{cx^2}{2}-\frac{\rho(\beta+\varphi)^2\sigma^2}{2} \tag{9.22}$$

运用前文求解方法，求服务商收益函数关于x的一阶条件得到服务商努力水平：$x=\frac{k(\beta+pf+\varphi)}{c}$，收益共享系数$\beta$及政府监督水平$p$的最优解如下。

$$\beta=\frac{k^2(1-pf)-\rho c\varphi\sigma^2}{k^2+\rho c\sigma^2} \tag{9.23}$$

$$p=\frac{k^2f(1-\beta)}{k^2f^2+mc} \tag{9.24}$$

联立式(9.23)、式(9.24)可得引入公众评价后的最优结果。

$$x=\frac{k(\beta+pf+\varphi)}{c} \tag{9.25}$$

$$\beta=\frac{mk^2-\left(mc+k^2f^2\right)\rho c\varphi\sigma^2}{mk^2+\left(mc+k^2f^2\right)\rho\sigma^2} \tag{9.26}$$

$$p=\frac{(1+\varphi)k^2f\rho\sigma^2}{mk^2+\left(mc+k^2f^2\right)\rho\sigma^2} \tag{9.27}$$

至此，我们得到了信息不对称条件下引入公众评价的激励监督模型关键参数最优解：服务商努力水平x、收益共享系数β、政府监督水平p。由上述求解结果可知，不引入公

众评价和引入公众评价两种情境下关键参数对比见表 9.5。

表 9.5 两种情境下关键参数对比表

情境	服务商努力水平 x	收益共享系数 β	监督水平 p
不引入公众评价	$\frac{k(\beta+pf)}{c}$	$\frac{mk^2}{mk^2+(mc+k^2f^2)\rho\sigma^2}$	$\frac{k^2f\rho\sigma^2}{mk^2+(mc+k^2f^2)\rho\sigma^2}$
引入公众评价	$\frac{k(\beta+pf+\varphi)}{c}$	$\frac{mk^2-(mc+k^2f^2)\rho\varphi\sigma^2}{mk^2+(mc+k^2f^2)\rho\sigma^2}$	$\frac{(1+\varphi)k^2f\rho\sigma^2}{mk^2+(mc+k^2f^2)\rho\sigma^2}$

由表 9.5 可以看出，关键参数主要与服务商能力水平 k、边际努力成本 c、风险规避成本 $\rho\sigma^2$ 相关，引入公众评价后，公众评价系数 φ 也会对关键参数产生影响。

9.3.3 政府信息服务外包激励模型分析

结论 1 服务商的努力水平 x 与边际努力成本 c 呈负相关关系，其与能力水平 k 呈正相关关系。

证明：由式(9.19)、式(9.25)分别求 x 关于 k、c 的一阶偏导数可得 $\partial x/\partial k>0$，$\partial x/\partial c<0$，得证。

基于结论 1，服务商的努力水平受到自身边际努力成本和能力水平的制约。服务商提高单位努力水平会付出一定的边际努力成本，这部分成本越高，服务商提高单位努力水平的动力也就越低；同理，服务商的能力水平较低，投入单位努力水平得到的服务产出也相对较低，也会降低服务商提高努力水平的积极性。因此，政府在同服务商签订契约之前，应该综合考量服务商的各个属性，包括其企业规模、以往的项目经验以及管理水平等。

结论 2 服务商的努力水平 x 与政府监督水平 p 呈正相关关系，引入公众评价后与公众评价系数 φ 呈正相关关系。

证明：由式(9.19)、式(9.25)求 x 关于 p 的一阶偏导数有 $\partial x/\partial p=kf/c>0$，另求式(9.25) x 关于 φ 的一阶偏导数可得 $\partial x/\partial\varphi=k/c>0$，得证。

结论 2 说明，当政府加强对服务商的监督时，其机会主义行为被发现的概率增加，服务商考虑惩罚成本而提高努力水平；公众评价系数越大，信息服务水平高低对服务商潜在收益的作用效果越明显，促使服务商投入更多的努力。因此，政府监督和公众评价在引导服务商提高信息服务水平过程中具有一定的替代作用，可通过增大公众评价对服务商收益的作用效度来应对政府的“监管失灵”，对于精简政府机构、节约监督财政支出具有一定的积极意义。

结论 3 收益共享系数 β 与服务商边际努力成本 c、风险规避成本 $\rho\sigma^2$ 呈负相关关系，与其能力水平 k 呈正相关关系。

证明：由式(9.15)、式(9.20)求 β 关于 c、$\rho\sigma^2$ 以及 k 的偏导数：$\partial\beta/\partial c<0$，$\partial\beta/\partial\rho\sigma^2<0$，$\partial\beta/\partial k>0$，得证。

基于结论 3，$\partial\beta/\partial c>0$ 表明，服务商的边际努力成本越大，激励强度越小。$\partial\beta/\partial k>0$ 表明，服务商的能力水平越高，激励强度越大。ρ 反映了服务商的风险规避程度，σ^2 反映了外部因素不确定性，由 ΔRC 可知，当政府对服务商的激励强度 β 不变时，β 和 σ^2 的值越大，服务商面临的风险成本越高，此时最优契约要求 β 越小。

结论 4　收益共享系数 β 与公众评价系数 φ 呈负相关关系，即引入公众评价会弱化政府对服务商的激励。

证明：由 β 关于 φ 的一阶偏导数可得 $\dfrac{\partial\beta}{\partial\varphi}=\dfrac{-\left(mc+k^2f^2\right)}{mk^2+\left(mc+k^2f^2\right)}<0$，得证。

基于结论 4，当公众评价系数增加时，努力工作将给服务商带来更多的潜在收益，同时其机会主义行为也会为之带来更多的负效用，公众评价表现为一种内在的激励约束机制，服务商努力工作的动力增强。由式(9.18)以及风险成本表达式 $\Delta RC=\rho\left(\beta+\varphi\right)^2\sigma^2/2$ 可知，在其他参数取值一定的条件下，公众评价系数越大，服务商努力水平越高，同时承担的风险成本越高。

因此，引入公众评价小于不引入公众评价时政府对服务商的激励强度，当 $\varphi=\dfrac{mk^2}{\left(mc+k^2f^2\right)\rho\sigma^2}$ 时，$\beta=0$，则服务商从公众好评中获得的潜在收益足以激励服务商付出较高的努力水平，此时政府就不必对服务商进行激励，只需要给予一定的固定支付即可。

结论 3、4 说明，政府对服务商的激励强度一方面取决于服务商的自身因素，包括能力水平、边际努力成本、风险规避程度；另一方面取决于服务产出不确定性以及公众评价两个外部环境因素，在外包过程中，政府应综合考虑这些客观因素选择对服务商的最优激励强度。

结论 5　政府监督水平 p 与收益共享系数 β 呈负相关关系，与公众评价系数 φ 呈正相关关系。

证明：由式(9.18)可得 $\partial p/\partial\beta<0$，由式(9.21)可得 $\partial p/\partial\varphi<0$，得证。

基于结论 5，当公众评价系数增大时，政府会提高对服务商的监督水平；当收益共享系数增大时，政府会降低对服务商的监督水平。此外，由式(9.17)可得 $\partial\beta/\partial p<0$，表明政府对服务商的激励强度和监督水平呈现一种此消彼长的关系，可作为引导服务商提高信息服务水平的互补手段。

结论 6　政府监督水平 p 与服务商边际努力成本 c 呈负相关关系，与能力水平 k 呈正相关关系。

证明：由式(9.20)、式(9.26)求 p 关于 c、k 的一阶偏导数：$\partial p/\partial c<0, \partial p/\partial k<0$，得证。

结论 5、6 共同说明，公众评价系数越大、边际努力成本越低、能力水平越高，服务商努力水平越高，而此时政府监督水平反而变高，这就是经济学中所说的“鞭打快牛”现象。同时需要说明的是，监督惩罚约束的有效性需要满足一个条件：$k^2\left(\beta+\varphi\right)/c\leqslant\pi_0$，即不存在政府监督时，服务商最优努力水平下的服务产出低于绩效标准。考虑另一种情形$k^2(\beta+\varphi)/c \geqslant \pi_0$时，无论政府选择何种监管方式，惩罚收入均为零，且对服务商努力水平无积极作用，反而会投入一定的监督成本。因此，政府应权衡服务商预期产出和监督成本采取灵活的监管策略。

9.4 政府数据资源共享模型

9.4.1 政府信息资源共享的研究背景

政府信息资源是探索网络化政府管理服务新模式的基础性内容，推动公共数据资源开放、打通政府部门间的数据壁垒、搭建信息共享平台进而带动城市大数据产业发展已引起国家战略层面的高度关注[15]。但现实情况却不容乐观，各级政府部门间的信息资源共享不畅、数据垄断现象仍较为普遍，如何促进各级政府部门间的信息资源共享已成为服务型政府建设的重要方面。为此，本节采用演化博弈理论对政府信息资源共享中上级管理部门和下级政府部门间的策略选择进行分析，旨在以促进政府信息资源共享为牵引，带动城市大数据产业发展。

9.4.2 政府信息资源共享的演化博弈模型构建

1. 演化博弈模型的基本假设

将政府信息资源共享的博弈主体抽象为政府管理部门参与人 A 和信息资源共享主体参与人 B。本演化博弈模型中的两个参与主体均为有限理性人，双方的行为选择需要在长期的过程中才能达到一个稳定状态。假设参与人 A 的行为选择为积极监管、消极监管，参与人 B 的行为选择为积极共享、消极共享，在构建演化博弈模型之前，提出如下基本假设。

假设 1 监管必定付出一定的成本，假定参与人 A 付出的这类成本为$\ln I_t = I_t'$，为简化分析设消极监管付出的成本为零；参与人 B 的消极共享行为可以获得的收益为π，由于政府部门的信息资源共享需要付出成本，如系统建设等，设这部分成本为$Y_t' = A' + \alpha K_t' + \beta L_t' + \gamma I_t'$。

假设 2 若参与人 A 对参与人 B 采取积极监管，则参与人 B 采取消极共享行为且被参与人 A 监管时会面临负效用$Y = AK_t^{\alpha} L_t^{\beta} I_t^{\gamma}$，如处罚、批评等，而参与人 A 则会有收益，如罚款等；若参与人 B 积极共享，则可获得收益，同时参与人 A 获得社会收益Δp。

假设 3 若参与人 A 对参与人 B 采取消极监管，而参与人 B 采取消极共享，则参与人 A 需要承担由参与人 B 消极共享带来的社会福利损失γ；同理，若参与人 B 采取积极共享，则参与人 A 可获得社会收益Δp。

假设 4　参与人 A 采取积极监管的概率为 x，采取消极监管的概率为 $1-x$；参与人 B 采取积极共享的概率为 y，采取消极共享的概率为 $1-y$。

2. 演化博弈模型构建

基于以上基本假设，用博弈树来表示双方的博弈过程，如图 9.5 所示。

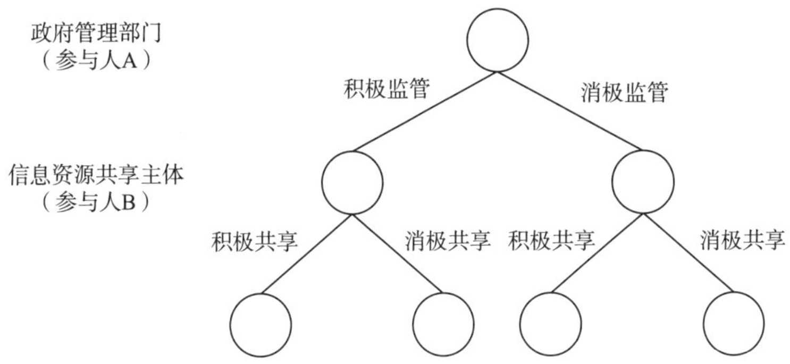

图 9.5　政府信息资源共享的演化博弈模型

双方的行为选择的收益矩阵见表 9.6。

表 9.6　各参与主体的收益矩阵

参与主体		参与人 B	
		积极共享	消极共享
参与人 A	积极监管	$(\Delta p-c_1,\pi-c_2+\Delta\pi)$	$(\lambda-c_1,\pi-\mu)$
	消极监管	$(\Delta p,\pi-c_2)$	$(-\gamma,\pi)$

3. 演化博弈模型求解

1) 参与人 A 进行积极监管的复制动态方程

参与人 A 对参与人 B 进行积极监管的期望收益为 E_{11}，消极监管的期望收益为 E_{12}，参与人 A 的期望收益为 E_1。

$$E_{11}=y(\Delta p-c_1)+(1-y)(\lambda-c_1) \tag{9.28}$$

$$E_{12}=y\Delta p+(1-y)(-\gamma) \tag{9.29}$$

$$E_1=xE_{11}+(1-x)E_{12} \tag{9.30}$$

参与人 A 进行信息资源积极共享的复制动态方程为

$$F(x)=\frac{\mathrm{d}x}{\mathrm{d}t}=x(1-x)(E_{11}-E_{12})=x(1-x)[\lambda-c_1+\gamma-(\lambda+\gamma)y] \tag{9.31}$$

(1) 当 $y=\dfrac{\lambda-c_1+\gamma}{\lambda+\gamma}$ 时，$F(x)=0$，意味着此时所有 x 的水平都是 ESS。

(2) 当 $y\neq\dfrac{\lambda-c_1+\gamma}{\lambda+\gamma}$ 时，令 $F(x)=0$，得到 $x=0$ 或者 $x=1$ 两个 ESS。此时对 $F(x)$ 求导

得 $F'(x)=\dfrac{\mathrm{d}F(x)}{\mathrm{d}x}=(1-2x)[\lambda-c_1+\gamma-(\lambda+\gamma)y]$，此时又可分两种状态进行讨论。

①当 $y<\dfrac{\lambda-c_1+\gamma}{\lambda+\gamma}$ 时，$\dfrac{\mathrm{d}F(x)}{\mathrm{d}x}\Big|x=0>0$，$\dfrac{\mathrm{d}F(x)}{\mathrm{d}x}\Big|x=1<0$，故此时 $x=1$ 是 ESS；当参与人 B 共享的概率低于一定程度并继续减小时，参与人 A 选择监管的概率不断增大，最终积极监管成为其最优策略。

②当 $y>\dfrac{\lambda-c_1+\gamma}{\lambda+\gamma}$ 时，$\dfrac{\mathrm{d}F(x)}{\mathrm{d}x}\Big|x=0<0$，$\dfrac{\mathrm{d}F(x)}{\mathrm{d}x}\Big|x=1>0$，故此时 $x=0$ 是 ESS；当参与人 B 共享的概率高于一定程度并继续增大时，参与人 A 积极监管的概率不断减小，最终消极监管成为其最优策略。

参与人 A 进行监管的动态趋势，如图 9.6 所示。

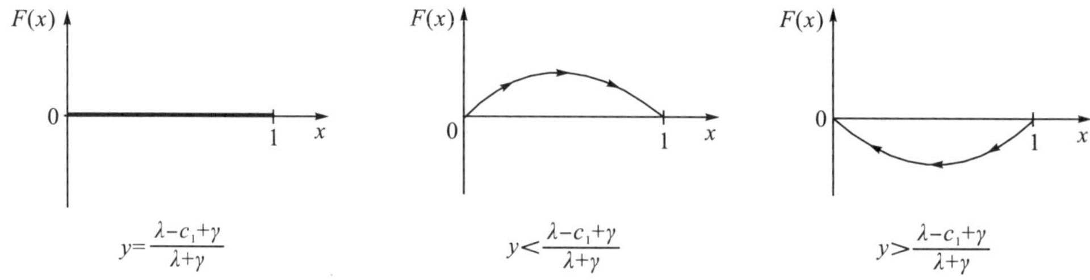

图 9.6 政府管理部门进行监管的动态复制相位图

2) 参与人 B 进行积极共享的复制动态方程

参与人 B 共享信息资源的期望收益为 E_{21}，不进行共享的期望收益为 E_{22}，参与人 B 的期望收益为 E_2。参与人 B 进行共享的复制动态方程为

$$F(y)=\frac{\mathrm{d}y}{\mathrm{d}t}=y(1-y)(E_{21}-E_{22})=y(1-y)[x(\pi-\mu)-c_2] \tag{9.32}$$

(1) 当 $x=\dfrac{c_2}{\pi-\mu}$ 时，$F(y)=0$，意味着此时所有的 y 水平都是 ESS。

(2) 当 $x\neq\dfrac{c_2}{\pi-\mu}$ 时，令 $F(y)=0$，得到 $y=0$ 或者 $y=1$ 两个 ESS。此时对 $F(y)$ 求导得 $F'(y)=\dfrac{\mathrm{d}F(y)}{\mathrm{d}y}=(1-2y)\left[x(\pi-\mu)-c_2\right]$，此时又可以分为两种状态进行讨论。

①当 $x<\dfrac{c_2}{\pi-\mu}$ 时，$\dfrac{\mathrm{d}F(y)}{\mathrm{d}y}\Big|y=0<0$，$\dfrac{\mathrm{d}F(x)}{\mathrm{d}x}\Big|y=1>0$，故此时 $y=0$ 是 ESS；当参与人 A 选择监管的概率低于一定程度并继续减小时，参与人 B 共享的概率不断减小，最终消极共享成为其最优策略。

②当 $x>\dfrac{c_2}{\pi-\mu}$ 时，$\dfrac{\mathrm{d}F(y)}{\mathrm{d}y}\Big|y=0>0$，$\dfrac{\mathrm{d}F(x)}{\mathrm{d}x}\Big|y=1<0$，故此时 $y=1$ 是 ESS；当参与人 A 选择监管的概率达到一定程度并继续增大时，参与人 B 共享的概率不断增大，最终积

极共享成为其最优策略。

信息资源共享主体进行共享的动态趋势，如图 9.7 所示。

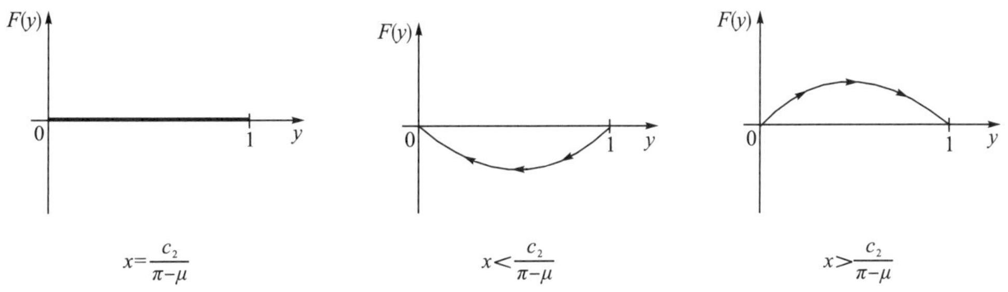

图 9.7　信息资源共享主体进行共享的动态复制相位图

3）参与人 A 与参与人 B 的复制动态及其稳定性

基于上述分析，政府信息资源共享演化博弈系统的鞍点有4个，分别为 $A(0,0)$、$B(1,0)$、$C(1,1)$、$D(0,1)$，但此时演化博弈系统并不存在演化稳定结果，接下来对博弈系统的均衡状态进行分析。

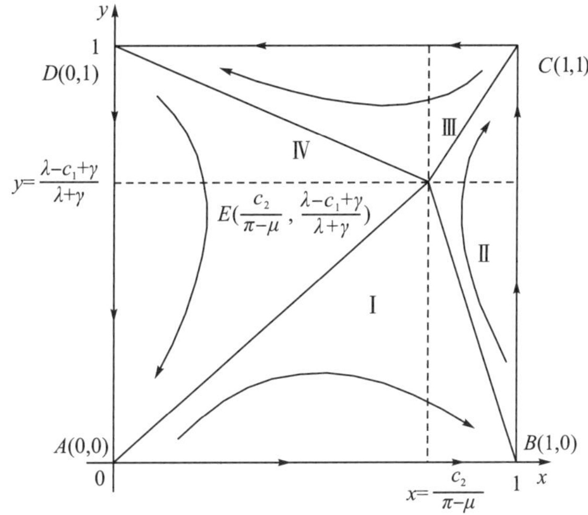

图 9.8　政府信息资源共享动态演化图

由图 9.8 可知，初始点落入区域Ⅰ $(x,y)\in\left[(0,0),\left(\frac{c_2}{\pi-\mu},\frac{\lambda-c_1+\gamma}{\lambda+\gamma}\right)\right]$，演化博弈系统收敛于 $B(1,0)$ 点；初始点落入区域Ⅱ $(x,y)\in\left[\left(\frac{c_2}{\pi-\mu},0\right),\left(1,\frac{\lambda-c_1+\gamma}{\lambda+\gamma}\right)\right]$，演化博弈系统收敛于 $C(1,1)$ 点；初始点落入区域Ⅲ $(x,y)\in\left[\left(\frac{c_2}{\pi-\mu},\frac{\lambda-c_1+\gamma}{\lambda+\gamma}\right),(1,1)\right]$，演化博弈系统收敛于

$D(0,1)$ 点；初始点落入区域Ⅳ $(x,y)\in\left[\left(0,\frac{\lambda-c_1+\gamma}{\lambda+\gamma}\right),\left(\frac{c_2}{\pi-\mu},1\right)\right]$，演化博弈系统收敛于 $A(0,0)$ 点。

9.4.3 政府信息资源共享的演化博弈模型分析

基于上述分析发现，演化博弈系统的均衡状态随初始状态的改变而改变，改变博弈系统的关键参数会影响博弈的最终演化稳定结果。下面分析如何改变关键参数取值才能使博弈系统向理想状态收敛，即政府管理部门采取积极监管策略，信息资源共享主体采取积极共享策略。由图 9.8 可知，可以通过增加区域Ⅱ的面积来实现，由此得到以下结论。

结论 1 给定其他参数不变，降低监管成本能够促使政府管理部门的策略由消极监管向积极监管转变，增大 $\frac{\lambda-c_1+\gamma}{\lambda+\gamma}$ 的值，进而增加博弈初始点落入区域Ⅱ的概率，此时政府管理部门选择积极监管的概率增加。

结论 2 给定其他参数不变，加大对信息资源共享主体的惩罚力度可以增加政府管理部门的收益，增大 $\frac{\lambda-c_1+\gamma}{\lambda+\gamma}$ 的值，进而增加博弈初始点落入区域Ⅱ的概率，此时政府管理部门选择积极监管的概率增加。

结论 3 给定其他参数不变，增加政府管理部门消极监管的负效用 γ，增大 $\frac{\lambda-c_1+\gamma}{\lambda+\gamma}$ 的值，进而增加博弈初始点落入区域Ⅱ的概率，此时政府管理部门选择积极监管的概率增加。

结论 4 给定其他参数不变，降低信息资源共享主体的成本 c_2，减小 $\frac{c_2}{\pi-\mu}$ 的值，进而增加博弈初始点落入区域Ⅱ的概率，此时信息资源共享主体选择积极共享的概率增加。

结论 5 给定其他参数不变，增加信息资源共享主体积极共享的收益 π，减小 $\frac{c_2}{\pi-\mu}$ 的值，进而增加博弈初始点落入区域Ⅱ的概率，此时信息资源共享主体选择积极共享的概率增加。

结论 6 给定其他参数不变，增加信息资源共享主体消极共享的损失 u，减小 $\frac{c_2}{\pi-\mu}$ 的值，进而增加博弈初始点落入区域Ⅱ的概率，此时信息资源共享主体选择积极共享的概率增加。

9.5　本 章 小 结

本章从信息基础设施建设、移动应用安全、政府公共信息服务供给、大数据产业发展四个角度出发，分别运用 Shapley 值法、演化博弈理论、委托代理理论和实证研究等方法构建了相应的新兴信息消费环境治理模型，针对如何进行新兴信息消费环境治理这一问题进行了分析。本章研究结论为新兴信息消费的环境治理的政策制定及实施提供理论参考。

一是，通过对各类成本分摊方法的对比可知，Shapley 值法模型是根据电信运营企业在共建过程中的贡献程度来进行成本分摊，具有一定的公平合理性。将参与人风险因子引入的 Shapley 值法模型相对于传统模型更优化，这对于各电信运营商积极进行信息基础设施共建共享具有积极促进作用。

二是，政府部门在移动应用安全治理工作中扮演着重要角色，其外部监管是移动应用安全有效治理的根本前提；利用公众参与同政府部门监管的互补关系，保持公众参与度处于一定的阈值之上，同时加大对应用平台违规行为的惩罚力度，能有效促进政府部门与应用平台采取积极策略，进而加强移动应用安全治理。

三是，政府在科学评估服务商自身的能力水平、努力成本、风险偏好等因素的基础上，设计合理有效的激励约束机制，能有效降低由信息不对称而导致服务商的道德风险问题，促使服务商为公众提供高质高效的信息服务；对于服务商而言，公众对信息服务水平的评价表现为一种内在的激励约束机制，可作为引导服务商提高信息服务水平的重要手段。

四是，政府部门的信息资源共享现状是政府管理部门同信息资源共享主体多次重复博弈的结果。降低政府管理部门的监管成本和信息资源共享主体的共享成本，加大对信息资源共享主体采取消极共享行为的惩罚和政府管理部门消极监管的负效用，有利于促进政府管理部门采取积极监管行为，同时信息资源共享主体采取积极共享行为。

第 10 章　新兴信息消费的环境治理政策建议

本章基于新兴信息消费的环境评估的结果，按照党的十九大关于信息通信行业的重要论述，以深化供给侧结构性改革、优化数字经济发展环境为目标①，针对新兴信息消费的社会环境、供给环境和需求环境中亟待治理的关键问题，从如何要求政府、如何鼓励企业、如何引导消费者视角提出一系列政策建议，提升治理措施的应用效率，为新兴信息消费的环境治理措施的实施提供保障。

10.1　加强政府管控，改善新兴信息消费社会环境

10.1.1　加快新一代信息基础设施建设，加快信息技术推广

1. 完善基础网络设施建设

加速完善新一代高速光纤网络。持续推进互联网骨干网和城域网结构优化和关键环节扩容，积极构建高速传送、灵活调度和智能适配的骨干传输网络，加快试点布局面向 IPv6 演进的下一代互联网，着力增强网络集散能力、业务承载能力等。继续推进光纤到节点(fiber to the node，FTTN)、光纤到路边(fiber to the curb，FTTC)、光纤到户(fiber to the home，FTTH)、光纤到楼(fiber to the building，FTTB)等工程建设，构建全城全网的高速光纤布局。继续推进双向化的有线电视网络改造，重点农村地区的推广实施，进一步提升三网融合程度。

加快建设先进移动宽带网。加快推进移动宽带普及，推广基于场景和热点区域的 4G-LTE 部署，探索并试点布局 5G 网络建设，提升移动互联网在数据服务水平、数据传输速度等方面的体验，继续扩展 4G 网络在农村地区的覆盖②。深入推进移动通信网络基站、铁塔等基础设施的共建共享。

积极构建全球化网络设施。以亚投行、一带一路等开放政策为依托，着力优化国际宽带出口通道，优化出入口布局、拓宽出入口带宽。探索跨境陆缆和海缆建设运营模式，增加国际宽带出口直连国家和地区。

2. 加快信息应用设施建设

统筹部署高水平应用基础设施。加大超大型/大型云计算数据中心的部署，加快推广

---

① 资料来源：中国信息通信研究院，《十九大报告有关信息通信业的重要表述》。

② 资料来源：工业和信息化部《关于印发信息通信行业发展规划(2016～2020 年)的通知》。

重点行业、企业云计算平台建设，鼓励各类布局分散、规模小的信息平台向统一的云平台迁移，鼓励企业通过运用云计算和大数据手段，改进网络管理框架、优化业务经营模式、创新企业管理机制，提升企业信息化应用能力。

加快新一代信息终端推广应用。引导新兴信息技术产业的终端制造企业加速在智能手机、IPTV、智能穿戴设备等方面的推广应用，同时加强政府管控，改善新兴信息消费社会环境。

10.1.2　完善新兴信息消费政策引导，提升宏观政策效率

1. 加强顶层设计规划

加强组织领导。加快建立国家和地方行业管理部门联合推进体系，建立跨地区、跨部门的联动机制，统筹推进新兴信息消费的环境治理工作。设立促进新兴信息消费工作领导小组，统筹管理新兴信息消费的环境治理具体事务；设立新兴信息消费发展专家委员会，为云计算、大数据等新兴信息消费发展与应用提供政策支持。

强化政策扶持。制定并完善促进新兴信息消费的若干政策意见，明确鼓励新兴信息消费供给和需求发展的相关政策，在财政扶持、金融支持、用地保障、电力供给等方面加大扶持力度。落实国家、地方、行业层面相关政策，把云计算、大数据等新一代信息技术领域的发展作为重要突破口，鼓励政府部门购买信息服务、以租代建，对购买新兴信息服务与产品的企事业单位给予一定补贴，提升新兴信息消费潜力。

2. 加大产业扶持力度

健全投融资机制。从各级信息产业发展专项资金中划拨部分，设立新兴信息消费领域相关产业和企业发展的引导基金，探索利用各类社会资本构建产业投资资金。加大新兴信息消费领域相关产业的政策扶持力度，完善基金支持、资金申报、投资吸引等领域扶持政策，拓宽信息产业企业融资渠道。

着力市场应用培育。加快新兴信息消费市场的培育，以政府购买为引导，鼓励重点行业和领域的企事业单位、社会组织等机构积极购买新兴信息产品与服务，持续培育和壮大新兴信息消费市场。组织以行业主管部门牵头，归集整理国内外新兴信息消费市场培育的成功案例，及时总结相关经验并向各领域推广应用。

支持和保护技术创新。以政策引导、市场化机制运作的模式集聚创新资源，引进国外知名的新一代信息技术研发、生产和应用服务企业来中国建设研发中心、工程研究中心，鼓励和支持国内大型企业、机构与国外大型企业或机构合作，组建新一代信息技术的专业研究院/实验中心，针对新一代信息技术的重要领域加速技术、产品、服务等研发。政府层面引导设立各类技术联盟、应用联盟，汇聚国内外政产学研用各界资源，加强技术交流合作，为积极推进国内外技术交流合作的企业提供财税金融、人才引进等方面的优惠政策。

人才政策。加快创新并完善人才的相关政策体系，构建以企业为主体、政产学研一体化的人才战略联盟。优化人才培养、创业、科研、流动等领域优惠政策，加快培养专业化的素质人才，加速高端人才向创新创业核心区集聚，鼓励中高层次人才向基层岗位流动。落实中高层次人才引进政策，给予引进的中高层次人才在编制、岗位、社保、购房、配偶择业、子女入学等方面的优惠政策。

10.1.3 健全新兴信息消费法律保障，形成长效拉动机制

1. 完善网络基础设施相关立法

尽快出台网络安全法。《网络安全法》是网络安全管理、网络主体权利保护等方面的基础性法律，应确立保障网络安全的基本原则、战略规划等顶层制度设计，加速完善网络基础设施、运行维护等领域的网络安全法律法规体系。

适时出台统一的信息通信法。加快制定统一的信息通信法，整合当前落后的《广播电视管理条例》《中华人民共和国电信条例》等法律法规，以统一的法律体系对广播电视、基础电信等领域进行规范，对信息通信领域的互联互通、资源配置、共享交换等关键点进行约束。

2. 加快重点信息服务管理立法

推进网络信息服务管理统一立法。加快制定并推行《互联网信息服务管理办法》，以明文规定的形式确立互联网信息服务市场各参与方的权利和义务。明确互联网信息服务监管单位的职责与权限，加强市场监管。对不良互联网信息服务制定出台严格的惩罚机制，构建多方参与的共同治理体系，营造清朗的互联网信息服务市场空间。

加快重点领域的信息服务立法体系建设。加快制定电子商务关键领域立法，对电子商务交易流程、支付管理、消费者保护、售后服务等重点领域加以法律保护，严厉打击和惩处电子商务欺诈行为。加快研制电子政务领域立法，确立政府信息资源共享、政务信息化、政务自动化等领域的法律保护制度，继续完善信息公开、共享和保护机制。完善互联网金融领域立法，结合互联网金融业务特点，明确互联网金融的准入机制、主体权益、业务运行、行政监管和法律责任，对互联网金融涉及的政府部门、行业组织、消费者权益等相关信息予以保护。

3. 加快网上个人信息安全保护立法

加快出台《个人信息安全法》。加快推进个人信息安全法出台，对个人信息保护的标准、规范进行要求，对数据采集、存储和使用行为进行严格保护。对个人网上信息的相关权益要加强保护，同时新兴信息消费是一个时代重点发展的领域，用户信息的决定、获取、更正等权利都需要进一步的保护，同时随着时间的推移，新兴信息消费的内涵和外延将发生改变，有必要按期对法律制度进行补充完善。

明确个人信息保护的边界和奖惩制度。以法律制度的形式明确个人信息保护的范畴，对不同类型的信息数据进行差异化的分级分类保护，规定各类信息保护的主体和权责。将电商店铺、网上银行、电信机构、招聘公司、中介机构等互联网时代掌握海量个人信息的单位和工作人员列为个人信息安全犯罪主体范畴，加强对这些主体的管控。以法律形式规定个人信息安全犯罪主体的犯罪渠道、犯罪行为，对个人信息安全犯罪进行定罪量刑，降低入刑门槛，增强惩处力度，解决当前个人信息安全犯罪成本低的顽疾。

10.1.4 加强新兴信息消费环境监管，提高持续发展能力

1. 继续深化行政体制改革

持续推进简政放权。深化行政审批改革，全面公布政府权力清单和责任清单，依托网上行政审批系统，加强相关业务部门系统对接，完善政府部门行政审批基本流程、标准指引及规范办法。探索通过取消和下放的形式加快行政审批事项瘦身，简化行政审批流程，加强事中、事后监管。

深化商事制度改革。积极争取相关部委将互联网牌照审批、监管权限下放，由相关部门代为监管，对不能下放的，推行政府协办制，统一由相关主管部门代办。加快五证合一、一照一码等登记制度改革，探索一照多址、一址多照、集群注册等住所登记制度改革，推进全程电子化登记和电子营业执照试点，降低新兴信息消费领域创业准入的制度成本。

创新市场监管机制。加快依托社会联合征信系统构建企业信用平台，依托企业信用平台实现信用信息的互联互通和资源共享，并以此为基础，充分利用云计算、大数据等手段构建新兴信息消费的市场监管机制。探索建立企业负面清单，完善守信激励和失信惩戒机制，加强事中、事后监管。加快推进执法体系改革，构建跨部门、跨区域的联动式执法机制，明确相关机构的权责，探索适应新兴信息消费的审慎监管制度。

优化政府服务。推进“互联网+”政务服务改革，加快利用大数据、云计算等信息技术推动政务信息公开和流程优化再造，推进一号一窗一网服务模式，建立电子证照库，实现一号申请、一窗受理、一网通办。优化新一代信息产业的扶持机制，放宽创业补助、融资渠道、上市门槛等领域门槛，增大财税金融政策的支持力度。

2. 完善统计监测分析制度

完善新兴信息消费环境统计监测制度。进一步明确统计范围，以新兴信息消费环境评估指标体系和评估模型为基础，将智能产品、互联网业务、数字内容等纳入信息消费统计，从社会环境、供给环境、需求环境 3 个层面入手，构建新兴信息消费环境统计监测体系。以制度形式明确新兴信息消费环境统计监测，加强中央、地方、行业、重点企业间的协调联动，强化信息消费数据采集、处理、发布和共享。

建立健全新兴信息消费环境评估机制。进一步加强新兴信息消费环境统计监测数据应

用，探索并建立基于统计数据的新兴信息消费环境发展指数，定期公开发布，实现对政府决策的有效支撑，同时加大对新兴信息消费环境中重点领域的有效监督、问题预判、应对处置等能力，推动新兴信息消费环境的有效治理。

3. 加强信息通信网络安全

加强网上风险综合防控。增强网上风险防控意识和能力，研究网络空间下的经济行为风险发生规律和特征，全面梳理互联网金融、位置应用、跨境电子商务、云计算大数据等新生经济发展的风险点。建立跨部门网上风险研判协同工作机制，提升对新兴信息消费环境安全风险的发现和处置能力，有效化解和遏制各类风险。健全市、区县(自治县)、乡镇街道三级新兴信息消费舆情监测体系，强化实时巡查，依法打击网络犯罪。

加强关键信息基础设施防护。围绕新兴信息消费的重点行业及领域的关键信息基础设施安全保护，严格安全管理和技术防范，做好关键信息基础设施网络安全检查、定级备案和测评整改。加强政府机关、企事业单位、社会组织以及其他机构网站、平台、信息系统、数据中心等关键基础设施的安全保护，探索制定风险监测、评估和控制体系，加强安全防控的统筹管理，确保要求明确、责任到人。

加强数据信息安全保护。加快构建数据信息的分级分类保护机制，加快构建政府、企业和个人数据资源的资产化和信用授权机制，对数据采集、存储、处理、分析、传播等全生命周期行为进行规范性要求，确保数据使用安全。将数据信息安全保护与网上征信体系挂钩，对不按规定、破坏数据信息安全的组织、个人给予严厉惩处。信息终端设备升级换代。以政策形式鼓励和推广新一代信息终端应用，鼓励在农村地区通过降低终端价格、业务价格等形式加以推广。鼓励基础网络运营商加快网络和业务升级，通过提网速、降资费等措施，加速新一代信息终端应用推广。

10.2 推进产业改革，提升新兴信息消费供给环境

10.2.1 培育新一代信息技术产业生态，增强产品与服务供给

1. 鼓励相关企业加速转型发展

传统企业加速可持续发展。在国家创新、协调、绿色、开放、共享五大发展理念的支撑下，尤其是在互联网的巨大冲击下，传统产业面临转型困境，针对国内各地的产业基础，充分发挥互联网的渗透性，推进三次产业中的大型企业与互联网、大数据、人工智能的深度融合，充分利用企业资金、技术、营销网络等优势，重构传统产业组织、生产、经营模式，鼓励新一代信息技术在工业、农业、服务业领域的创新应用，实现传统企业由要素投入向创新驱动转换，形成一批新兴信息消费领域的新技术、新产品、新模式。

信息技术企业创新发展。鼓励信息技术企业在云计算、大数据、人工智能等新一代信

息技术领域加速创新，突破关键技术瓶颈，研发、培育一批云计算、大数据、人工智能等领域的新产品、新业态和新模式。互联网企业加速由线下转为线上发展，利用用户积累和平台优势，探索用户价值挖掘和渠道应用。系统集成厂商加速向业务合作伙伴关系转型，由技术导向的基础或单项 IT 服务逐渐向业务导向的全流程服务转型。

小微创业企业稳步发展。引导和鼓励创业型的小微企业充分利用新一代信息技术产业发展的契机，加快研发、培育跨行业、跨领域的新经济形态，探索新一代信息技术在生产、消费、服务、应用等各领域中的融合应用，重点鼓励企业在数字传媒、互动娱乐、体验消费、共享经济等领域的探索，叠加形成经济新业态、新模式、新产业。

2. 加强企业先进技术和产品研究

加强前沿技术的攻关研究。加快构建前沿信息技术的研发体系，充分利用国家、地方创新投入的资金倾斜，加大行业和企业的资源投入，立足长远，加快在大规模/超大规模集成电路、传感器、人工智能、下一代互联网等领域的前沿技术创新，鼓励相关领域的基础技术和共性关键技术研发，以长远的眼光探索打造新一代信息技术领域的先进技术体系。

鼓励新一代信息技术产品与服务研发。突破一批核心关键新一代信息技术产品和服务，推动面向互联网的智能可穿戴、智慧家庭、智能音响、智能车载、智慧健康、智能无人系统等智能硬件核心产品的关键技术突破。推动工业嵌入式操作系统、工业操作系统、移动智能终端操作系统等基础软件发展，提高智能制造领域操作系统等基础软件能力，构建具备自主发展能力的通用基础软硬件平台。统筹基础研究、技术创新、产业发展与应用部署，加强产业链各环节协调互动，致力于提高产品服务附加值，加速产业向价值链高端迁移。

3. 深化与国外先进企业的合作

积极疏通国内市场到国际市场的对接渠道。鼓励企业充分研究国际市场规则、国际惯例及当地政治、经济、文化、消费等方面的特征，通过实训教育、海外培训等方式加强软件人才知识结构持续更新，夯实企业发展基础。综合运用各类协会、产业联盟等中介，通过技术支持、财税、投融资、管理咨询等服务出海，鼓励国内大型企业积极参与国际标准制定，着力打通国内国际市场的对接渠道。

加速与国外先进企业的技术合作。鼓励国内新一代信息技术企业借技术攻关、跨国经营、投资合作等契机，拓展业务经营范围、获取技术资源、实施品牌战略、构建生态体系，提升企业在技术研发、系统集成、项目管理、工程实施、生态构建等方面的能力，提高全球资源配置能力。通过国际技术合作挖掘并培养一批龙头骨干人才，成为带动企业创新发展的核心力量。

10.2.2 推进实施信息产业人才战略，提升专业人才技能

1. 加大信息产业人才发展投入

构建政府-企业-高校多渠道人才经费体系。以国家和各级地方政府的专项资金为引导，以贷款贴息、投资入股等多种形式拓宽人才发展投入体系带动信息产业人才经费投入。鼓励大型企业和高校设立信息产业人才培养专项教育资金，深化高等教育改革、推进社会化教育，重点支持科技领军人才、青年学术和技术带头人以及各类急需人才的培养，对符合企业需求的人才培养提供经费支持。

加大信息产业人才奖励力度。继续落实国家特支计划等人才战略，根据人才实际缴纳个人所得税额度进行资金奖励。提高深入科研一线、地方基层的顶级专家、人才的一次性奖励额度。支持向在新一代信息技术产业中对地方、行业、企业发展做出突出贡献的人才倾斜奖励措施。对投身大众创业、万众创新的突出团队，地方财政应一次性给予整个团队经费资助。

改善信息产业人才基本保障条件。通过优化升级新一代信息技术产业人才的社保待遇、购租房补贴、生活补贴等，保证相关人才在居住、生活等方面均无后顾之忧，同时通过加大科研经费扶持力度等措施，鼓励相关人才投身科研、专注创新。进一步完善科研成果评价和激励机制，健全科研成果分级分类奖励制度，落实科技成果转换的相关政策体系。

2. 加强信息产业人才队伍建设

加大信息产业人才引进力度。鼓励地方政府、企事业单位、科研机构等单位加快新一代信息技术产业人才引进，在各级人才管理部门的统筹管理下，进一步扩大社会力量在人才引进中的主体作用，扩大人才吸引力。加快依托人才交流平台、大型会议、商务合作等契机，加强对外联络，探索人才区域流动机制，拓宽人才引进渠道。

健全信息产业人才培养政策。行业主管部门要研究制定人才教育培训、实践锻炼长期规划和年度计划，采取学习培训、进修深造、挂职锻炼、鼓励参加非学历教育等多种形式，为各类人才提升能力素质搭建平台。鼓励企业建立首席信息官(chief information officer，CIO)制度，增加互联网应用培训，推动人才转型升级。鼓励高校积极与企业合作，定向培养、专项培养，以社会需求和市场需求为导向，建立全方位的培养体系。

3. 优化信息产业人才管理模式

加强信息产业人才统筹管理。由各地人才主管部门联合行业管理部门建立新一代信息技术产业人才工作协调小组，负责统筹管理地区人才队伍建设和人才调控，负责各项重大人才工程的目标分解和实施监督。对于目前紧缺人才的引进的相应措施尚未建立，建议建立人才分类标准，进行人才水平评定。鼓励各地建立区域性的新一代信息基础产业人才信息库，实现人才分层次、分类型的信息管理，面向行业、企业发布人才供求信息、政策信

息、培训信息等，实现全行业人才信息的集聚式管理。

推进信息产业人才职称制度改革。细化信息通信行业职称评审实施方案，逐步建立由地方职称改革办公室授权，由各地通信管理局等机构组织评审，以品德、能力和业绩为导向，社会认可的人才评价体系。完善职称评价标准，克服唯论文、唯学历、唯资历倾向，对具有较高学术造诣、重大研究成果或特殊技能的，视其情况可适当放宽政策，在职称评定上有所突破。创新职称评价机制，打破户籍、地域、身份、档案、人事关系等制约，不断提高评价科学化、规范化、社会化水平。改进职称管理服务，合理下放权限，科学设置条件，更好地为人才服务。

构建开放性的信息产业人才交流平台。依托“一带一路”等国家对外开放战略，鼓励吸引具有国际影响力的交流峰会和论坛，促进国内外相关领域一流专家深入交流，积极提升我国信息产业在国际上的知名度和影响力，并依托大型对外活动吸引更多海外高层次人才。重点资助对经济社会发展做出突出贡献的信息产业人才出国出境学习交流，联合海外高水平科研机构共建信息产业人才培养基地，组织优秀人才赴海外接受高层次培训。

4. 完善信息产业人才激励机制

健全三位一体的人才成长激励体系。加快构建以政府为引导、企业为主导、社会为辅助的新一代信息技术产业人才激励机制，以技能、业绩和报酬一体化为原则，从生活、医疗、购租房、配偶就业、子女入学等方面入手构建激励体系。依托人才数据库，推进职称评定、技能鉴定、人才评级与人才激励紧密挂钩，从高级专家、基层人才、有特殊贡献的人才中进行评优和重奖，进一步激励和鼓励人才不断提升自我。

加大基层人才激励力度。针对长期扎根基层并有突出贡献的人才，在职称评定、技能鉴定、岗位晋升等方面予以政策倾斜，在生活补贴、购租房、配偶就业、子女入学等方面予以政策优惠。适当提升从基层人才中选拔高层次人才、杰出人才的比例，鼓励行业主管部门对基层优秀人才进行表彰奖励。

10.2.3　持续推进大众创业、万众创新，挖掘产业创新潜力

1. 突破科技成果转化的关键制度障碍

加强知识产权运用和协同保护。在新一代信息技术领域，由政府、企业、行业协会等共同完善知识产权运用和快速协同保护体系，扩大知识产权快速授权、确权、维权覆盖面，加快推进快速保护由单一产业领域向多领域扩展。推动建设区域的知识产权保护中心和知识产权法庭，构建在知识产权的审查确权、行政执法、维权援助、仲裁调解等领域的一体化联动模式。

加速科技成果市场化转化。加快推进企业新一代信息技术科技成果转化，完善无形资产价值评估工作体系，简化评估流程，支撑后续定价拍卖。通过转让授权、技术入股等多

种形式，促进科技成果、专利在企业的推广应用。

推动各类双创孵化器转型。加快引导新一代信息技术领域的众创空间、创新创业孵化器向专业化、精细化方向升级，整合一批小而散的双创孵化器，鼓励龙头骨干企业、高校、科研院所围绕优势细分领域建设平台型众创空间。鼓励新一代信息技术企业自有仪器设备开放共享，探索仪器设备所有权和经营权分离机制，探索引入专业服务机构进行社会化服务等多种方式，提升双创孵化器创新创业动力。

2. 不断拓宽创业企业融资渠道

完善债权、股权等融资服务机制。加快构建专利抵押等知识产权融资机制，鼓励技术入股等投资模式，扩大企业投融资渠道。探索建立创新创业债券体系，率先在国家和地方的双创试验区试点创新创业债券的管理和运行机制，并逐步向其他区域拓展，同时探索创新创业债券的跨区域互通互认机制，促进创新资源的共享和流通。

加快国家产业发展资金扶持力度。以国家和各级地方政府的新兴信息技术产业专项扶持资金为引导，充分利用社会资源以贷款、投资等形式拓宽企业发展资金来源，加快构建起中小企业发展资金、创新创业投资基金等多维度、多形式的产业发展资金扶持体系。加快构建新兴信息消费领域的企业信用评价制度，推进信用评价和资金扶持挂钩的有效机制，保证资金使用安全、到位、高效。

10.3 引导消费转型，优化新兴信息消费需求环境

10.3.1 着力提升人均可支配收入，培育信息消费潜力

1. 拓宽各类就业渠道

积极拓宽就业渠道。加快促进服务业等劳动密集产业发展，推进小微型企业发展，鼓励创新创业，有效扩大就业容量。加快提升在就业教育、宣传引导、就业指导中的意识导向作用，破除陈旧的就业观念，加快构建自主择业、市场调节和政府促进相结合的就业拉动机制。继续大力推进各类创新创业培训，完善和落实相关创新创业扶持政策体系，以创业带动就业。

规范劳动力市场。建立完善劳动力市场管理规范体系，加快构建劳动者、用人单位、政府机构三方制度化、程序化、规范化的劳动关系调整机制。引导企业完善职工薪酬待遇、福利社保、津贴补贴体系，建立规范的考核激励制度，健全劳动争议集体协商制度。加强劳动力市场监管、劳动者保护、执法监察力度，进一步规范劳动力市场。

2. 优化生产经营体系

提高企业生产经营能力。落实五大发展理念，加快供给侧结构性改革，优化企业生产

经营模式，着力降低生产和经营成本，通过科学有效的成本控制来提升企业利润。加强在人力资源、生产流程、财务管理、市场营销等方面的先进管理理念运用，科学规划管理层级，加强新技术研发创新，加快与信息技术的融合，培育大规模定制、人工智能等新业态、新模式，增强自主开发水平。

优化农业经营体系。加快农业经营模式转变，加速互联网、物联网等信息技术在农业生产中的融合应用，大力发展设施农业、智慧农业、农村电商等新兴农业生产经营模式。完善农业服务与管理体系，培育多元化的农业生产经营主体。大力发展农产品加工、深加工，提升农产品价值。

3. 健全完善福利保障体系

持续完善社保体系，加快构建城镇和农村社会保障体系，构建政府财政引导、企业资金参与的社会保障支出体系，加强政府财政在社保上的转移支付力度。加快构建多层次、多领域、体系化的社会保障体系，提升城乡居民在医疗、养老、失业等方面的风险抵御能力，加大对弱势群体、低收入群体等群体的最低生活保障力度，改善低收入群体的生活状况。加大对重大疾病的社会保障力度，将常见重大疾病纳入社保资金支付清单，避免因病返贫。

10.3.2　加快推进信息化能力引导，提升居民信息素质

1. 加强学校信息教育

进行信息基础知识教育。高校应在已有的计算机课程设置的基础上，充分结合互联网发展趋势，加快课程设置改革，进一步普及网络课程、网络教育等新模式，提升计算机技术、算法语言、数据分析等课程的比重，指导学生使用计算机及网络，并鼓励学生运用网络和信息技术进行学习。

鼓励学生在社会的信息环境中自我培养。鼓励学生合理利用网络化的传媒途径以及各地方性网络、企业网络和事业网络等平台，锻炼信息获取、信息甄别等技能，促进学生信息素质的发展。家庭信息环境初具规模，家庭宽带普及率不断提升，在网上收发邮件、查阅资料、访亲交友、订购物品、寻医问药等服务持续拓展，鼓励学生从中学习信息技术的应用，培育自觉学习和自觉提高的动力。

2. 加快农村信息技术普及

加快农村信息社建设。加快在基层农村布局建设集中式的农村信息社，在农村信息社中配备 12316 咨询电话、宽带接入、多功能信息服务终端、体验式信息产品(如 IPTV、可穿戴设备)等硬件设施。组织在村级单位选聘信息员，加强农村信息社管理和农民信息技术、产品和服务的培训工作。同时指导农民在生活、生产过程中使用信息化手段提高生活水平和生产效率。

加快农村信息平台建设。加快利用农村信息平台建设的契机，统筹整合各类农村农业信息资源、信息服务，面向农村农业提供丰富的生产信息服务、消费信息服务、“三农”政策指导、市场状态信息服务、农村生活服务等 Web 端和移动端的信息服务，逐步实现桌面和手机一体化的农村信息平台，实现信息服务个性化、泛在化、精准化地投放。

10.3.3 增强居民新兴信息消费意识，培育信息消费习惯

1. 加强推广宣传力度

利用 O2O 模式加快新兴信息消费在普通公众、高层次人才、企业组织中的推广。对于普通公众来说，充分利用媒体途径，宣传信息技术带来的便利性、实用性和价值性，逐步在公众中形成信息技术是未来创造财富的关键资源的概念。对于高层次人才和企业组织来说，应当针对性地就某些关键领域进行信息技术应用的宣传推广，有针对性地推荐新兴信息产品与服务，引导其产生新兴信息消费动力。对于信息技术和信息知识了解最少、消费意识最为淡薄的群体，要提高他们的信息意识，应借助大众传媒的力量，联合各类信息机构，通过多样化的信息手段加大信息宣传力度，促使他们意识到在当今市场经济环境下，信息是财富的源泉，谁拥有的信息多、掌握的信息技术水平高，谁就拥有了资源，就能开发出、创造出更多财富。

2. 试点推广体验式消费

加快营销模式创新。引导和鼓励国内大型信息产品生产企业和信息服务提供企业，在社会诚信体系的基础上，积极探索 30 天不满意就退货，先使用、后付款等新模式，在一线、二线城市试点新兴信息消费产品和服务体验式营销模式。通过体验式营销激发并满足消费者对产品和服务全方位的体验需求，从而促进新兴信息消费。

线上线下共同实现精准营销。利用线上销售渠道获取消费者信息，利用线下体验评估消费者体验结果，通过对消费者属性、偏好、平均驻店时间、价格敏感度等数据的分析，完成用户画像，实现从经验经营到数据经营、从数据化营销到数据化体验的转变，通过进一步优化产品质量，优化供应链以控制价格，为消费者提供投其所好的新兴信息消费产品与服务。

3. 落实信息产品与服务下乡

制定信息产品与服务下乡实施方案。坚持实事求是、公正公平、管理规范、服务便民的原则，加快制定信息产品与服务下乡工作方案，引导建立适合农村信息消费特点的生产和流通体系。实施万村千乡市场工程，推动相关企业到基层乡村建立销售网络，实行辖区统一管理模式，加快基层农村信息产品与服务的销售和服务体系。各级政府主管部门在国家相关管理部门的指导下，遴选并推荐候选企业，通过统一招标确定各地区参与信息产品和服务下乡工程的企业。

严格管控信息产品与服务下乡价格。要求中标企业推进布局建设下乡服务网点，保证信息产品和服务下乡过程能够保质保量完成。要求中标企业准确把握市场动态，及时调整生产、供货计划，对于已经销售的信息产品和服务要做好售后跟踪，保证售后服务质量。中标流通企业要合理制定家电下乡产品的统一配送价格，不得随意提高供货价格或低价倾销。对农村各信息产品与各服务销售网点进行最高限价管理，严格按照标的价格进行销售。

信息产品与服务售后保障。消费者购买到的硬件信息产品若出现质量问题，可联系原销售机构进行检修或换货，确需退货的，购买人要先与销售网点协商，完成相关手续后可办理退货。对于软件服务，由销售机构进行必要的安装和使用辅导，一经激活使用后不接受退货，厂商负责为软件服务提供必要的支撑服务。

10.4　加强个人诚信体系建设，规范公民网上行为

10.4.1　加快推进个人网上诚信记录建设

完善网络实名登记制度。加快推进在互联网、云计算、大数据等新兴信息消费重点领域的统一社会信用代码体系应用，落实推进以居民身份证号为基础的网络实名制登记制度，为准确采集个人诚信记录奠定基础，通过信息化技术手段，不断加强网络个人身份信息的查核工作，确保个人身份识别信息的唯一性。

建立个人网上诚信记录。加快建立基于网络实名制登记制度的个人网上诚信记录制度，通过技术手段实时采集、动态更新网民网上行为中产生的诚信数据。加快推进个人网上诚信记录与联合征信体系挂钩，健全网民个人网上诚信档案，完善联合征信体系。

规范推进个人网上诚信信息共享使用。加快构建个人网上信用记录的互联互通，依托各级各类信用信息交换平台，集聚各类信用信息，探索个人网上诚信数据的共建共享体系。鼓励个人网上信用记录(如芝麻信用等)在金融、交通、购房等领域应用，加快个人网上诚信信息与各类社会信用体系共享交换。鼓励政府部门依法合规地向社会公众提供个人网上信用情况查询，并鼓励通过 PPP 等方式开发各类信用应用，提供数量更多、功能更全的信用服务。

10.4.2　完善个人守信激励和失信惩戒机制

为优良信用个人提供更多服务便利。加快完善个人网上守信激励措施，针对个人网上信用记录良好的个人，在金融、交通、购房、创业、教育、就业等领域，给予费用减免、优先办理、创业指导等更多的优惠服务，还可以根据实际情况依法优先申请绿色通道、容缺受理等便利服务。对于社会机构中推广使用个人网上信用记录的，在财税金融方面给予一定的奖励。

对网上严重失信个人实施联合惩戒。加大个人网上失信的惩戒力度，提高网上失信成

本。加快落实将利用互联网开展非法集资、诈骗、虚假宣传、黄赌毒等严重失信活动的个人纳入严重失信名单，依法采取行政和刑事约束，加大惩戒力度；对参与互联网严重失信活动的企业、社会组织等机构在采取强制措施的过程中，对相关责任人也要采取强制的惩戒措施。利用个人网上诚信记录的共享交换，挂钩社会联合征信系统，对失信个人按照相关法律规定给予失信惩戒。

10.5 本章小结

本章围绕新兴信息消费环境评估中社会环境、供给环境和消费环境 3 个方面的内容，结合评估结果和新兴信息消费环境治理的重点方向，从政府、产业和消费者层面提出相应的政策建议。本章的主要结论如下。

针对新兴信息消费社会环境中的信息基础设施建设不强、政策效率不高、法律保障不全等重点内容，围绕如何要求政府这一核心，以推进网络和应用设施建设为重点加快新一代信息技术设施建设，以推进顶层设计和产业政策优化为重点完善新兴信息消费政策，以推进基础设施、信息服务和个人信息保护为重点健全新兴信息消费法律，以推进简政放权、统计监测和网络安全为重点加强新兴信息消费环境监管，提出改善新兴信息消费社会环境的政策建议。

针对新兴信息消费供给环境中高附加值信息产品与服务供给不够、专业人才队伍不强、产业持续发展动力不足等重点内容，围绕如何鼓励企业这一核心，以促进企业转型、技术研发、国际交流为抓手加快培育新一代信息技术产业，以促进人才投入、队伍建设、人才管理和人才激励为抓手实施信息产业人才战略，以促进成果转化、企业融资和双创体系构建为抓手持续推进大众创业、万众创新，提出提升新兴信息消费供给环境的政策建议。

针对新兴信息消费需求环境中人均信息消费潜力不高、居民信息素质不均衡、信息消费习惯未形成、网上行为无序等重点内容，围绕如何引导消费者这一核心，以优化就业渠道、企业经营、福利体系为框架提升人均可支配收入，以优化学校教育和科技下乡模式为框架强化各阶段信息教育，以优化宣传和体验式消费模式为框架增强新兴信息消费意识，以优化网上诚信体系和激励奖惩机制为框架加强个人诚信体系建设，提出提升新兴信息消费环境的政策建议。

参考文献

[1] 李旭辉，李超，魏瑞斌. 基于 CSSCI 的信息消费被引文献计量研究[J]. 图书馆工作与研究，2014(4):104-108.

[2] 何猛，闫强. 大数据时代的信息消费内涵分析[J]. 北京邮电大学学报(社会科学版)，2014(4):40-45.

[3] 王君珺，闫强. 碎片时间的应用现状与发展趋势分析[J]. 北京邮电大学学报(社会科学版)，2011(2):47-52.

[4] 沙勇忠，刘焕成. 信息环境演化对信息消费的影响[J]. 情报科学，2001(12):1310-1313.

[5] 林艳华. 信息环境与信息消费[J]. 情报杂志，2002，21(8):30-31.

[6] 郑英隆. 基于发展方式转变的我国城乡居民信息消费差异研究述评(2006—2011) [J]. 图书馆论坛，2013(332):17-25.

[7] 尹世杰. 消费经济学[M]. 北京：高等教育出版社，2007.

[8] 王景艳，朱珍. 信息消费与信息化消费[J]. 佛山科学技术学院学报(社会科学版)，2013(3):64-68.

[9] 郑英隆. 信息消费论纲[J]. 上海社会科学院学术季刊，1994(2):51-59.

[10] 高锡荣. 中国电信市场的结构演变、产品创新与效率评价[D]. 重庆：重庆大学，2007.

[11] 马哲明，李永和. 我国农村居民信息消费与其收入关系研究[J]. 情报科学，2011(11):1701-1704.

[12] 郝建韬. 基于双层规划的移动应用商店利润分成研究[D]. 北京：北京邮电大学，2012.

[13] Friedman D. Evolutionary Games in Economics[J]. The Econometric Society，1991，59(3):637-666.

[14] 熊大红，刘振国，方逵，等. 政府信息服务模型和关键技术研究[J]. 情报杂志，2012(11):166-169.

[15] 袁野，盛海刚. 演化博弈视角下的政府信息资源共享策略研究[J]. 北京邮电大学学报(社会科学版)，2016(2):65-71.

索　　引